Le petit FLEURUS

Claude Kannas • Marie Garagnoux

ÉDITIONS FLEURUS, 11, rue Duguay-Trouin 75006 PARIS

Textes
Claude Kannas
et
Marie Garagnoux
avec la collaboration de Nathalie Beau

Illustrations
Paul Beaupère
Karine Georgel
Yves Lequesne
Frantz Rey
Isabelle Rognoni
Harvey Stevenson

Mise en couleurs
Brunet, Chagnaud, Yot

Direction artistique
Harvey Stevenson

Coordination éditoriale et maquette
Béatrice Leroy

Traitement informatique des images et de la maquette
Image & Couleur

Correction
Nathalie Kristy et Michel Massuyeau

Conception et réalisation
Hubert Deveaux & Co

Équipe éditoriale des Éditions Fleurus
Janine Boudineau
Daniel Boudineau

Maquette couverture
Daniel Boudineau

Les premières lectures, les premières histoires racontées avec tendresse sont autant d'occasions de faire appel à l'imagination de l'enfant en lui faisant découvrir le plaisir des mots.

Il y a les mots de la vie quotidienne, ceux qui permettent de nommer les objets, et les mots des contes et des récits, ceux qui font rêver, ceux qui font vivre les personnages, ceux qui font naître des émotions. Tous ces mots ne prennent pleinement leur sens que dans leur contexte. C'est pourquoi nous avons choisi quinze histoires parmi les plus connues des enfants pour « mettre en scène » le vocabulaire et l'expliquer.

Les images appellent l'attention de l'enfant qui, à partir des personnages et des scènes qu'il reconnaît, va enrichir son vocabulaire. Les planches lui permettent de découvrir de façon amusante et originale les vocabulaires thématiques. Les devinettes stimulent sa curiosité et lui apprennent à circuler dans un dictionnaire.

La conception de ce dictionnaire le destine tout particulièrement à la lecture accompagnée recommandée pour les enfants dès 5 ans.

Les Auteurs

On trouvera à la fin de l'ouvrage les références des histoires dont nous nous sommes très librement inspirés pour pouvoir illustrer le plus grand nombre de mots.

Des mots, des histoires,

Pour apprendre à chercher :
les 3 premières lettres du
premier mot de la page.

Le mot est
expliqué
à chanson.

Les dialogues
mettent les mots
en situation.

Les définitions
ou les explications
sont simples.

La nature des mots
est donnée pour
le nom, l'adjectif
et le verbe.

Les devinettes
invitent à circuler
dans le dictionnaire
et à découvrir
d'autres mots.

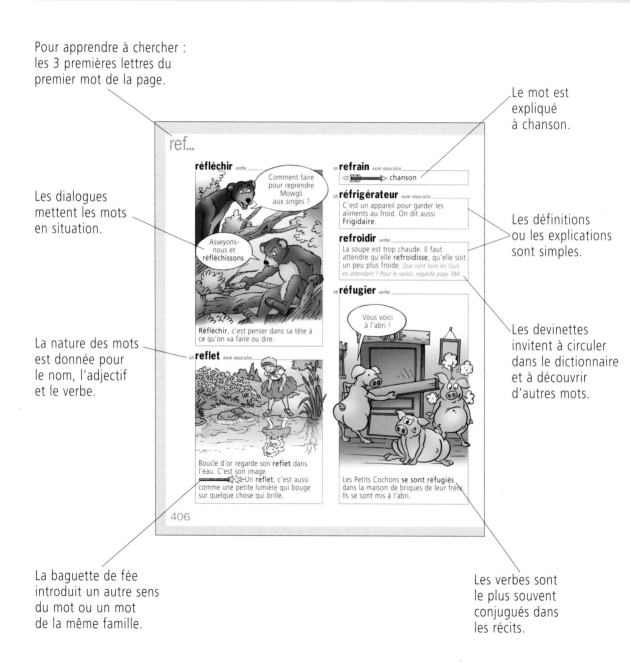

La baguette de fée
introduit un autre sens
du mot ou un mot
de la même famille.

Les verbes sont
le plus souvent
conjugués dans
les récits.

des images, des personnages

Pour apprendre à chercher :
les 3 premières lettres du
dernier mot de la page.

Pour apprendre
d'autres mots
en allant voir
la planche sur
le temps.

Tous les types
de phrases sont
représentés dans
les bulles.

poe...

la **pluie** *nom féminin*
Quand il pleut, la **pluie** tombe en
gouttes. C'est de l'eau qui tombe des
nuages. ▶ Regarde le temps, page 473.

un **poêle** *nom masculin*
Va donc attraper
des souris au lieu de rester
près du **poêle** !

une **plume** *nom féminin*

Blanche-Neige a trouvé une **plume**,
l'oiseau n'est peut-être pas très loin.
Tous les oiseaux ont des **plumes**. C'est
leur **plumage**. Autrefois, on écrivait
avec le bout pointu d'une **plume** qu'on
trempait dans l'encre. C'est pour cela
qu'on appelle aussi **plume** le bout
pointu des stylos à encre.

Le Chat est devenu vieux. Il aime la
chaleur du bon **poêle**. C'est un appareil
de chauffage.
On prononce comme
poil.

À partir d'un mot,
on en découvre
d'autres.

une **poêle** *nom féminin*

un **pneu** *nom masculin*
Il y a des **pneus** en caoutchouc autour
des roues des voitures et des vélos.

Les noms des
personnages ont
une majuscule.

Les féminins ou
les pluriels
difficiles sont
illustrés par
l'exemple.

une **poche** *nom féminin*

p

Le Pêcheur a une **poêle**
à la main. Que veut-il faire
cuire dedans ? *Regarde page 219.*
On prononce comme
poil.

Hansel met des cailloux dans sa **poche**.

367

Le mot est connu.
Le dessin suffit.

Le balai de
sorcière introduit
une remarque.

5

Un peu de

la nature des mots

Très vite, l'enfant devra apprendre à reconnaître les noms, les adjectifs et les verbes. Ce sont les trois catégories grammaticales que nous avons retenues dans ce dictionnaire. Pour l'aider, on pourra lui poser des questions toutes simples.

un **champignon** *nom masculin*

Les champignons poussent dans les forêts ou dans les prés. Certains se mangent, mais d'autres sont très dangereux. Attention !

Alice est devenue aussi petite que le **champignon** ! Elle voit son **pied** et son **chapeau**.

LE NOM
Qu'est-ce que c'est ? – Un champignon.
   champignon est un nom masculin, on dit *un* champignon
Quand il y en a plusieurs, on écrit ***champignons*** avec ***s***.
un/le = masculin singulier - des/les = masculin pluriel
une/la = féminin singulier - des/les = féminin pluriel

Qui est-ce ? – Alice.
   Alice est le nom d'une personne, d'un personnage
C'est un nom propre. On l'écrit avec une majuscule.

bleu *adjectif*

À la fenêtre, il y avait une Fée aux cheveux bleus. La couleur bleue, c'est la couleur d'un ciel sans nuages.

L'ADJECTIF
Comment sont les cheveux de la Fée ? – Ils sont bleus.
   bleu est un adjectif
L'adjectif change de forme selon le nom auquel il se rapporte. Il peut être masculin ou féminin, singulier ou pluriel.

sauter *verbe*

Mowgli **saute** de l'arbre. Il fait un **saut** dans le vide.

LE VERBE
Qu'est-ce qu'il fait ? – Il saute, il est en train de sauter.
   sauter est un verbe
Le verbe change de forme selon la personne (je, tu, il ou elle, nous, vous, ils ou elles), le temps (présent, imparfait, futur, passé composé...) et le mode (indicatif, subjonctif, impératif...).

grammaire

la conjugaison

L'enfant devra également se familiariser avec les conjugaisons régulières en *er* et en *ir*.

CHANTER

INDICATIF

PRÉSENT	IMPARFAIT
aujourd'hui	*autrefois*
je chante	je chantais
tu chantes	tu chantais
il, elle chante	il, elle chantait
nous chantons	nous chantions
vous chantez	vous chantiez
ils, elles chantent	ils, elles chantaient

FUTUR	PASSÉ COMPOSÉ
demain	*hier*
je chanterai	j'ai chanté
tu chanteras	tu as chanté
il, elle chantera	il, elle a chanté
nous chanterons	nous avons chanté
vous chanterez	vous avez chanté
ils, elles chanteront	ils, elles ont chanté

SUBJONCTIF	IMPÉRATIF
PRÉSENT	PRÉSENT
il faut que	*l'ordre*
je chante	chante
tu chantes	chantons
il, elle chante	chantez
nous chantions	
vous chantiez	
ils, elles chantent	

FINIR

INDICATIF

PRÉSENT	IMPARFAIT
aujourd'hui	*autrefois*
je finis	je finissais
tu finis	tu finissais
il, elle finit	il, elle finissait
nous finissons	nous finissions
vous finissez	vous finissiez
ils, elles finissent	ils, elles finissaient

FUTUR	PASSÉ COMPOSÉ
demain	*hier*
je finirai	j'ai fini
tu finiras	tu as fini
il, elle finira	il, elle a fini
nous finirons	nous avons fini
vous finirez	vous avez fini
ils, elles finiront	ils, elles ont fini

SUBJONCTIF	IMPÉRATIF
PRÉSENT	PRÉSENT
il faut que	*l'ordre*
je finisse	finis
tu finisses	finissons
il, elle finisse	finissez
nous finissions	
vous finissiez	
ils, elles finissent	

On trouvera la conjugaison des verbes irréguliers les plus usités (*aller, avoir, devoir, être, faire, mettre, pouvoir, prendre, savoir, venir, voir* et *vouloir*) à leur ordre alphabétique.

Les personnages

Voici les personnages qui
vont t'entraîner dans leurs aventures
pour te faire découvrir le sens des mots.
Nous les avons choisis dans les quinze
contes et récits que tu connais le mieux.
Si tu les as oubliés, cette présentation
va te les rappeler et aussi te donner
envie de lire ou de relire toutes ces
magnifiques histoires.

Hansel et Gretel

Abandonnés dans la forêt, Hansel et
Gretel trouvent refuge dans une drôle
de maison. Ils ne sont pas sauvés pour
autant !

Hansel et Gretel

la Sorcière

le père et la mère

Les Trois Petits Cochons

les Petits Cochons

le Loup

Les trois Petits Cochons ne veulent
plus vivre à la ferme. Ils veulent
chacun une maison. Mais le Loup
est sur leurs traces…

La Belle au bois dormant

Il n'y avait pas que de bonnes fées autour du berceau de la Belle au bois dormant ! Et à son réveil, il y a le Prince mais aussi une bien vilaine ogresse !

la Belle au bois dormant

le Prince

*la mère du Prince,
l'Ogresse*

Aurore

Jour

les parents de la Belle au bois dormant

La Petite Sirène

Vouloir danser pour l'amour d'un prince n'est pas très facile quand on est une petite sirène et qu'on ne connaît que le royaume de la mer.

le Prince

*le Roi
de la mer*

*la Sorcière
de la mer*

la Petite Sirène

la grand-mère des sirènes

Paul Beaupère a illustré ces quatre contes.

Cendrillon

Cendrillon a deux sœurs très méchantes, mais heureusement, elle a une fée pour marraine !

Cendrillon

le Prince

la Fée

les sœurs de Cendrillon

Boucle d'or

Boucle d'or n'a pas écouté sa maman et elle s'est perdue dans la forêt. Mais qui habite dans la maison de la clairière ?

Boucle d'or

la mère de Boucle d'or

la famille Ours

Karine Georgel a illustré ces deux récits.

Le livre de la jungle

La vie n'est pas facile dans la jungle pour un petit d'homme ! Même quand on a été élevé par des loups et éduqué par un ours et une panthère !

Mowgli

Bagheera

Kaa

Shere Khan

Akela

Baloo

Père Loup

Mère Louve

10

Blanche-Neige et les sept Nains

Blanche-Neige s'est réfugiée chez les Nains pour échapper à la jalousie de la méchante Reine. C'est une sorcière qui a plus d'un tour dans son sac !

Blanche-Neige

le Prince

le Chasseur

les sept Nains

la mère de Blanche-Neige

la méchante Reine

Alice au Pays des Merveilles

Alice s'endort et la voilà dans un monde où elle change de taille sans arrêt, où les animaux parlent, les cartes à jouer se battent et les chats sourient !

Alice

le Lapin Blanc

le Chapelier

la Simili-Tortue

le Roi et la Reine de Cœur

le Chat

la Duchesse

le Loir

Yves Lequesne a illustré ces trois histoires.

11

Les musiciens de la ville de Brême

Quatre animaux bien malheureux décident de s'enfuir.
Ils partent pour la ville de Brême avec des rêves de
musique, mais qui vont-ils rencontrer ?

le Chat

le Coq

les voleurs

l'Âne

le Chien

Pinocchio

Pendu par des brigands, transformé en âne, avalé
par un requin : Pinocchio vit de terribles aventures
avant de devenir un vrai petit garçon !

Gepetto

le père
La Cerise

Lumignon

Mangefeu

le Pêcheur

Pinocchio

la Fée

le Renard et le Chat

le Requin

Harvey Stevenson a illustré ces deux histoires.

Robin des Bois

Dans la forêt de Sherwood, Robin et ses amis, Petit Jean et Will, luttent contre le baron de Nottingham pour défendre les pauvres et sauver Marianne et Maude.

Robin

Marianne

Maude

le Baron

Petit Jean

Will

La Belle et la Bête

Pour sauver son père, la Belle doit partir chez la Bête. Mais qui est vraiment cette horrible Bête ?

la Belle

la Bête

le père de la Belle

les sœurs de la Belle

la Fée

Frantz Rey a illustré ces deux récits.

Aladin

Qui d'Aladin ou du méchant Magicien arrivera à garder la lampe merveilleuse ?

le Magicien

le Génie

Aladin

Badroulboudour

le Sultan

la mère d'Aladin

Le Petit Chaperon Rouge

Le Petit Chaperon rouge traverse la forêt pour porter une galette à sa grand-mère, mais le Loup la guette !

le Petit Chaperon rouge

le Loup

la mère du Petit Chaperon rouge

Isabelle Rognoni
a illustré ces deux histoires.

Pour bien te servir de ton dictionnaire

 b

 bal...

Dans cette partie du dictionnaire, tous les mots commencent par la lettre *b*.

Les trois lettres en haut de chaque page t'aident à chercher par ordre alphabétique.

 La flèche te dit d'aller chercher à un autre mot.

 La baguette de fée te donne un autre sens du mot ou un mot de la même famille.

Le balai de sorcière te dit de bien faire attention.

Et amuse-toi à répondre aux devinettes !

Les planches

Aa

abandonner *verbe*

Nous ne pouvons plus les nourrir, il nous faut les **abandonner**. Il nous faut les laisser en espérant que quelqu'un leur portera secours.

un **abat-jour** *nom masculin*

 lampe

abattre *verbe*

Dans la forêt, le Petit Chaperon rouge entend les coups de hache des bûcherons qui **abattent** des arbres. Ils les font tomber.

une **abeille** *nom féminin*

Nous sommes les **abeilles** laborieuses. Nous sommes des insectes, nous vivons en groupe et fabriquons la cire et le miel.

Qui êtes-vous ?

L'**apiculteur** élève les abeilles pour vendre la cire et le miel.

abîmer *verbe*

Les vêtements de Cendrillon étaient tout **abîmés**. Ils étaient usés, déchirés, en mauvais état.

abominable *adjectif*

« Nous ne pouvons pas sortir, dit
le Nain, il fait un temps **abominable** !
Il fait un très mauvais temps. »

l'**abondance** *nom féminin*

On leur servit des fruits **en abondance**,
en très grande quantité.

abonner *verbe*

S'abonner à un journal, c'est payer
d'avance pour le recevoir régulièrement,
c'est prendre un **abonnement**.

aboyer *verbe*

chien

abracadabra

Les fées, les sorcières et les magiciens
disent **abracadabra** quand ils
transforment les choses. C'est une
formule magique.

un **abreuvoir** *nom masculin*

C'est là où les animaux de la ferme vont
boire. ▶ Regarde page 205.

un **abri** *nom masculin*

Ici, tu seras
bien **à l'abri**, tu seras
protégé.

S'abriter, c'est se
mettre **à l'abri** du danger ou de la
pluie, du vent, de la neige.

un **abricot** *nom masculin*

Oh ! On dirait
des **abricots**, ces beaux fruits
jaune orangé qui poussent sur
les **abricotiers**.

absent *adjectif*

La maison était vide. Les Ours étaient **absents**. Ils n'étaient pas là. Boucle d'or entra pendant leur **absence**.

abuser *verbe*

Abuser, c'est exagérer.

acariâtre *adjectif*

La Reine de Cœur est une femme **acariâtre**. Elle n'est jamais contente, elle est toujours de mauvaise humeur.

accabler *verbe*

Le père de la Belle est **accablé** de chagrin. Il a énormément de chagrin.

Belle va partir chez la Bête.

accélérer *verbe*

C'est aller plus vite. En voiture, pour **accélérer**, on appuie sur la pédale de l'**accélérateur**.

un **accent** *nom masculin*

Les gens du Midi parlent avec l'**accent** du Midi, les gens du Nord avec l'**accent** du Nord. L'**accent**, c'est la manière de prononcer les mots.

Un **accent**, c'est aussi un signe qui peut changer la manière de prononcer une lettre. Dans *mètre* et *métier*, le **e** ne se prononce pas pareil.

accepter *verbe*

Les sept Nains **acceptent** que Blanche-Neige vive auprès d'eux. Ils sont d'accord, ils disent oui.

Puis-je vivre avec vous ?

Oui !

un **accessoire** *nom masculin*

La baguette magique est l'**accessoire** favori des fées. Et les sorcières, de quel objet se servent-elles ? *Va voir page 54.*

un **accident** *nom masculin*

La voiture a eu un **accident**, mais il n'y a pas de blessé. Un **accident**, c'est quelque chose de malheureux qui arrive sans qu'on s'y attende.

acclamer *verbe*

La foule **acclame** le Prince et la Princesse. Tous applaudissent et crient de joie.

Vive le Prince !

Longue vie !

Bravo !

accompagner *verbe*

Aladin **accompagne** le Magicien jusqu'à la lampe merveilleuse. Aladin va avec le Magicien.

un **accordéon** *nom masculin*

Qui joue de l'**accordéon**, cet instrument de musique à bretelles ? C'est l'Âne bien sûr !
➤ Un **accordéoniste** joue de l'accordéon. *Comment s'appelle celui qui joue du piano ? Cherche page 358.*

accorder *verbe*

La Belle **accorde** à la Bête la permission d'assister à son dîner. Elle lui dit oui, elle lui donne son **accord**.

accoucher *verbe*

C'est mettre au monde un bébé.
La Reine **accoucha** d'une petite fille dont la peau était blanche comme neige. Elle l'appela Blanche-Neige.

accourir *verbe*

Dès que quelqu'un est en danger, Robin **accourt**. Il arrive le plus vite possible.

accoutré *adjectif*

Le Petit Chaperon rouge trouve sa grand-mère bizarrement **accoutrée**. Elle la trouve habillée de façon bizarre. « Qu'est-ce que cet **accoutrement** ? » se dit-elle.

accrocher *verbe*

Le Petit Cochon **a accroché** des tableaux au mur. Il les a fixés avec des crochets. ▶ Regarde page 464.

accroupi *adjectif*

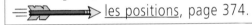 les positions, page 374.

accueillir *verbe*

C'est le Prince en personne qui **accueille** Cendrillon à l'entrée du château. Il est là pour la recevoir et c'est un charmant **accueil**.

accuser *verbe*

Le Valet de Cœur est **accusé** d'avoir volé les tartes. On dit que c'est lui le coupable. Cette **accusation** est-elle juste ? *Pour le savoir, va voir page 262.*

C'est lui !

acheter *verbe*

Aladin **achète** des légumes et des fruits. Il paie le marchand pour les avoir. Puis il repart avec tous ses **achats**.

achever *verbe*

Cendrillon épouse le Prince. C'est ainsi que l'histoire **s'achève**. C'est ainsi qu'elle se termine, qu'elle finit.

acide *adjectif*

Le citron a un goût **acide**. Ça pique un peu et ça fait un drôle d'effet dans la bouche. ▶ Regarde aussi les goûts, page 231.

l' **acier** *nom masculin*

C'est un métal dur qui résiste bien aux chocs. On le fabrique à partir du fer.

une **acrobatie** *nom féminin*

Au cirque, les **acrobates** font des **acrobaties**. Ce sont des exercices d'équilibre et de souplesse, des exercices **acrobatiques**. ▶ Regarde page 106.

un **acte** *nom masculin*

Robin saute ! Voilà ce qui s'appelle un **acte** courageux ! Un **acte**, c'est ce que l'on fait, c'est une **action**.

un **acteur**, une **actrice** *nom*

C'est une personne qui joue un rôle au théâtre ou au cinéma. On dit aussi un **comédien**, une **comédienne**.

actif *adjectif*

Cendrillon est très **active** dans la maison. Elle fait beaucoup de choses.

une **action** *nom féminin*

Une **action**, c'est ce que l'on fait. Robin des Bois était connu pour ses **bonnes actions**.

une **activité** *nom féminin*

Quelle était l'**activité** principale de Cendrillon dans la maison ? Que faisait-elle ? *Pour le savoir, regarde page 303.*

actuel *adjectif*

L'époque **actuelle**, c'est l'époque où nous vivons. L'**actualité**, c'est tout ce qui se passe dans le monde en ce moment.

s' **adapter** *verbe*

Alice a du mal à **s'adapter** à sa nouvelle taille. Elle a du mal à s'y faire. Elle a des difficultés d'**adaptation**.

une **addition** *nom féminin*

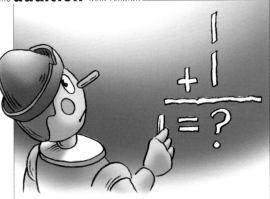

Cette **addition** est simple ! Pinocchio va savoir la faire ! Une **addition**, c'est une opération où l'on ajoute les nombres, on les **additionne**.

adieu

Le Roi et la Reine firent leurs **adieux** à leur fille et quittèrent le château. On dit **adieu** à quelqu'un que l'on quitte pour longtemps ou pour toujours.

Adieu !

admettre *verbe*

La méchante Reine n'**admet** pas que Blanche-Neige puisse être plus belle qu'elle. Elle ne le supporte pas, elle ne l'accepte pas.

admirer *verbe*

Que je suis belle !

La méchante Reine, devant sa glace, s'**admirait** et s'**admirait** encore. Elle se regardait en se trouvant très belle. Elle était pleine d'**admiration** pour son reflet.

adopter *verbe*

Père Loup et Mère Louve, qui ont déjà quatre petits, décident d'**adopter** Mowgli. Ils l'élèveront comme s'il était leur propre enfant. Ils seront ses parents **adoptifs**, ses parents d'**adoption**.

adorable *adjectif*

Boucle d'or est une **adorable** petite fille. Elle est très mignonne et gentille.

adorer *verbe*

Baloo **adore** le miel. Il aime beaucoup le miel.

une **adresse** *nom féminin*

Si tu veux écrire à Robin des Bois, voici son **adresse**, l'endroit où il habite :

➤ Regarde aussi **adroit**.

adresser *verbe*

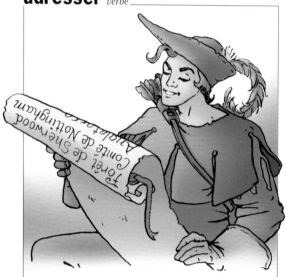

Cette lettre est **adressée** à Robin des Bois. On l'a envoyée à son **adresse**.
➤ **Adresser la parole** à quelqu'un, c'est lui parler.

adroit *adjectif*

Le Petit Cochon est très **adroit** de ses mains. Il sait s'y prendre, il est habile. Cendrillon aussi est très **adroite**, elle coud avec beaucoup d'**adresse**, d'habileté.

un **adulte**, une **adulte** *nom*

Les **adultes**, ce sont les grandes personnes.

un **adversaire**, une **adversaire** *nom*

Dans un jeu ou un sport, l'**adversaire**, c'est celui contre lequel on joue, seul ou avec son partenaire.

un **aéroport** *nom masculin*

Quoi ? Un tapis volant sur un **aéroport** ? Un **aéroport**, c'est fait pour les avions !
➤ Dans un aéroport, il y a les pistes pour que les avions décollent et atterrissent, et l'**aérogare** pour les voyageurs. Un **aérodrome** est plus petit qu'un aéroport.

affaiblir *verbe*

Plus le temps passait, plus Hansel et Gretel, qui n'avaient rien à manger, s'**affaiblissaient**. Ils devenaient de plus en plus faibles, ils perdaient leurs forces.

les **affaires** *nom féminin*

Cendrillon doit ranger toutes les **affaires** de ses sœurs. Elle range leurs vêtements, leurs objets personnels.

affamé *adjectif*

Le Loup, **affamé**, veut manger les trois Petits Cochons. Il a très faim.

l' **affection** *nom féminin*

Le Petit Chaperon rouge a beaucoup d'**affection** pour sa grand-mère. Elle l'aime tendrement. Elle est très **affectueuse** avec elle.

une **affiche** *nom féminin*

Pinocchio s'arrêta pour lire l'**affiche**. C'est un grand papier collé au mur pour annoncer quelque chose.

➤ À l'école, sur le tableau d'**affichage**, la directrice **affiche** les menus, les sorties, les activités pour que tout le monde soit au courant.

affirmer *verbe*

« Quelqu'un est venu ici », **affirma** Petit Ours. Il le dit avec force, avec certitude, et c'était vrai.

affoler *verbe*

Le Petit Chaperon rouge ne s'**affola** pas quand elle vit son étrange grand-mère dans le lit. Elle ne fut pas très effrayée.

Pourtant, elle aurait dû avoir peur ! Qui se cachait sous la couverture ? Regarde page 130.

affreux *adjectif*

La Bête est **affreuse**. Elle est laide à faire peur.

━━━━✦═─Un temps **affreux**, c'est un très mauvais temps.

affronter *verbe*

Kaa, le python, est si fort que les singes n'osent pas l'**affronter**. Ils n'osent pas le combattre.

à l'**affût**

Shere Khan, le tigre, est toujours **à l'affût** d'une proie. Il la guette et se tient prêt à bondir pour la dévorer.

agacer *verbe*

Hansel ne grossit pas et cela **agace** la méchante Sorcière. Cela l'énerve, l'irrite et la met de méchante humeur. Que c'est **agaçant** !

l'**âge** *nom masculin*

À quel **âge** les sirènes ont-elles le droit d'aller s'asseoir au clair de lune ?
À 10 ans, à 15 ans, à 20 ans ?
Tu trouveras la réponse page 107.

âgé *adjectif*

Hansel est plus **âgé** que Gretel. C'est lui le plus vieux.

un **agent** *nom masculin*

Les **agents** de police s'occupent de la circulation et de la sécurité des gens dans la rue. Si tu es perdu, demande-leur ton chemin.

agile *adjectif*

Les singes sautent de branche en branche. Ils sont très **agiles**, ils sont souples, rapides et très adroits.

agir *verbe*

Blanche-Neige croqua un bout de pomme et le poison se mit à **agir** tout de suite. Le poison fit son effet.

━━━━✦═─Agir, c'est aussi faire quelque chose. Si les Petits Cochons ne veulent pas être dévorés par le Loup, il faut qu'ils **agissent**.

l'**agitation** *nom féminin*

Les sœurs de Cendrillon se préparent pour aller au bal. Quelle **agitation** dans la maison ! Tout le monde **s'agite**, fait mille choses en même temps.

agiter *verbe*

La Sorcière **agite** le flacon pour que les poisons se mélangent bien. Elle le remue.

⟶ Regarde aussi **agitation**.

un **agneau** *nom masculin*

Avant de quitter la ferme, l'Âne dit au revoir à l'**agneau**. Les **agneaux** sont les petits des moutons. Ils sont tout doux.

Au revoir, l'**agneau** !

agrandir *verbe*

⟹ grand

agréable *adjectif*

Boucle d'or trouve bien **agréable** de se coucher sur le lit de Petit Ours. Cela lui fait plaisir.

agressif *adjectif*

Shere Khan, le tigre, est une bête **agressive**. Il est toujours prêt à attaquer.

l'**agriculture** *nom féminin*

Les fermiers vivent de l'**agriculture**. Ils travaillent la terre, élèvent des animaux. Ils vendent leurs produits **agricoles**. Ce sont des **agriculteurs**. Autrefois, on disait des paysans.

agripper *verbe*

Pinocchio et Gepetto, épuisés, **agrippent** la queue du Thon. Ils l'attrapent et s'y accrochent.

aux **aguets**

Le Loup est **aux aguets**. Il regarde, surveille, guette.

aid...

aider *verbe*

> Je n'arrive pas à me coiffer toute seule. Viens m'**aider**, Cendrillon !

> Moi aussi, j'ai besoin de ton **aide** pour m'habiller !

Aider quelqu'un, c'est faire quelque chose avec lui ou pour lui. C'est lui apporter de l'**aide**.

un **aïeul**, une **aïeule** *nom*

C'est le grand-père ou la grand-mère. Les **aïeux**, ce sont les ancêtres.

un **aigle** *nom masculin*

C'est un oiseau rapace, au bec crochu, aux griffes puissantes, qui fait son nid sur les hautes montagnes. Le petit de l'aigle est l'**aiglon**.

aigre *adjectif*

Le lait trop vieux est **aigre**. Il a un goût désagréable, amer, piquant et acide.

aigu *adjectif*

Dans la forêt, on entend des cris **aigus**. Ce sont des cris perçants qui font mal aux oreilles. *Qui crie ainsi ? Pour le savoir, regarde page 133.* En musique, les notes **aiguës** sont hautes, les notes graves sont basses.

une **aiguille** *nom féminin*

La Reine s'est piqué le doigt avec son **aiguille**. L'**aiguille à coudre** est percée d'un trou, le **chas**, pour passer le fil. Les **aiguilles à tricoter** n'ont pas de trou. Les **aiguilles** de la montre indiquent les heures et les minutes.

aiguiser *verbe*

La Sorcière de la mer **aiguise** son couteau. Elle le frotte sur une pierre pour qu'il coupe encore mieux. *Va voir page 281 ce qu'elle va couper.*

l'ail *nom masculin*

C'est une plante. On met de l'**ail** dans les sauces, les salades, les viandes pour donner un petit goût fort et piquant.

une **aile** *nom féminin*

Hansel et Gretel sont assis sur le dos du canard, entre ses deux **ailes**. Les oiseaux et certains insectes volent grâce à leurs **ailes** de chaque côté du corps.
━━━━☆≼ Les avions aussi ont des **ailes**.

aimable *adjectif*

Cendrillon était toujours **aimable**. Elle était gentille, agréable, toujours prête à rendre service et à faire plaisir.

un **aimant** *nom masculin*

L'**aimant** attire le fer.

aimer *verbe*

Pinocchio **aime** s'amuser. Cela lui plaît beaucoup.
━━━━☆≼ **Aimer**, c'est aussi avoir de l'amour, de l'affection, de la tendresse pour quelqu'un.

aîné *adjectif*

Alice s'endort pendant que sa sœur **aînée** lit. L'**aîné**, c'est le plus âgé, le plus vieux.

l'air *nom masculin*

Quand elles ont besoin d'**air**, les baleines montent à la surface pour respirer. L'**air**, c'est le gaz qui nous entoure dans l'atmosphère.
━━━━☆≼ Regarder **en l'air**, c'est regarder vers le haut, vers le ciel.

un **air** *nom masculin*

La Petite Sirène chante un **air** magnifique que personne ne connaît. Un **air de musique**, c'est une mélodie.

à l'**aise**

Boucle d'or se sent **à l'aise** dans la maison des Ours. Elle s'y sent bien.

ajouter *verbe*

La soupe n'est pas assez salée. Maman Ours **ajoute** du sel. Elle en met en plus.

une **alarme** *nom féminin*

Un **signal d'alarme** sert à avertir d'un danger, d'un risque.

un **album** *nom masculin*

C'est un grand livre avec des illustrations.
━━━⭐≶─Un **album**, c'est aussi une sorte de grand cahier pour ranger des photos ou des timbres.

l'**alcool** *nom masculin*

C'est un liquide qui pique. On peut s'en servir pour nettoyer les blessures.
━━━⭐≶─Les boissons **alcoolisées** sont très fortes et elles piquent, car il y a de l'alcool dedans.

alerter *verbe*

L'ennemi approche, il faut **alerter** Robin. Il faut le prévenir, l'avertir.
━━━⭐≶─Donner l'**alerte**, c'est avertir qu'il y a du danger.

une **algue** *nom féminin*

La Petite Sirène nage à travers les **algues**. Ce sont des plantes qui poussent au fond de l'eau.

aligner *verbe*

Quand ils rentrent, les Nains voient leurs assiettes bien **alignées**. Elles sont toutes sur la même ligne.
━━━⭐≶─Les élèves **s'alignent** dans la cour. Ils se mettent en rang.

un **aliment** *nom masculin*

Le lait, les œufs, les légumes, les fruits, les céréales, la viande, le poisson sont des **aliments**.
━━━⭐≶─Au rayon **alimentation** du supermarché, on trouve tous les aliments.

allaiter *verbe*

Mère Louve **allaite** ses petits. Les petits boivent son lait en tétant. ▶ Regarde page 476.

alléchant *adjectif*

Miam ! Quelle odeur **alléchante** ! Elle me donne envie de tout manger !

une **allée** *nom féminin*

Une **allée** bordée d'arbres mène au château. C'est un large chemin.

aller *verbe*

Les sœurs **vont** au bal.
Elles se rendent au bal.
Pendant ce temps,
la pauvre Cendrillon
frotte le sol. La tache
ne **s'en va** pas. **S'en aller**,
c'est partir.

Cette robe
te **va** très bien.

Oui,
je suis très bien
dans cette robe.

a

Attention, le verbe **aller** change très souvent de forme.

Autrefois	Hier	Aujourd'hui	Demain	Il faut que
j'allais	je suis allé(e)	je vais	j'irai	j'aille
tu allais	tu es allé(e)	tu vas	tu iras	tu ailles
il, elle allait	il, elle est allé(e)	il, elle va	il, elle ira	il, elle aille
nous allions	nous sommes allé(e)s	nous allons	nous irons	nous allions
vous alliez	vous êtes allé(e)s	vous allez	vous irez	vous alliez
ils, elles allaient	ils, elles sont allé(e)s	ils, elles vont	ils, elles iront	ils, elles aillent

allonger *verbe*

Le nez de Pinocchio **s'allonge** quand il ment. Son nez devient plus grand, plus long. ▶ Regarde page 304.
➤✦ **S'allonger**, c'est aussi se coucher, s'étendre.

allumer *verbe*

Qu'il fait noir ici ! **Allumons** une bougie ! Sa flamme nous éclairera.

Allumer un feu, c'est le faire flamber.
➤✦ **Allumer** la lumière, c'est la faire marcher.

une allumette *nom féminin*

C'est un petit bâton de bois dont le bout s'enflamme quand on le frotte.

l'allure *nom féminin*

L'**allure**, c'est la vitesse à laquelle on va. Regarde le Petit Cochon, il court à **toute allure** pour échapper au Loup.
➤✦ L'**allure**, c'est aussi l'apparence, l'aspect. Alice trouve que le Lapin Blanc a une drôle d'**allure**.
Regarde-le page 281.

une alouette *nom féminin*

C'est un petit oiseau des champs.
Connais-tu la chanson « Alouette, gentille alouette, Alouette, je te plumerai » ?

l'alphabet *nom masculin*

Avec les 26 lettres de l'**alphabet**, on peut former tous les mots et raconter toutes les histoires.
➤✦ Dans ton dictionnaire, les mots sont rangés par ordre **alphabétique** : a, b, c, d, e...

l'altitude *nom féminin*

Quand un avion monte, il prend de l'**altitude** et quand il descend, il perd de l'**altitude**. L'**altitude**, c'est la hauteur par rapport au sol ou à la mer.

une amande *nom féminin*

Aladin adore les gâteaux au miel et aux **amandes**. Ce sont des petits fruits ovales protégés par une coquille, qui poussent sur des arbres, les **amandiers**.

amasser *verbe*

Que faites-vous ?

Nous **amassons** des noisettes pour l'hiver. Nous en faisons des tas.

un **amateur** *nom masculin*

Faire du sport en **amateur**, c'est faire du sport pour son plaisir, sans que ce soit son métier.

une **ambiance** *nom féminin*

Quelle bonne **ambiance** dans la maison des Nains ! Tout le monde rit et s'amuse.

une **ambulance** *nom féminin*

C'est une grande voiture pour transporter les blessés ou les malades.

amener *verbe*

Les sœurs de Cendrillon ne veulent pas l'**amener** au bal. Elles ne veulent pas que Cendrillon vienne avec elles.

amer *adjectif*

Une boisson **amère** a un goût désagréable. ▶ Regarde aussi les goûts, page 231.

un **ami**, une **amie** *nom*

Petit Jean et Will sont les **amis** de Robin. Ils s'aiment beaucoup tous les trois. Leur **amitié** est très forte.

amortir *verbe*

Heureusement, les feuilles **ont amorti** sa chute ! Le choc a été moins rude.

l' **amour** *nom masculin*

C'est ce qu'on ressent pour ceux qu'on aime très fort.
Dès qu'elle le vit, la Petite Sirène tomba **amoureuse** du Prince. Elle se mit à l'aimer.

ample *adjectif*

Boucle d'or porte une jupe **ample**. C'est une jupe large.

une **ampoule** *nom féminin*

Dans la maison de bois du Petit Cochon, il y a une **ampoule électrique** qui pend au plafond !

amuser *verbe*

Quand Alice se retrouve coincée dans la pièce, ça ne l'**amuse** pas du tout. Ça ne la fait pas rire. Elle ne trouve pas ça **amusant**.

Pinocchio, lui, préfère **s'amuser** plutôt que d'aller à l'école. Il préfère jouer, se distraire.

un **an** *nom masculin*

Un **an**, c'est une année.

un **ananas** *nom masculin*

On servit à Aladin un **ananas** sur un plateau d'argent. C'est un gros fruit jaune et sucré qui pousse dans les pays chauds. Sa peau a l'air d'être couverte d'écailles et il a comme un petit palmier sur sa tête !

les **ancêtres** *nom*

Nos **ancêtres**, ce sont les personnes qui vivaient bien longtemps avant nous.

ancien *adjectif*

Les dinosaures vivaient dans des temps très **anciens**. Ils vivaient il y a très longtemps.

Mon **ancienne** école, c'est l'école où j'allais avant d'aller dans ma nouvelle école.

une **ancre** *nom féminin*

Qui a jeté l'**ancre** ici ?

L'**ancre**, c'est le gros crochet fixé à une chaîne qui permet à un bateau de rester au même endroit. On jette l'**ancre** pour s'arrêter, on lève l'**ancre** pour repartir.

Quel mot, page 177, se prononce de la même façon ?

un **âne** _nom masculin_

L'**âne** ressemble à un petit cheval. Il a de grandes oreilles et il est souvent gris. Quand il pousse son cri, on dit qu'il **brait**. Sa femelle est l'**ânesse** et son petit l'**ânon**.

un **ange** _nom masculin_

Dans plusieurs religions, les **anges** sont envoyés par Dieu pour apporter des messages aux êtres humains.
━━━━★≪━On dit d'une personne qu'elle est un **ange** quand elle est très gentille.

un **angle** _nom masculin_

Il y a quatre **angles** sur une page. Ce sont les quatre coins. _Regarde page 339 qui est dans l'angle._

l'**angoisse** _nom féminin_

Quand on a très peur et qu'on est inquiet, on ressent de l'**angoisse**. On est **angoissé**.

une **anguille** _nom féminin_

L'**anguille** est un poisson au corps long comme un serpent.

une **anémone** _nom féminin_

Un matin, la Belle trouva des **anémones**. Ce sont des petites fleurs aux couleurs vives.

un **animal** _nom masculin_

Les **animaux** sont des êtres vivants. Le chien, le chat sont des **animaux familiers**. La poule, la vache, l'âne sont des **animaux domestiques**. Le lion, le tigre, le renard sont des **animaux sauvages**.
━━━━ _Tu connais les poissons, les oiseaux, les insectes, mais sais-tu ce qu'est un mammifère, un reptile, un cétacé, un crustacé, un mollusque ? Pour le savoir, cherche tous ces mots._

animé *adjectif*

Les rues sont **animées**. Il y a du monde partout. Tout le monde parle et se presse pour faire ses courses. Quelle **animation** sur la place du marché ! Regarde aussi **dessin animé**.

un **anneau** *nom masculin*

Un **anneau**, c'est un cercle de métal, de bois ou de plastique. Le petit Jour fait des acrobaties aux **anneaux** du portique. ▶ Regarde page 373.

une **année** *nom féminin*

Il y a 365 jours dans une **année**. C'est le temps que met la Terre pour tourner autour du Soleil. *Sais-tu combien de mois il y a dans une année ? Pour le savoir, regarde page 313.* La fête **annuelle** de l'école a lieu chaque année.

un **anniversaire** *nom masculin*

C'est l'**anniversaire** du roi. On fête, comme chaque année, le jour de sa naissance. *Connais-tu le jour de ton anniversaire ?*

annoncer *verbe*

Le Prince **annonce** qu'il épousera celle à qui la pantoufle ira. Il le dit haut et fort.

l'**annulaire** *nom masculin*

 doigt

annuler *verbe*

Les comédiens sont tous malades. On a dû **annuler** le spectacle. Le spectacle n'aura pas lieu.

anonyme *adjectif*

Une lettre **anonyme** n'est pas signée. Elle ne porte pas de nom. On ne sait pas qui l'a écrite.

un **anorak** *nom masculin*

C'est un gros blouson imperméable pour la neige ou le froid.

une **antenne** *nom féminin*

Les **antennes** permettent de recevoir les émissions de radio ou de télévision.
Les **antennes** des insectes et des crustacés, fines et longues, leur permettent de sentir et de s'orienter.

antipathique *adjectif*

Une personne **antipathique** n'est pas sympathique du tout. On n'a pas envie d'aller vers elle.

août

mois

apercevoir *verbe*

Le Coq, perché sur un arbre, **aperçoit** au loin une lumière. Il la voit plus ou moins nettement.
S'apercevoir, c'est aussi se rendre compte : le Petit Chaperon rouge ne s'**était** pas **aperçue** que le Loup la guettait. Elle ne s'en était pas rendu compte.

aplatir *verbe*

Aplatir, c'est rendre plat. La mère du Petit Chaperon rouge **aplatit** la pâte pour faire la galette.

apparaître *verbe*

La mère d'Aladin a frotté la lampe et soudain le Génie **apparaît**. Elle le voit. Cette **apparition** lui fait peur.

un **appareil** *nom masculin*

Un **appareil** sert à faire quelque chose. Avec un **appareil photo**, on fait des photos.

l' **apparence** *nom féminin*

La méchante Reine avait pris l'**apparence** d'une vieille femme. L'**apparence**, c'est l'aspect, c'est ce que l'on voit en premier, d'une personne ou d'une chose.

un **appartement** *nom masculin*

C'est l'ensemble des pièces où l'on habite, dans un immeuble.

app...

appartenir _verbe_

À qui **appartient** cette maison ? À qui est-elle ? _Pour le savoir, va voir page 63._

appeler _verbe_

Les sœurs **appellent** Cendrillon pour qu'elle vienne. Elles crient son nom.
━━━☆≼—**Appeler** un ami au téléphone, c'est lui téléphoner.
━━━☆≼—Sais-tu pourquoi on **appelait** Cendrillon Cendrillon ? Sais-tu pourquoi on lui donnait ce nom ? _Pour le savoir, va voir page 91._

l'**appétit** _nom masculin_

Le Loup a toujours grand **appétit**. Il a toujours faim. Et il trouve les Petits Cochons bien **appétissants**. Il a envie de les manger.

applaudir _verbe_

Robin a gagné le concours de tir à l'arc. La foule l'**applaudit**. Chacun frappe dans ses mains pour le féliciter. Et on entend de loin les **bravos** et les **applaudissements**.

appliquer _verbe_

Le Petit Cochon **applique** une couche de peinture sur sa maison. Il la pose.
━━━☆≼—**S'appliquer** à bien travailler, c'est mettre toute son attention dans son travail, le faire avec soin, avec **application**.

apporter _verbe_

Le Petit Chaperon rouge avait l'habitude d'**apporter** une galette et un petit pot de beurre à sa grand-mère. Elle les lui portait.

apprécier _verbe_
La Bête **apprécie** son jardin. Elle l'aime.

apprendre _verbe_
Bagheera **apprend** à Mowgli à se débrouiller dans la jungle. Elle lui montre comment faire et Mowgli **apprend** vite. Bientôt, il saura se débrouiller seul.

l'**apprentissage** _nom masculin_
C'est le temps pendant lequel on apprend. Les **apprentis** cuisiniers sont en **apprentissage** chez les chefs cuisiniers.

38

apprivoiser *verbe*

Apprivoiser un animal, c'est l'habituer à vivre près de nous.

approcher *verbe*

Attention, le Loup approche ! Il est de plus en plus près.

appuyer *verbe*

Alice appuie de toutes ses forces sur la porte qui ne veut pas s'ouvrir. Alice pousse sur la porte.

Fatiguée, Alice s'appuie contre le mur, elle se repose sur le mur.

après

 avant

après-demain

les jours, page 274.

l'après-midi *nom masculin ou féminin*

C'est la partie de la journée entre midi et le soir. On dit *un* ou *une* après-midi.

un aquarium *nom masculin*

Dans un aquarium, on fait vivre des poissons et on peut les voir à travers les parois en verre.

une araignée *nom féminin*

Les araignées tissent leurs toiles pour attraper les insectes. Ce sont des petits animaux à huit pattes. Leur venin tue les insectes.

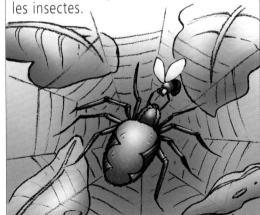

un arbitre *nom masculin*

L'arbitre, c'est la personne qui surveille un match, un jeu, pour vérifier que tout se déroule bien selon les règles.

un **arbre** *nom masculin*

Dans la forêt, il y a toutes sortes d'arbres. Ce sont de grandes plantes avec des racines, un tronc, des branches et des feuilles. Le chêne, le sapin et le marronnier sont des **arbres**.

➤ Le pommier, le poirier, le cerisier, l'oranger sont des **arbres fruitiers**, qui donnent des fruits.

➤ Un **arbuste** est un petit arbre.

un **arc** *nom masculin*

Robin sait tirer à l'**arc**. Il tend la corde pour lancer sa flèche sur la cible.

un **arc-en-ciel** *nom masculin*

Une sirène raconta qu'elle avait vu un **arc-en-ciel**. On voit des **arcs-en-ciel** quand il y a de la pluie et du soleil. Le rouge, l'orange, le jaune, le vert, le bleu, l'indigo (un bleu foncé) et le violet sont les sept couleurs de l'**arc-en-ciel**.

un **architecte**, une **architecte** *nom*

Les **architectes** dessinent les maisons, les immeubles, les monuments, et ils dirigent les travaux de construction.

une **ardoise** *nom féminin*

Sur une **ardoise**, on peut écrire avec une craie et effacer avec une éponge.

➤ L'**ardoise**, c'est une roche gris foncé dont on fait le toit de certaines maisons.

une **arête** *nom féminin*

Les **arêtes** des poissons, ce sont leurs os.

l'**argent** *nom masculin*

Aladin vend un plat pour avoir de l'**argent**. Avec cet **argent**, sa mère achètera à manger. ▶ Regarde aussi **pièce** et **billet**.

➤ Sais-tu en quelle matière était fait ce plat ? Il était en **argent**, un métal précieux gris-blanc. C'est parce qu'autrefois les pièces de monnaie étaient en argent qu'on emploie le même mot pour la matière et la monnaie.

l'**argile** *nom féminin*

C'est une terre molle que l'on peut modeler facilement.

une **arme** *nom féminin*

L'arc et le bâton, voilà les seules **armes** des amis de Robin des Bois. Une **arme** sert à se battre, à attaquer.

une **armée** *nom féminin*

Le Roi part pour la guerre avec son **armée**. Il part avec ses soldats.
▶ Regarde aussi **militaire**.

une **armoire** *nom féminin*

Cendrillon range le linge dans l'**armoire**. C'est un grand meuble avec des portes et des étagères.

une **armure** *nom féminin*

Autrefois, les soldats étaient protégés par des **armures** en métal.

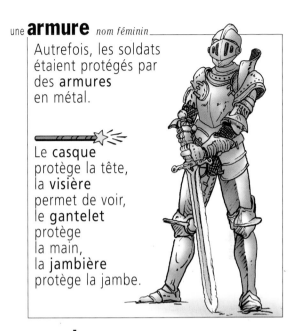

Le **casque** protège la tête, la **visière** permet de voir, le **gantelet** protège la main, la **jambière** protège la jambe.

arracher *verbe*

Le jardinier **arrache** les mauvaises herbes. Il tire dessus pour les sortir de terre.

arranger *verbe*

Pinocchio s'est brûlé les pieds. Gepetto va **arranger** ça avec un peu de colle. Il va lui réparer ses pieds.
Cendrillon a été bien malheureuse, mais à la fin de l'histoire, tout s'**arrange**, tout va bien.

arrêter *verbe*

« **Arrête** de pleurer ! Ne pleure plus ! » Voilà ce que dit Hansel à Gretel.
Le bus s'**arrête** à l'**arrêt** d'autobus pour qu'on puisse monter ou descendre.
Arrêter un voleur, c'est le prendre.

41

arr...

arrière

⟹ avant

arriver *verbe*

Par la fenêtre, Blanche-Neige voit les Nains qui **arrivent**. Elle les voit venir. Et le repas est prêt pour leur **arrivée**.
➤ **Arriver** à faire quelque chose, c'est réussir à le faire.

arroser *verbe*

Le jardinier **arrose** les fleurs avec un **arrosoir**.

l'**art** *nom masculin*

La peinture, la sculpture, la musique, la danse, l'architecture sont des **arts**.
▶ Regarde aussi **artiste**.

un **artichaut** *nom masculin*

C'est un légume vert avec beaucoup de feuilles épaisses et serrées et un fond tendre.

articulé *adjectif*

Gepetto a fabriqué un pantin **articulé**. Il peut bouger sa tête, ses bras, ses jambes. Nous aussi, nous avons des **articulations** pour bouger. Ce sont, par exemple, nos genoux, nos chevilles, nos poignets et nos coudes.

articuler *verbe*

C'est prononcer de façon très claire chaque syllabe des mots.

artifice

 ⟹ feu d'artifice

artificiel *adjectif*

Les fleurs **artificielles** ne sont pas naturelles. Elles sont fabriquées par l'homme.

un **artiste**, une **artiste** *nom*

Les peintres, les sculpteurs, les musiciens, les danseurs, les chanteurs, les comédiens sont des **artistes**. Ils font des métiers **artistiques**, des métiers d'art.

un **as** *nom masculin*

L'**as** est une carte marquée d'un seul point. C'est une carte très forte à de nombreux jeux. C'est pourquoi on dit de quelqu'un qu'il est un **as** quand il est très fort dans quelque chose.

un **ascenseur** *nom masculin*

L'**ascenseur** permet de monter les étages sans prendre l'escalier.
━━━━━✦≡ Faire l'**ascension** d'une montagne, c'est monter à son sommet.

l' **aspect** *nom masculin*

La Bête était horrible d'**aspect**. L'**aspect**, c'est ce que l'on voit d'une personne ou d'une chose, c'est l'apparence.

une **asperge** *nom féminin*

On mange la partie tendre des **asperges**. Ce sont les longues pousses d'une plante.

asperger *verbe*

Il faisait chaud et les petites sirènes jouaient à **s'asperger** d'eau pour se rafraîchir.

un **aspirateur** *nom masculin*

C'est un appareil pour aspirer la poussière.

aspirer *verbe*

Le Loup a dû **aspirer** une grande quantité d'air pour pouvoir souffler si fort sur la maison de paille. ▶ Regarde page 450.

assaisonner *verbe*

On met de la sauce dans la salade pour l'**assaisonner**, pour lui donner du goût.

un **assassin** *nom masculin*

Le Chasseur, qui ne voulait pas être un **assassin**, ne tua pas Blanche-Neige. Les **assassins** commettent des **assassinats**, ils tuent volontairement des personnes, ils les **assassinent**.

assembler *verbe*

Gepetto **assemble** les morceaux de bois pour faire son pantin. Il met chaque morceau à la place qui convient.

ass...

s'**asseoir** *verbe*

Sur quelle chaise Boucle d'or a-t-elle réussi à **s'asseoir** ? Sur quelle chaise est-elle **assise** ? *Pour le savoir, regarde page 94.*

une **assiette** *nom féminin*

Qui a osé manger dans mon **assiette** ?

assis *adjectif*

➡ s'asseoir

assister *verbe*

Tout le monde veut **assister** au mariage de Cendrillon et du Prince. Tout le monde veut être là pour les voir.

assommer *verbe*

Le soldat a reçu un coup sur la tête qui l'a **assommé**. Il s'évanouit.

s'**assoupir** *verbe*

C'est s'endormir un peu.

assurer *verbe*

Nous retrouverons notre maison, je te l'**assure**. C'est vrai, tu peux en être sûre !

astiquer *verbe*

Aladin et sa mère **astiquent** les plats d'argent. Ils les frottent pour les faire briller.

un **astre** *nom masculin*

Les sirènes montent à la surface pour voir les **astres** dans le ciel. La Lune, le Soleil, les étoiles, les planètes sont des **astres**.

➡ Les **astronomes** étudient l'Univers et les astres, ils font de l'**astronomie**. Les **astrologues** pensent que les astres influencent nos vies, ils font de l'**astrologie**.

➡ Les **astronautes** voyagent dans l'espace.

astucieux *adjectif*

Aladin est **astucieux**. Il est malin. Une personne **astucieuse** trouve toujours des moyens, des **astuces** pour réussir.

un **atelier** *nom masculin*

Le père La Cerise fait de la menuiserie dans son **atelier**. C'est la pièce où il travaille.

un **athlète**, une **athlète** *nom*

C'est une personne qui fait beaucoup de sport. C'est un sportif ou une sportive.

un **atlas** *nom masculin*

C'est un grand livre avec les cartes des pays du monde.

l' **atmosphère** *nom féminin*

C'est l'air, le gaz qui nous entoure.
━━━━☆≪ L'**atmosphère**, c'est aussi l'ambiance, la manière dont on se sent quelque part. Chez les Nains, il y a toujours une bonne **atmosphère**.

atroce *adjectif*

Chaque fois qu'elle posait le pied par terre, la Petite Sirène devait supporter d'**atroces** souffrances. Ce qui est **atroce** est terrible et cruel.

attacher *verbe*

On mit un collier à Pinocchio et on l'**attacha** à une chaîne. ▶ Regarde page 93.
━━━━☆≪ S'**attacher** à une personne ou à un animal, c'est se mettre à l'aimer.

attaquer *verbe*

Attention ! Les soldats du Baron viennent nous **attaquer** !

À l'attaque !

atteindre *verbe*

Alice, devenue trop petite, n'arrive pas à **atteindre** la poignée de la porte. Elle n'arrive pas à la toucher.

attendre *verbe*

La mère d'Aladin **attend** d'être reçue par le Sultan. Elle reste là jusqu'à ce que le Sultan l'appelle.

➤ Dans la **salle d'attente** de la gare, on attend le train.

➤ **S'attendre** à quelque chose, c'est penser que cela va arriver.

attendrir *verbe*

Blanche-Neige a réussi à **attendrir** le Chasseur, il est ému et il a pitié d'elle.

➤ Que c'est **attendrissant** de voir Mère Louve s'occuper de Mowgli. Qu'ils sont mignons !

l'**attention** *nom féminin*

Aladin écoute le Magicien avec beaucoup d'**attention**. Il ne pense pas à autre chose, il est très **attentif**. Il l'écoute **attentivement**.

➤ On dit **attention** ! pour avertir d'un danger.

atterrir *verbe*

Le canard va **atterrir** de l'autre côté de la rivière. Il va se poser, toucher le sol, la terre.

➤ Les avions **atterrissent** sur les pistes d'**atterrissage**.

attirer *verbe*

Le spectacle **attire** beaucoup de monde. Il fait venir beaucoup de monde.

➤ **Attirer**, c'est aussi plaire. Le métier de tailleur n'**attirait** pas du tout Aladin, il ne trouvait pas cela **attirant**.

une **attitude** *nom féminin*

La méchante Reine avait toujours une **attitude** fière et autoritaire. L'**attitude**, c'est le comportement, c'est la manière qu'on a de se tenir ou d'agir.

une **attraction** *nom féminin*

Le numéro de l'Âne Pinocchio est la principale **attraction** du spectacle. C'est lui qui attire le plus le public.

➤ Dans un **parc d'attractions**, il y a des jeux, des petits spectacles et toutes sortes de choses amusantes.

attraper *verbe*

Les Petits Cochons **attrapent** la queue du Loup. Ils la prennent. *Que va-t-il arriver au Loup ? Regarde page 299.*

Il n'y a qu'un seul *p* dans ce mot.

l'**aube** *nom féminin*

Le Coq se réveille à l'**aube**. Il se réveille très tôt le matin, dès l'aurore.

une **auberge** *nom féminin*

Nous allons dîner et dormir dans cette **auberge**. L'**aubergiste** nous réveillera à minuit.

Une **auberge**, c'est un petit hôtel à la campagne. L'**aubergiste** tient une auberge. *Comment s'appelle celui qui tient un hôtel ? Va voir page 250.*

une **aubergine** *nom féminin*

C'est un légume violet.

l'**audace** *nom féminin*

C'est un grand courage. Robin et ses amis sont pleins d'**audace**. Ils sont **audacieux**.

un **auditeur**, une **auditrice** *nom*

Les **auditeurs**, ce sont ceux qui écoutent une émission de radio par exemple. *Cherche page 454 comment s'appellent ceux qui regardent un spectacle.*

l'**audition** *nom féminin*

⟹ entendre

augmenter *verbe*

Au fur et à mesure que la nuit tombait, la peur d'Hansel et Gretel **augmentait**. Ils avaient de plus en plus peur.

aujourd'hui

⟹ les jours, page 274.

l'**aurore** *nom féminin*

C'est l'aube.

un **auteur** *nom masculin*

Hans Christian Andersen est l'**auteur** de *La Petite Sirène*. C'est lui qui a écrit cette histoire.

un **autobus** *nom masculin*

⟹ bus

un **autocar** *nom masculin*

 car

automatique *adjectif*

Dans les bus, la fermeture des portes est **automatique**. Elle se fait **automatiquement**, sans qu'on ait besoin de tirer ou de pousser les portes.

l'**automne** *nom masculin*

L'**automne**, c'est la saison après l'été, quand les feuilles jaunissent et tombent.

une **automobile** *nom féminin*

Du temps de Robin des Bois, il n'y avait que des voitures tirées par des chevaux, il n'y avait pas d'**automobiles**. Une **automobile**, c'est une voiture qui roule grâce à un moteur. Celui qui conduit une automobile est un **automobiliste**.
Regarde page 136 comment s'appelle celui qui roule à vélo, à bicyclette.

autoriser *verbe*

C'est permettre, c'est donner l'**autorisation**, la permission de faire quelque chose.

autoritaire *adjectif*

La grand-mère des sirènes est **autoritaire**. Elle donne des ordres et elle veut qu'on lui obéisse.

une **autoroute** *nom féminin*

C'est une grande et large route à plusieurs voies pour aller très vite d'une ville à une autre.

autrefois

C'est il y a très longtemps, dans le passé.

une **autruche** *nom féminin*

C'est un grand oiseau qui court très vite, mais qui ne peut pas voler.

avaler *verbe*

Hansel et Gretel n'**avaient** rien **avalé** depuis plusieurs jours. Ils n'avaient rien mangé ni rien bu.

en **avance**

Arriver **en avance**, c'est arriver avant le moment prévu, avant l'heure.

avancer *verbe*

Le carrosse, tiré par les six chevaux gris, **avançait** vite. **Avancer**, c'est aller en avant. *Comment dit-on quand on va en arrière ? Cherche page 405.*

avant

La roue **avant** du chariot est tombée dans le fossé. Heureusement, les roues **arrière** sont restées sur le chemin.

Je pars à pied. J'arriverai **avant** vous. Je leur dirai que vous arriverez **après**, plus tard.

Attention ! Ne te trompe pas de chemin. Tourne **avant** l'arbre, pas **après**.

un **avantage** *nom masculin*

Les fées ont un **avantage** sur nous, elles peuvent obtenir ce qu'elles veulent avec leur baguette magique. Elles sont **avantagées**.

avare *adjectif*

Le père de la Belle est très riche, mais il n'est pas **avare**, il dépense beaucoup d'argent pour ses filles. Ceux qui sont **avares** gardent tout pour eux. Ils ne sont pas généreux.

l'**avenir** *nom masculin*

Si Aladin ne travaille pas, quel **avenir** aura-t-il ? Que deviendra-t-il plus tard ? L'**avenir**, c'est le futur, c'est ce qui se passera plus tard.

une **aventure** *nom féminin*

Le soir, Robin et ses amis se racontaient leurs **aventures**, toutes ces choses étonnantes qui leur étaient arrivées.

une **avenue** *nom féminin*

C'est une large rue bordée par des arbres.

une **averse** *nom féminin*

Il y a eu une **averse**. La pluie s'est mise à tomber tout à coup mais cela n'a pas duré longtemps.

avertir *verbe*

Ils arrivent !
Cours **avertir** Robin.
Cours le prévenir, l'alerter, lui dire qu'il va se passer quelque chose.

aveugle *adjectif*

Une personne **aveugle** ne voit rien ou presque rien. On dit aussi **non-voyant** ou **malvoyant**.
—Aveugler quelqu'un, c'est l'éblouir et l'empêcher de bien voir. Si on regarde vers le soleil ou vers une lampe, on est **aveuglé**.

un **avion** *nom masculin*

Les **avions** volent dans le ciel pour nous transporter très vite n'importe où dans le monde. Les pilotes qui les conduisent sont des **aviateurs**. Ils font de l'**aviation**.

un **avis** *nom masculin*

Donner son **avis**, c'est dire ce que l'on pense.

un **avocat** *nom masculin*

L'**avocat** est un fruit vert avec un gros noyau, qui pousse sur un **avocatier**.

un **avocat**, une **avocate** *nom*

Je veux un **avocat** !

Les **avocats** défendent les accusés dans les procès.

l'**avoine** *nom féminin*

Le cheval de Robin mange de l'**avoine**. C'est une céréale.

avoir *verbe*

Les Nains **ont** une petite maison dans la forêt. C'est leur maison, elle est à eux.

> Attention, le verbe **avoir** change très souvent de forme.

Autrefois	Hier	Aujourd'hui	Demain	Il faut que
j'avais	j'ai eu	j'ai	j'aurai	j'aie
tu avais	tu as eu	tu as	tu auras	tu aies
il, elle avait	il, elle a eu	il, elle a	il, elle aura	il, elle ait
nous avions	nous avons eu	nous avons	nous aurons	nous ayons
vous aviez	vous avez eu	vous avez	vous aurez	vous ayez
ils, elles avaient	ils, elles ont eu	ils, elles ont	ils, elles auront	ils, elles aient

avouer *verbe*

Avouez que vous avez volé la tarte ! Passez aux **aveux** !

Avouer, c'est dire, c'est reconnaître que quelque chose est vrai.

avril

 mois

l'**azur** *nom masculin*

La Belle au bois dormant a des yeux couleur d'**azur**. L'**azur**, c'est la couleur bleu clair du ciel.

Bb

les **babines** *nom féminin*

Le Loup se lèche les **babines** à l'idée de manger le Petit Chaperon rouge.
Les **babines**, ce sont les grosses lèvres du chien ou du loup.

un **bac** *nom masculin*

C'est n'importe quel grand récipient. Dans un **bac** à sable, les enfants jouent.
—Un **bac**, c'est aussi un bateau plat pour traverser une rivière, un fleuve, ou pour aller sur une île.

bafouiller *verbe*

Devant les trois Ours, Boucle d'or a eu peur et elle s'est mise à **bafouiller**. Les trois Ours n'ont pas compris ce qu'elle a dit.

les **bagages** *nom masculin*

Le Magicien est arrivé sans **bagages**. Il n'avait ni sac ni valise.

une **bagarre** *nom féminin*

Ah, vous voulez vous battre ? Eh bien voilà !

Et la **bagarre** éclate. Pinocchio et les enfants **se bagarrent**.

une **bague** *nom féminin*

> Pour revenir, il vous suffira de mettre cette **bague**.

Une **bague**, c'est un bijou que l'on porte au doigt.

une **baguette** *nom féminin*

C'est un petit bâton très mince. Les fées ont des **baguettes** magiques.
Une **baguette**, c'est aussi un pain long et mince.

baigner *verbe*

Mowgli aime **se baigner** dans la rivière. Il se plonge dans l'eau avec plaisir.
Se baigner, c'est aussi prendre un **bain** dans une **baignoire**, pour se laver.

bâiller *verbe*

Boucle d'or a sommeil, elle **bâille**.

un **bain** *nom masculin*

baigner

un **baiser** *nom masculin*

Le Prince a donné un **baiser** à la Belle au bois dormant. Il l'a embrassée.
Que va-t-il se passer ? Regarde page 420.

baisser *verbe*

Hansel **se baisse** pour ramasser des petits cailloux. Il se penche en avant.
Baisser, c'est aussi diminuer. L'hiver, les températures **baissent**, il fait moins chaud.

un **bal** *nom masculin*

> Quel **bal** magnifique !

Un **bal**, c'est une fête où l'on danse.

b

un **balai** *nom masculin*

Un **balai** sert à **balayer** le sol, pour enlever la poussière. Mais on raconte que c'est aussi l'accessoire favori des sorcières.

une **balance** *nom féminin*

Le marchand pose les légumes sur la **balance** pour connaître leur poids. La **balance** est un instrument de mesure.
▶ Regarde page 309.

une **balançoire** *nom féminin*

Mowgli a fabriqué une **balançoire**. Les singes, eux, **se balancent** sur les lianes.

un **balcon** *nom masculin*

Le Prince est sur le **balcon**, il regarde la mer. Un **balcon** est plus petit qu'une terrasse.

une **baleine** *nom féminin*

C'est un très gros et grand animal qui vit dans l'eau. Ce n'est pas un poisson, c'est un mammifère. Le petit de la **baleine** est le **baleineau**.

une **balle** *nom féminin*

Au Pays des Jouets, certains enfants jouent à la **balle**, d'autres jouent au ballon. La **balle** est plus petite que le ballon.

un **ballet** *nom masculin*

C'est un spectacle de danse.

un **ballon** *nom masculin*

C'est une grosse balle pour jouer, ou un sac rempli de gaz qui peut s'envoler. ☆—Un **ballon**, c'est aussi une énorme boule remplie de gaz qui peut transporter des passagers.

banal *adjectif*

Une histoire **banale**, c'est une histoire ordinaire, qui n'a rien d'extraordinaire.

une **banane** *nom féminin*

Le singe mange des **bananes**. Ce sont des fruits allongés recouverts d'une épaisse peau jaune.

un **banc** *nom masculin*

L'Âne s'assoit sur un **banc** pour se reposer. C'est un siège long pour s'asseoir à plusieurs.

une **bande** *nom féminin*

Pinocchio s'est battu contre une **bande** d'enfants, il s'est battu contre un groupe d'enfants. ☆—Regarde aussi **bander**.

un **bandeau** *nom masculin*

Pour jouer à colin-maillard, il faut mettre un **bandeau** sur les yeux. C'est un morceau de tissu. Les joueurs de tennis mettent souvent des **bandeaux** sur le front.

une **bande dessinée** *nom féminin*

C'est une histoire racontée avec une suite de dessins. Les personnages parlent dans des **bulles**.

bander *verbe*

Il s'est blessé, je lui **bande** le genou.

Pour **bander** le genou de Will, Robin lui met une **bande**, un long morceau de tissu. Il lui fait un **bandage**.

un **bandit** *nom masculin*

Robin n'est pas un **bandit** comme les autres. S'il vole les riches, c'est pour aider les pauvres.
Un vrai **bandit** attaque, vole ou tue pour lui-même et sa bande.

la **banlieue** *nom féminin*

Ce sont les petites villes qui entourent une grande ville.

une **banque** *nom féminin*

Dans une **banque**, on dépose son argent, en billets ou en chèques, pour pouvoir en prendre quand on en a besoin. Le **banquier** dirige la banque.

une **banquette** *nom féminin*

C'est un siège long, recouvert de tissu ou de cuir, pour pouvoir s'asseoir à plusieurs.

la **banquise** *nom féminin*

C'est une couche épaisse de glace sur la mer, dans les régions très froides, près des pôles.

le **baptême** *nom masculin*

Quand la Reine accoucha, on fit un beau **baptême** et la petite Princesse eut sept fées comme marraines.
Dans la religion chrétienne, par le **baptême**, l'enfant devient chrétien. Il est **baptisé**.

Baptiser, c'est aussi donner un nom.

une **barbe** *nom féminin*

Les Nains ont une grande **barbe**. Ils sont **barbus**. La **barbe**, ce sont les poils qui poussent sur le visage des hommes.

bariolé *adjectif*

Une étoffe **bariolée** est pleine de couleurs vives.

un **baromètre** *nom masculin*

Un **baromètre** sert à indiquer le temps qu'il va faire. ▶ Regarde <u>le temps</u>, page 473.

b

ne **barque** *nom féminin*

C'est un bateau simple à fond plat qu'on fait avancer avec des rames.

*Je vais traverser l'océan avec cette **barque**.*

un **barrage** *nom masculin*

Robin a mis un tronc d'arbre en travers de la route pour faire un **barrage**. Personne ne peut passer. ▶ Regarde aussi **barrer**.

◄——★◄—Un **barrage**, c'est aussi un grand mur pour retenir l'eau d'un fleuve.

ne **barre** *nom féminin*

Le Petit Cochon ferme sa porte avec une **barre**.

◄——★◄—La **barre fixe** ou les **barres parallèles** servent à faire de la gymnastique. Ce sont de longs morceaux de bois.

un **barreau** *nom masculin*

Il y a des **barreaux** aux fenêtres des prisons. Ce sont de petites barres de métal ou de bois très solides.

barrer *verbe*

Robin **barrait** la route aux gens, avec ses barrages. Il les empêchait de passer.
◄——★◄—**Barrer** un mot, c'est le rayer d'un trait.

une **barrière** *nom féminin*

Le Chien saute par-dessus la **barrière**. Une **barrière** sert à barrer un chemin, à fermer un jardin.

un **bas** *nom masculin*

La Princesse portait des **bas** de soie. Les **bas** couvrent les pieds et les jambes. Ce sont des sous-vêtements.

bas *adjectif*

Une table **basse** est plus près du sol qu'une table haute.
◄——★◄—Parler à voix **basse**, c'est parler tout **bas**, c'est ne pas parler fort.
◄——★◄—Regarde aussi <u>où ?</u> page 339.

basculer *verbe*

Pinocchio **bascule** en arrière. Il perd l'équilibre et il tombe en arrière.

➤───⭐⇐ Sur un cheval **à bascule**, on peut se balancer.

la **base** *nom féminin*

Le bûcheron coupe la **base** de l'arbre. C'est la partie en bas.

➤───⭐⇐ Aladin avait juste appris les **bases** du calcul. Ce sont les choses les plus simples.

le **basket** *nom masculin*

C'est un sport. Les joueurs doivent envoyer le ballon dans un panier. On dit aussi **basket-ball**.

➤───⭐⇐ On appelle aussi **baskets** les chaussures que ces joueurs portent.

🧹────➤ On dit *le* basket pour le sport et *une* basket pour la chaussure.

la **basse-cour** *nom féminin*

C'est la cour de la ferme où on élève les poules, les coqs, les canards et les oies.

un **bassin** *nom masculin*

Devant le château de la Belle au bois dormant, il y a un magnifique **bassin** rempli d'eau claire.

une **bataille** *nom féminin*

Qui gagnera cette **bataille** ? Robin ou les soldats du Baron ? Une **bataille**, c'est un combat entre deux armées, entre deux groupes qui se battent.

un **bateau** _nom masculin_

À qui appartient ce beau **bateau** ?

Les **bateaux** servent à se déplacer sur l'eau. La barque, le voilier, le paquebot et la péniche sont des **bateaux**.

un **bâtiment** _nom masculin_

La maison, l'immeuble, l'école, la mairie sont des **bâtiments**. On les a bâtis.

bâtir _verbe_

C'est construire.

un **bâton** _nom masculin_

Petit Jean se défend avec son **bâton**. C'est un long morceau de bois.

la **batterie** _nom féminin_

Il y a une **batterie** dans l'orchestre du cirque. La **batterie**, c'est un ensemble d'instruments à percussion, des instruments de musique sur lesquels on tape.

battre _verbe_

Arrêtez de me **battre** ! Arrêtez de me taper dessus, arrêtez de me donner des coups !

Dans un jeu ou un sport, **battre**, c'est gagner, vaincre. Qui va **battre** l'autre à la course, le lapin ou la tortue ?

bavard _adjectif_

La mère d'Aladin n'était pas **bavarde**. Elle ne parlait pas beaucoup. Elle n'aimait pas **bavarder** avec les autres femmes du village et elle n'aimait pas les **bavardages**.

la **bave** *nom féminin*

C'est de la salive qui coule de la bouche. Les bébés **bavent** souvent. C'est pour cela qu'on leur met un **bavoir**.

beau *adjectif*

Jamais on n'avait vu de plus **beau** palais que celui d'Aladin, ni de plus **beaux** habits que ceux de la Princesse. Et les musiciens jouèrent les plus **belles** musiques qu'on ait jamais entendues. Tous étaient éblouis par tant de **beauté**. Ce qui est **beau** fait plaisir à voir ou à écouter.

un **bébé** *nom masculin*

C'est un enfant qui vient de naître, un tout petit enfant.

le **bec** *nom masculin*

L'oiseau a pris un ver dans son **bec**. Quand les oisillons sont tout petits, la maman oiseau leur donne la **becquée**. Elle glisse de la nourriture directement dans leur **bec**.

bégayer *verbe*

Qui es-tu ?

Je... Je ne sais... sais pas... pas très bien...

Alice, un peu perdue, **bégaie**. Elle parle avec difficulté, en répétant les syllabes.

beige *adjectif*

Le **beige**, c'est une couleur entre le marron très clair et le blanc. Le café au lait est **beige**.

un **beignet** *nom masculin*

Hansel et Gretel ont mangé des **beignets** aux pommes. Ce sont de délicieux morceaux de pâte frite, fourrée aux pommes et sucrée.

bêler *verbe*

⟹ chèvre et mouton

un **bélier** *nom masculin*

⟹ mouton

belle *adjectif*

⟹ beau

un **bénéfice** *nom masculin*

> Je fais un gros bénéfice !

Faire un **bénéfice**, c'est gagner plus d'argent qu'on n'en a dépensé.

le **benjamin**, la **benjamine** *nom*

La Petite Sirène est la **benjamine** des enfants du Roi de la mer. La Petite Sirène est la plus jeune des enfants.

un **berceau** *nom masculin*

Les fées se penchent sur le **berceau** de la petite Princesse. Les **berceaux** sont des sortes de lits pour les bébés.

bercer *verbe*

Alice vit la Duchesse qui **berçait** un bébé en lui chantant une **berceuse**.

un **berger**, une **bergère** *nom*

Les **bergers** gardent les moutons et ils les font dormir dans une **bergerie**.

un **bermuda** *nom masculin*

C'est un pantalon court qui s'arrête au-dessus du genou.

avoir **besoin**

Pour construire sa maison, le Petit Cochon **a besoin** de paille. Il lui en faut.

le **bétail** *nom masculin*

Ce sont les animaux élevés par un fermier, un agriculteur, un éleveur.

une **bête** *nom féminin*

C'est un animal.

bête *adjectif*

Être **bête**, c'est être idiot, sot, stupide. ══════✦═Pinocchio fait beaucoup de **bêtises**. Il fait des choses un peu stupides, bêtes, mais sans grande importance.

la **betterave** *nom féminin*

C'est une plante avec une grosse racine. On mange la **betterave** rouge, cuite. Il existe aussi une **betterave** blanche qui donne du sucre.

le **beurre** *nom masculin*

Le Petit Chaperon rouge apporte à sa grand-mère un pot de **beurre**. C'est de la matière grasse qu'on fabrique à partir du lait de vache. ══════✦═Beurrer une tartine, c'est mettre du **beurre** dessus. On garde le **beurre** dans un **beurrier**.

en **biais**

Le crabe marche **en biais**. Il marche de travers.

une **bibliothèque** *nom féminin*

La Belle est dans la **bibliothèque** du château, dans la salle où l'on range les livres. ══════✦═Une **bibliothèque**, c'est aussi le meuble ou les étagères où l'on met les livres.

une **biche** *nom féminin*

 cerf

une **bicyclette** *nom féminin*

C'est un vélo. ▶ Regarde page 497.

bien

Ce qui est **bien** est correct, juste ou agréable. ══════✦═Se sentir **bien**, c'est se sentir à l'aise.

b

un **bienfaiteur**, une **bienfaitrice** *nom*

Robin est un **bienfaiteur** pour
les pauvres, il les aide et les protège.

bientôt

Il va **bientôt** faire nuit. Il va faire nuit
dans peu de temps.

un **bifteck** *nom masculin*

C'est une tranche de viande de bœuf
qu'on fait cuire. On dit aussi un **steak**.

un **bijou** *nom masculin*

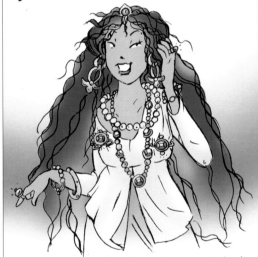

La princesse Badroulboudour portait de
très beaux **bijoux** : colliers, bracelets,
bagues, broches et boucles d'oreilles,
tous d'or et de pierres précieuses.
━━━━☆≈—Le **bijoutier** fabrique et
vend des bijoux dans sa **bijouterie**.

une **bille** *nom féminin*

Au Pays des Jouets, on peut aussi jouer
aux **billes**. Ce sont de petites boules
de verre de toutes les couleurs.

un **billet** *nom masculin*

Un **billet** de cent francs, c'est un papier
qui vaut cent francs. C'est de l'argent.
▶ Regarde aussi **pièce**.
━━━━☆≈—Pour prendre le train,
il faut avoir son **billet**. C'est un papier
qui prouve qu'on a payé sa place. On
dit aussi **ticket**.

biscornu *adjectif*

La maison de la Sorcière est toute
biscornue. Il y a des coins et des
recoins partout, des murs dans tous
les sens.
━━━━☆≈—Une idée **biscornue**
n'est pas simple.

une **biscotte** *nom féminin*

C'est comme une tranche de pain de
mie grillée et séchée.

un **biscuit** *nom masculin*

C'est un petit gâteau sec.

une **bise** *nom féminin*

Petit Ours a trouvé Boucle d'or très
mignonne. Il lui aurait bien fait une **bise**
avant qu'elle ne s'enfuie. Il lui aurait
bien donné un baiser.

bis...

la **bise** *nom féminin*

C'est un vent froid qui vient du nord.

bizarre *adjectif*

« Un lapin en costume ? C'est **bizarre** », se dit Alice. Elle trouve cela étrange, pas normal.

blanc *adjectif*

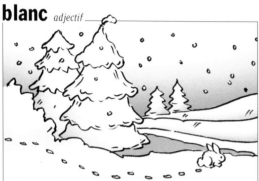

L'hiver, la campagne recouverte de neige est toute **blanche**. Admirez sa **blancheur** !
Le **blanc**, c'est la couleur de la neige et du lait. C'est la couleur la plus claire.
—**Blanchir**, c'est devenir blanc.

le **blé** *nom masculin*

C'est une céréale. On en fait de la farine.

Pendant des années, l'Âne a porté des sacs de **blé** au moulin.

blesser *verbe*

Will est **blessé** au genou. Du sang coule de sa **blessure**. **Se blesser**, c'est se faire une coupure, une plaie, une brûlure, une fracture.
—**Blesser** quelqu'un, c'est aussi le vexer et lui faire de la peine.

bleu *adjectif*

À la fenêtre, il y avait une fée aux cheveux **bleus**. La couleur **bleue**, c'est la couleur d'un ciel sans nuages.

un **bleuet** *nom masculin*

Dans les champs, l'été, on voit des coquelicots et des **bleuets**. Ce sont des petites fleurs bleues.

un **bloc** *nom masculin*

C'est une grosse masse de matière. Pour faire la statue du Prince, le sculpteur a dû faire venir un gros **bloc** de marbre.

blond *adjectif*

Boucle d'or est **blonde**, ses cheveux sont très clairs et au soleil, ils **blondissent** encore, ils deviennent encore plus clairs. *Et Blanche-Neige, est-elle blonde ou brune ? Pour le savoir, regarde page 101.*

bloquer *verbe*

Le Petit Cochon **bloque** la porte pour que le Loup ne puisse pas l'ouvrir.

se **blottir** *verbe*

Mowgli et les quatre petits loups **se blottissent** contre Mère Louve. Ils sont **blottis**, serrés tout contre elle.

une **blouse** *nom féminin*

Les infirmières mettent une **blouse** sur leurs vêtements pour les protéger.

un **blouson** *nom masculin*

C'est une veste souple et courte, resserrée à la taille.

une **bobine** *nom féminin*

Le fil est enroulé sur une **bobine**.

un **bocal** *nom masculin*

Un **bocal**, c'est un récipient en verre.

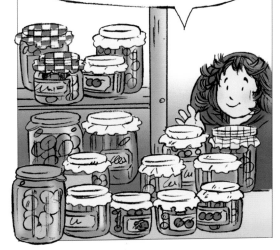

Miam ! Tous ces **bocaux** de confiture ! Je vais en prendre un pour goûter.

un **bœuf** *nom masculin*

C'est un taureau qu'on a opéré pour qu'il ne puisse plus faire de petits. On appelle aussi **bœuf** la viande de cet animal ou de la vache.

boire *verbe*

Qu'y a-t-il dans cette petite bouteille ? Que va-t-il m'arriver si je **bois** cela ?

Boire, c'est avaler un liquide. Quand on a soif, on **boit**.

le **bois** *nom masculin*

Les arbres s'écartent quand le Prince avance à travers le **bois**. Un **bois** est plus petit qu'une forêt.
➤ Dans une région **boisée**, il y a beaucoup d'arbres.
➤ Le **bois**, c'est aussi la matière des arbres. On en fait des planches, des meubles et toutes sortes d'objets.

une **boisson** *nom féminin*

L'eau, le thé, le café, l'orangeade, la citronnade sont des **boissons**. On les boit.

une **boîte** *nom féminin*

La sœur de la Belle range ses rubans dans des **boîtes**.

boiter *verbe*

L'Âne Pinocchio, qui s'était fait mal à la jambe, se mit à **boiter**. Quand on **boite**, on a le corps qui penche toujours du même côté à chaque pas.

un **bol** *nom masculin*

Sur chaque table, il y a un **bol** de soupe.

une **bombe** *nom féminin*

Les **bombes** sont des armes terribles, qui blessent, tuent et détruisent quand elles explosent. Les **bombardiers** sont des avions qui lâchent des **bombes**, **bombardent** les villes pendant les guerres.

bombé *adjectif*

⟹ les formes, page 214.

bon *adjectif*

Miam, que c'est **bon** !
Ce serait encore **meilleur** avec du sucre ! Et cette confiture !
Ce qu'elle doit être **bonne** !

Ce qui est **bon** est très agréable à manger.
⟹ Être **bon**, c'est aussi être gentil et généreux envers les autres, c'est être plein de **bonté**.

un **bonbon** *nom masculin*

Alice pense que les **bonbons** rendent les enfants gentils et aimables. Mais les grandes personnes disent que les **bonbons** et les sucreries abîment les dents.

un **bond** *nom masculin*

La grenouille franchit le ruisseau d'un seul **bond**. Elle le franchit d'un seul saut. **Bondir**, c'est sauter.

le **bonheur** *nom masculin*

On souhaita tout le **bonheur** possible à Cendrillon et au Prince. On leur souhaita d'être très heureux. *Quand on est très heureux, c'est le bonheur. Et quand on est très malheureux ? Va voir page 295.*

un **bonhomme** *nom masculin*

Il a neigé. Les enfants ont fait un **bonhomme** de neige.

bon...

bonjour

On dit **bonjour** quand on rencontre quelqu'un. Quand on le quitte, on dit **au revoir**.

un **bonnet** *nom masculin*

Autrefois, on mettait des **bonnets** d'âne aux mauvais élèves. Mais un vrai **bonnet**, c'est fait pour avoir chaud à la tête ou pour protéger ses cheveux dans l'eau.

bonsoir

On dit **bonsoir** quand on rencontre ou quand on quitte quelqu'un le soir.

la **bonté** *nom féminin*

 bon

le **bord** *nom masculin*

Il y a les lettres de l'alphabet sur le **bord** des pages. Le **bord**, c'est le côté, la limite ou le tour de quelque chose. Sur un chemin **bordé** d'arbres, il y a des arbres de chaque côté.

à **bord**

Être **à bord** d'un bateau, c'est être sur le bateau. Être **à bord** d'un avion, c'est être dans l'avion.

une **bosse** *nom féminin*

Le coup était si fort qu'il a une grosse **bosse** sur le front !

une **botte** *nom féminin*

Les **bottes**, ce sont des chaussures qui couvrent le pied et la jambe. Une **botte** de fleurs, de radis, de paille, ce sont des fleurs, des radis ou de la paille attachés ensemble.

le **bouc** *nom masculin*

 chèvre

la **bouche** *nom féminin*

Si ta **bouche** est fermée, on ne voit que tes lèvres, mais quand elle est grande ouverte, on voit tes dents et ta langue et, tout au fond, ta gorge.

une **bouchée** *nom féminin*

C'est la quantité de nourriture qu'on prend en une fois dans la bouche.

68

b

boucher *verbe*

Boucher, c'est fermer avec un **bouchon**.

Le flacon est **bouché**. Pour le **déboucher**, Alice ôte le **bouchon**.

Puis, elle boit et **rebouche** la petite bouteille.

le **boucher**, la **bouchère** *nom*

Le **boucher** prépare la viande et la vend dans sa **boucherie**.

une **boucle** *nom féminin*

Boucle d'or s'appelle comme cela parce qu'elle a des cheveux blonds tout **bouclés**, elle a des **boucles**.
━☆── Une **boucle d'oreille**, c'est un bijou qu'on porte à l'oreille.

un **bouclier** *nom masculin*

Les soldats ont des **boucliers** pour se protéger des flèches.

bouder *verbe*

Même quand on lui dit des choses désagréables, Cendrillon ne **boude** jamais. Elle ne reste pas silencieuse dans son coin en faisant la tête.

la **boue** *nom féminin*

Il a plu et le chemin est plein de **boue**, le chemin est **boueux**. La **boue**, c'est de la terre et de la poussière mouillées.

bouger *verbe*

Une fois terminé, le pantin de Gepetto s'est mis à **bouger**, il s'est mis à remuer, à faire des mouvements.

une **bougie** *nom féminin*

Les **bougies** brûlent dans les **bougeoirs**.
▶ Regarde aussi **chandelle**.

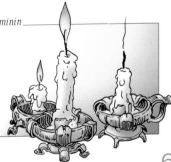

69

bou...

bouillir *verbe*

Quand l'eau **bout**, elle devient très très chaude et il y a des bulles à la surface. On dit que l'eau est en **ébullition**. On fait **bouillir** l'eau dans une **bouilloire**.

➤✦─De l'eau **bouillante**, c'est de l'eau qui bout ou simplement de l'eau très très chaude.

un **bouillon** *nom masculin*

C'est de l'eau dans laquelle on a fait bouillir des légumes, de la viande.

le **boulanger**, la **boulangère** *nom*

Le **boulanger** fabrique et vend du pain dans sa **boulangerie**.

une **boule** *nom féminin*

Une **boule** est toute ronde et elle roule sur elle-même. C'est une sphère.

➤✦─Sur un **boulier**, on peut compter avec des petites boules.

un **bouleau** *nom masculin*

Les **bouleaux** sont des arbres à l'écorce blanc argenté.

un **boulevard** *nom masculin*

Dans les villes, les **boulevards** sont plus larges que les avenues.

➤✦─Un **boulevard périphérique**, c'est comme une autoroute qui fait le tour d'une ville.

bouleversé *adjectif*

Blanche-Neige est par terre, sans vie. Les Nains sont **bouleversés**. Ils sont très émus, ils sont tout retournés.

un **bouquet** *nom masculin*

J'ai vraiment fait un beau **bouquet** avec toutes ces fleurs.

bourdonner *verbe*

Les abeilles **bourdonnent**. On entend leur **bourdonnement** autour de la ruche.

Bzzz! Bzzz!

un **bourgeon** *nom masculin*

C'est le printemps, les **bourgeons** apparaissent sur les branches, les arbres **bourgeonnent**. Bientôt, il y aura des feuilles et des fleurs.

b

bourrer *verbe*

Aladin **a bourré** son sac de pierres de toutes les couleurs. Le sac est plein à craquer.

une bourse *nom féminin*

Autrefois, on mettait son argent dans une **bourse**. C'était un petit sac de tissu ou de cuir fermé par un cordon. Aujourd'hui, on a des porte-monnaie.

bousculer *verbe*

On l'a bousculé ! C'est pour cela qu'il est tombé ! Quelqu'un l'a poussé.

━━━━✦≺─Les jours de marché, la foule **se bouscule** sur la place. Tout le monde se presse et se pousse.

une boussole *nom féminin*

Avec une **boussole**, on peut se diriger. C'est un instrument qui indique où est le nord et donc le sud, l'est et l'ouest.

un bout *nom masculin*

Hansel et Gretel n'avaient qu'un **bout** de pain. Ils n'avaient qu'un morceau de pain.

━━━━✦≺─Le **bout**, c'est aussi là où se finit quelque chose. Lire un livre jusqu'au **bout**, c'est le lire jusqu'à la fin.

une bouteille *nom féminin*

Une **bouteille**, c'est un récipient, le plus souvent en verre, pour mettre de l'eau, du vin, de l'huile ou tout autre liquide. L'ouverture de la **bouteille** s'appelle le **goulot**.

une boutique *nom féminin*

Le Magicien a emmené Aladin dans une **boutique** pour lui acheter des vêtements. Une **boutique**, c'est un magasin, un commerce.

un bouton *nom masculin*

Le Lapin Blanc porte un gilet avec trois **boutons**. Pour le fermer, il doit le **boutonner**. Pour l'ouvrir, il doit le **déboutonner**.

━━━━✦≺─Un **bouton** de rose, c'est une rose qui n'est pas encore ouverte.
━━━━✦≺─Un **bouton**, c'est aussi une petite bosse qu'on a sur la peau. Si un moustique nous pique, cela fait un **bouton**.

un **bouton-d'or** *nom masculin*

Dans les champs, il y a des **boutons-d'or**. Ce sont des petites fleurs jaunes comme un soleil d'or.

la **boxe** *nom féminin*

C'est un sport où l'on se bat à coups de poing, avec des gros gants de cuir. Le **boxeur** fait de la **boxe**. *Comment s'appelle celui qui joue au football ? Cherche page 212.*

un **bracelet** *nom masculin*

C'est un bijou qu'on porte autour du poignet. Combien de **bracelets** porte Badroulboudour ? *Va voir page 63.*

la **braise** *nom féminin*

Robin et ses amis font cuire leur repas sur la **braise**. La **braise**, c'est ce qui reste du bois qui brûle, quand il n'y a plus de flammes.

une **branche** *nom féminin*

Les feuilles des arbres poussent sur les **branches**.
➤☆≼ Les **branches** de lunettes, ce sont les deux tiges fines qui se replient.

brancher *verbe*

Brancher un appareil électrique, c'est mettre le fil dans la prise pour qu'il marche. Quand on enlève le fil de la prise, on **débranche** l'appareil.

brandir *verbe*

Le Chasseur **brandit** son poignard. Il le sort et le lève, prêt à attaquer.

le **bras** *nom masculin*

Comme je suis content de vous retrouver ! Venez, mes chers petits, venez dans mes **bras** !

Nous avons deux **bras**, ce sont nos membres supérieurs. *Comment s'appellent nos membres inférieurs ? Cherche page 270.*
➤☆≼ Les **bras** d'un fauteuil, ce sont les deux parties de chaque côté pour poser les coudes.

brave *adjectif*

Petit Jean est le plus **brave** des amis de Robin. Il est très courageux et bon.

bravo

 applaudir

une **brebis** *nom féminin*

⟹ mouton

bredouille *adjectif*

Tu es trop vieux. Par ta faute, je rentre toujours **bredouille** de la chasse. Je ne rapporte rien.

bredouiller *verbe*

C'est bafouiller.

bref *adjectif*

Une histoire **brève**, c'est une histoire courte.

les **bretelles** *nom féminin*

Le Lapin Blanc a des **bretelles** pour tenir son pantalon. ▶ Regarde page 343.

bricoler *verbe*

C'est faire des petits travaux, des petites réparations dans la maison ou le jardin. Quand ils rentrent de la mine, les Nains aiment bien **bricoler**. Ils font du **bricolage**, ce sont de bons **bricoleurs**.

un **brigand** *nom masculin*

On dit de Robin des Bois qu'il était le plus gentil des **brigands**. Mais les **brigands** sont des voleurs.

briller *verbe*

Ces fruits sont extraordinaires ! Ils **brillent** de mille feux. Et celui-là, comme il est **brillant** !

Mais ce ne sont pas des fruits qui brillent dans les arbres. Pour savoir ce que c'est, regarde page 359.

un **brin** *nom masculin*

Un **brin** d'herbe, c'est une seule herbe. Un **brin** de muguet, c'est une seule tige de muguet avec ses feuilles et ses fleurs.

une **brindille** *nom féminin*

Des **brindilles**, ce sont de toutes petites branches fines et sèches. Mowgli en ramasse pour les mettre dans le feu.

une **brioche** *nom féminin*

C'est un gâteau qui ressemble à du pain très léger, sucré et bien gonflé.

une **brique** *nom féminin*

Le troisième Petit Cochon construit sa maison avec des **briques**. Ce sont des petits blocs de terre cuite. *Avec quoi le premier Petit Cochon construit-il sa maison ? Pour le savoir, regarde page 341.*

un **briquet** *nom masculin*

Avec la flamme d'un **briquet**, on allume les cigarettes, les cigares.

la **brise** *nom féminin*

Le soir, quand elles sortent de l'eau, les sirènes sentent la **brise** dans leurs cheveux. C'est un vent léger.

briser *verbe*

C'est casser.

une **broche** *nom féminin*

C'est un bijou qu'on accroche sur un vêtement. Combien de **broches** porte la princesse Badroulboudour ? *Pour le savoir, regarde page 63.*

broder *verbe*

La robe de la Belle était toute **brodée**. **Broder**, ou faire de la **broderie**, c'est dessiner des motifs sur un tissu avec du fil, des paillettes ou des perles par exemple.

le **bronze** *nom masculin*

C'est un métal que l'on obtient en mélangeant du cuivre et de l'étain.

bronzer *verbe*

Au soleil, on **bronze**, notre peau prend une belle couleur brune et dorée.

brosser *verbe*

Cendrillon **brossait** chaque jour les cheveux de ses sœurs avec une **brosse**.

une **brouette** *nom féminin*

Le jardinier transporte des branches et des feuilles dans sa **brouette**.

le **brouillard** *nom masculin*

C'est comme un nuage près du sol. S'il est très épais, on n'y voit presque plus.

Le père de la Belle avance doucement dans le **brouillard**.

brouiller *verbe*

Alice pleurait si fort que les larmes lui **brouillaient** la vue. Tout était confus. Elle ne voyait plus clair.

➤ Des œufs **brouillés**, ce sont des œufs que l'on mélange grossièrement en les faisant cuire.

➤ **Se brouiller** avec quelqu'un, c'est se fâcher avec lui.

les **broussailles** *nom féminin*

Ce sont des buissons, des arbustes tout secs et pleins d'épines.

bro...

la **brousse** *nom féminin*

En Afrique, dans la **brousse**, il n'y a que des buissons et des petits arbustes. La terre est sèche. ▶ Regarde aussi **savane**.

brouter *verbe*

Les vaches et les moutons **broutent** l'herbe des prés. Ils la mangent.

le **bruit** *nom masculin*

Tous les matins, le coq fait du bruit en criant « cocorico ». Le **bruit**, c'est le contraire du silence. Ce qui est **bruyant** fait beaucoup de bruit.

brûler *verbe*

Ce bois **brûle** bien ! Quelles belles flammes ! Il fait chaud.

Se brûler, c'est se faire très mal, se faire une **brûlure** en touchant le feu ou quelque chose de très chaud, quelque chose de **brûlant**.

la **brume** *nom féminin*

Le bateau du Prince disparaît dans la **brume**. C'est un léger brouillard.

brun *adjectif*

Blanche-Neige est **brune**, elle a les cheveux presque noirs. Baloo est un ours **brun**, sa fourrure est marron.

brusque *adjectif*

Un geste **brusque**, c'est un geste rapide et violent. Ce qui arrive **brusquement** arrive tout à coup, sans qu'on s'y attende.

b

brutal *adjectif*

Aladin le sait, le Magicien peut être un homme **brutal**, il peut être violent et dur. Il peut être d'une grande **brutalité**.

bruyant *adjectif*

➤ bruit

une **bûche** *nom féminin*

Cendrillon met une **bûche** dans la cheminée. C'est un gros morceau de bois.

un **bûcheron** *nom masculin*

Le père d'Hansel et Gretel était **bûcheron**. C'était son métier. Il coupait les arbres dans la forêt.

la **buée** *nom féminin*

S'il fait froid dehors et chaud dedans, il y a de la **buée** sur les vitres. On peut dessiner dessus avec le doigt.

un **buffet** *nom masculin*

Blanche-Neige range la vaisselle dans le **buffet**. C'est un meuble fait pour ça.

un **buisson** *nom masculin*

Le lapin sort du **buisson**. C'est un petit groupe d'arbustes serrés les uns contre les autres.

une **bulle** *nom féminin*

Quand l'eau bout, il y a des **bulles** à la surface. Si on souffle sur du savon liquide, cela fait aussi des **bulles**. Une **bulle**, c'est une petite boule remplie d'air.

➤ Dans les bandes dessinées, ce que disent les personnages est écrit dans des **bulles**.

un **bureau** *nom masculin*

C'est une table pour écrire et ranger les papiers.

➤ Travailler dans des **bureaux**, c'est travailler dans une entreprise, une administration.

bus...

le **bus** *nom masculin*

On prend le **bus** pour aller d'un endroit à un autre. C'est un moyen de transport en commun qui roule dans les villes. On dit aussi un **autobus**.

le **buste** *nom masculin*

C'est le haut du corps.

un **but** *nom masculin*

La Petite Sirène veut devenir un être humain, c'est son **but**. C'est ce qu'elle veut faire.

Les **buts**, ce sont aussi les poteaux entre lesquels il faut envoyer le ballon au football.

buter *verbe*

Le serviteur **a buté** sur une souche et il a failli tomber. Son pied a cogné la souche.

Se **buter**, c'est s'entêter, être **buté**, têtu.

un **butin** *nom masculin*

Robin des Bois partage toujours son **butin** avec les pauvres. Il partage ce qu'il a volé.

butiner *verbe*

Les abeilles **butinent** les fleurs pour faire le miel.

une **butte** *nom féminin*

Robin est monté en haut de la **butte**.

Cc

une cabane *nom féminin*

La maison du deuxième Petit Cochon a plutôt l'air d'une **cabane**. C'est une petite maison toute simple en bois.

une cabine *nom féminin*

Le Prince et sa femme se reposent dans leur **cabine**. C'est une pièce, une chambre sur un bateau.

◄━━━━★◄ Une **cabine**, c'est aussi là où on peut se changer, à la piscine par exemple.

un câble *nom masculin*

C'est une sorte de grosse corde en métal.

━━━★◄ Le **câble**, c'est aussi un système qui permet de téléphoner et de recevoir des émissions de télévision.

cabossé *adjectif*

La vieille marmite est toute **cabossée**. Elle est pleine de creux et de bosses.

le cacao *nom masculin*

 ➡ chocolat

cacher *verbe*

Aladin aurait dû mieux **cacher** sa lampe.
Il aurait dû la mettre dans
une **cachette**, dans un endroit où
personne ne l'aurait trouvée.
➤✦— **Cacher** des choses
à quelqu'un, c'est ne pas les lui dire,
c'est faire des **cachotteries**.

un **cachet** *nom masculin*

C'est un médicament qu'on avale sans
le croquer.

un **cachot** *nom masculin*

C'est une petite pièce très sombre dans
laquelle on enferme certains prisonniers.

un **cactus** *nom masculin*

C'est une plante avec beaucoup
de piquants qui pousse dans les pays
chauds.

un **cadavre** *nom masculin*

Tabaqui, le chacal, mange des **cadavres**
d'animaux. Il mange le corps
des animaux morts.

un **cadeau** *nom masculin*

La Bête a fait **cadeau** d'une bague
magique à la Belle. Elle la lui a donnée.
Les **cadeaux**, ce sont les choses que l'on
offre à quelqu'un pour lui faire plaisir.

cadet *adjectif*

La Belle est la fille **cadette** d'un riche
marchand. La Belle est la plus jeune
des filles du marchand.

le **cadran** *nom masculin*

Le Lapin Blanc regarde le **cadran** de
sa montre. C'est la partie où il y a
les aiguilles et les chiffres.

un **cadre** *nom masculin*

Tous les tableaux sont dans des **cadres**
magnifiques.
➤✦— Mettre une peinture, une
photo dans un cadre, c'est l'**encadrer**.

le **café** *nom masculin*

C'est une boisson que l'on fait avec les grains grillés et moulus du **caféier**. On fait le **café** dans une **cafetière**. *Dans quoi fait-on le thé ? Pour le savoir, regarde page 476.*
——☆—Un **café**, c'est aussi un endroit où on peut prendre toutes sortes de boissons, en payant.

une **cage** *nom féminin*

Bagheera, la panthère, était née dans les **cages** d'un palais royal. Les animaux en **cage** ne sont pas en liberté.

un **cahier** *nom masculin*

À l'école, on a des livres et des **cahiers**. Sur les **cahiers**, on écrit.

un **caillou** *nom masculin*

C'est une toute petite pierre. Hansel fait tomber des petits **cailloux** blancs pour pouvoir retrouver son chemin.

une **caisse** *nom féminin*

C'est une grande boîte en bois pour transporter des objets.
——☆—La **caisse**, c'est aussi l'endroit où on paie dans un magasin. La **caissière**, ou le **caissier**, ouvre sa **caisse** pour mettre l'argent et rendre la monnaie.

le **calcul** *nom masculin*

Alice, qui était très forte en **calcul**, ne savait plus faire une addition, même toute simple. Elle ne savait plus **calculer**, compter.
——☆—Aujourd'hui, il y a des **machines à calculer**, des **calculettes** qui font les additions, les soustractions, et beaucoup d'autres calculs.

une **calèche** *nom féminin*

Le Prince emmène sa femme et son fils en **calèche**. C'est une voiture ouverte, tirée par des chevaux.

C

cal...

un **calendrier** *nom masculin*

Sur un **calendrier**, on voit les mois, les semaines et les jours de l'année.

à **califourchon**

La Sorcière est **à califourchon** sur son balai. Elle est à cheval sur son balai, une jambe de chaque côté.

calme *adjectif*

La tempête est finie. La mer est **calme** maintenant. Elle n'est plus agitée, elle **s'est calmée**.
➤★≼ Faire quelque chose **calmement**, c'est le faire sans s'énerver.

un **camarade**, une **camarade** *nom*

Pinocchio part avec ses **camarades** de classe. Ce sont les enfants qui vont avec lui à l'école, ses copains, ses amis.

cambrioler *verbe*

C'est voler ce qu'il y a dans une maison. Un **cambrioleur**, c'est un voleur.

un **caméléon** *nom masculin*

C'est un petit animal, un reptile, qui prend la couleur de l'endroit où il se trouve. Comme ça, personne ne le remarque ! *Et toi, le vois-tu ?*

une **caméra** *nom féminin*

C'est un appareil pour faire des films.
➤★≼ Avec un **Caméscope**, on filme et on peut voir ce qu'on a filmé sur sa télévision.

un **camion** *nom masculin*

Un **camion**, c'est un gros véhicule pour transporter des marchandises sur les routes.
➤★≼ Une **camionnette** est plus petite qu'un **camion**.

C

un **camp** *nom masculin*

Robin installe son **camp** dans la forêt. C'est là que lui et ses amis vont dormir et manger.

la **campagne** *nom féminin*

Les trois Petits Cochons vivent à la **campagne**. Il y a des arbres, des prés, des champs, des rivières. C'est bien plus calme que la ville.

camper *verbe*

L'été, c'est agréable de **camper**. On dort sous la tente ou dans une caravane, sur un terrain de **camping**.

un **canal** *nom masculin*

Un **canal** n'est pas un cours d'eau naturel comme un fleuve ou une rivière. On creuse des **canaux** pour apporter de l'eau aux terres et pour que les bateaux, les péniches puissent circuler.

un **canapé** *nom masculin*

Sur un **canapé**, on peut s'asseoir à plusieurs et même s'allonger pour regarder la télévision !

un **canard** *nom masculin*

Regarde le **canard**, sa **cane** et ses **canetons** ! Tu as vu son bec plat, ses pattes palmées et ses ailes ? Il peut nager, voler, marcher et courir à petits pas !

Quand le **canard** pousse son cri, il **cancane** ou **nasille**.

un **candidat**, une **candidate** *nom*

Pour épouser le Prince, il y a beaucoup de **candidates**, il y a beaucoup de jeunes filles qui se présentent.

un **canif** *nom masculin*

C'est un petit couteau de poche qui se replie.

une **canine** *nom féminin*

 dent

can...

une **canne** *nom féminin*

La vieille femme s'appuie sur sa **canne**.
C'est un bâton pour l'aider à marcher.
Une **canne à pêche** sert à pêcher.

Regarde le mot canard *et trouve le mot qui se prononce de la même façon.*

un **canon** *nom masculin*

Les **canons** sont des grosses armes qui tirent des **boulets**.

Feu !

un **canot** *nom masculin*

Le bateau coule ! Heureusement, il y a un **canot** ! C'est un bateau léger qui avance avec des rames ou avec un moteur.

la **cantine** *nom féminin*

À l'école, on peut déjeuner à la **cantine**.

le **caoutchouc** *nom masculin*

C'est une matière élastique qu'on obtient à partir de la sève d'un arbre des pays chauds. Avec du **caoutchouc**, on fait des pneus, des élastiques, des semelles de chaussures et toutes sortes de choses.
On appelle aussi **caoutchouc** une grosse plante verte à larges feuilles.

capable *adjectif*

Robin des Bois est **capable** d'atteindre la plus petite cible avec ses flèches. Il peut le faire, il en a la **capacité**. Les autres en sont **incapables**, ils ne peuvent pas le faire.

une **cape** *nom féminin*

Le Chasseur qui poursuit Blanche-Neige porte une **cape**. C'est comme un grand manteau sans manches.

un **capitaine** *nom masculin*

C'est un chef, dans la marine, dans l'armée.

la **capitale** *nom féminin*

C'est la ville principale d'un pays ou d'une région. Paris est la **capitale** de la France.

un **caprice** *nom masculin*

Je veux une robe neuve !

La sœur de la Belle fait toujours des **caprices**. Elle pleure, elle crie, elle tape du pied pour obtenir ce qu'elle veut. Elle est **capricieuse**.

captivant *adjectif*

Un livre **captivant** est passionnant. On est **captivé** par l'histoire qu'il raconte et on a envie de le lire du début à la fin.

capturer *verbe*

Le Loup veut **capturer** les trois Petits Cochons pour les manger. Il veut les attraper.

une **capuche** *nom féminin*

Le Petit Chaperon rouge porte une cape avec une **capuche** pour lui couvrir la tête. On dit aussi un **capuchon**.

un **capuchon** *nom masculin*

Un **capuchon**, c'est ce qui sert à fermer un stylo.

→ Regarde aussi **capuche**.

un **car** *nom masculin*

Les animaux, fatigués, auraient bien pris le **car** pour aller à Brême. C'est un grand véhicule de transport en commun. On dit aussi un **autocar**.

une **carabine** *nom féminin*

C'est une sorte de fusil léger.
Les chasseurs tirent à la **carabine**.

caracoler *verbe*

Les animaux sont libres ! Ils sont heureux ! Ils **caracolent** dans la campagne. Ils gambadent gaiement.

le **caractère** *nom masculin*

Les sœurs de Cendrillon ont très **mauvais caractère**, elles ne sont jamais contentes. Cendrillon, elle, a **bon caractère**. Elle est toujours de bonne humeur.

une **carafe** *nom féminin*

La Bête se sert un verre de vin de la **carafe**. Dans une **carafe**, on met de l'eau, du vin, de la citronnade ou n'importe quelle boisson.

le **caramel** *nom masculin*

C'est du sucre que l'on a fait cuire. On peut le parfumer avec de la vanille, du café, du chocolat pour en faire des bonbons.

une **carapace** *nom féminin*

J'ai été une vraie tortue avec une vraie **carapace**.

La **carapace** protège le corps de certains animaux comme les tortues, les langoustes, les crabes. Elle est dure.

une **caravane** *nom féminin*

Sur le chemin, Aladin croise une **caravane** de marchands. C'est un groupe qui voyage ensemble en Orient ou en Afrique.
➤✦━Une **caravane**, c'est aussi une grande remorque de voiture aménagée pour qu'on puisse y dormir et y manger quand on fait du camping.

C

caresser *verbe*

L'agneau est si doux qu'on a envie de le **caresser**, de lui faire des **caresses** avec la main. Une **caresse**, c'est un geste tendre.

carillonner *verbe*

Le Prince se marie. Toutes les cloches **carillonnent**. Elles sonnent.

un **carnaval** *nom masculin*

C'est une grande fête où tout le monde se déguise.

un **carnet** *nom masculin*

C'est un petit cahier pour noter des choses. Dans un **carnet** d'adresses, on écrit les noms et les adresses de ses amis.

une **carotte** *nom féminin*

Le lapin mange une **carotte**. C'est une plante dont on mange la racine, crue ou cuite.

carré *adjectif*

La grande cour du château est **carrée**. Les quatre côtés de la cour ont la même dimension. ▶ Regarde aussi <u>les formes et les figures</u>, page 215.

un **carreau** *nom masculin*

Il y a quatre **carreaux** à chaque fenêtre de la maison des Ours. Ce sont des vitres.

Dans un jeu de cartes, le **carreau** est marqué d'un losange rouge. ▶ Regarde page 88.

un **carrefour** *nom masculin*

Quel chemin prendre ?

Hansel et Gretel sont à un **carrefour**. Ils sont à un endroit où des routes, des chemins se croisent.

une **carriole** *nom féminin*

C'est une petite charrette à deux roues tirée par un animal.

un **carrosse** *nom masculin*

Et voilà la citrouille transformée en **carrosse** ! C'est une magnifique voiture à quatre roues tirée par des chevaux.

un **cartable** *nom masculin*

Pinocchio met ses affaires de classe dans son **cartable**. C'est un sac pour l'école.

une **carte** *nom féminin*

Robin regarde la **carte** de la région pour savoir quel chemin prendre.

Il y a quatre couleurs dans un **jeu de cartes** : le pique, le cœur, le carreau et le trèfle.

le **carton** *nom masculin*

C'est du papier très épais et très solide qui sert à faire des cartes, des boîtes et à emballer des objets.

Un **carton**, c'est aussi une boîte en carton.

une **cascade** *nom féminin*

Mowgli joue sous la **cascade**. L'eau qui tombe est claire et fraîche.

une **case** *nom féminin*

Dans les petits villages d'Afrique, on vit dans des **cases**. Ce sont des petites maisons faites de plantes séchées et de terre.

⭐ Il y a des **cases** noires et des **cases** blanches sur un jeu de dames ou d'échecs. ▶ Regarde page 137.

un **casque** *nom masculin*

Les pompiers portent un **casque** pour protéger leur tête.

une **casquette** *nom féminin*

C'est un petit chapeau léger avec une **visière** devant qui protège le front et les yeux.

casser *verbe*

Oh ! J'ai cassé un verre ! Il est en mille morceaux ! Il s'est brisé.

Et le réveil **est cassé** aussi, il ne marche plus.

une **casserole** *nom féminin*

Le lait chauffe dans la **casserole** et la soupe dans la marmite. La **casserole** a un long manche.

une **cassette** *nom féminin*

Sur une **cassette**, on peut enregistrer de la musique ou des images. C'est une petite boîte plate avec une **bande magnétique** à l'intérieur.

⭐ Autrefois, les **cassettes** étaient des petits coffrets.

un **castor** *nom masculin*

C'est un petit animal avec une jolie fourrure et une grande queue plate. Il ronge les arbres pour construire des barrages.

une **catastrophe** *nom féminin*

Gepetto est avalé par le terrible Requin. Quelle **catastrophe** ! Quel malheur !

une **cathédrale** *nom féminin*

C'est une très grande église. C'est l'église principale d'une ville ou d'une région.

catholique *adjectif*

➤ chrétien

un **cauchemar** *nom masculin*

C'est un mauvais rêve.

la **cause** *nom féminin*

Alice se demande quelle est la **cause** de ses ennuis. Elle se demande pourquoi elle a des ennuis.

causer *verbe*

C'est parler ensemble.

un **cavalier**, une **cavalière** *nom*

C'est une personne qui monte à cheval. Robin et ses hommes étaient d'excellents **cavaliers**.
➤ La **cavalerie**, c'est l'ensemble des soldats à cheval.

une **cave** *nom féminin*

Les **caves** sont creusées sous le sol d'une maison, au sous-sol. Ce sont des petites pièces pour mettre le vin, le charbon ou des objets dont on ne se sert pas. *La cave est tout en bas de la maison, comment s'appelle la pièce qui est tout en haut ? Pour le savoir, cherche page 235.*

une **caverne** *nom féminin*

La famille Loup vit dans une **caverne**. C'est un grand trou au pied d'une montagne ou d'un grand rocher.

céder *verbe*

Céder, c'est finir par faire ce que l'autre veut.
➤ Céder, c'est aussi donner. Dans l'autobus, on **cède** sa place aux personnes âgées.

une **ceinture** *nom féminin*

Le père La Cerise met sa **ceinture** pour tenir son pantalon.

➤━━━✦≼—En voiture, il faut mettre sa **ceinture de sécurité** pour rester bien en place en cas de choc.

célèbre *adjectif*

Les personnes **célèbres** sont connues de tout le monde. Ce sont des **célébrités**.

célébrer *verbe*

Célébrer un mariage, un anniversaire, c'est le fêter, avec une cérémonie.

célibataire *adjectif*

Une personne **célibataire** n'est pas mariée.

une **cellule** *nom féminin*

Dans les prisons, les prisonniers sont enfermés dans des **cellules**. Ce sont de toutes petites pièces, avec de toutes petites fenêtres.

la **cendre** *nom féminin*

Quand elle était petite, Cendrillon aimait s'asseoir tout près des **cendres** encore chaudes, au coin de la cheminée. C'est pour cela qu'on l'avait appelée Cendrillon.

La **cendre**, c'est la poudre grise qui reste quand quelque chose a brûlé.

➤━━━✦≼—Un **cendrier** sert à mettre les **cendres** des cigarettes.

le **centre** *nom masculin*

Robin a lancé sa flèche au **centre** de la cible. Elle est plantée en plein milieu.

➤━━━✦≼—Un **centre**, c'est aussi un endroit ou un organisme spécialisé dans certaines activités : dans un **centre sportif**, on peut faire plusieurs sports ; au **centre commercial**, il y a toutes sortes de magasins.

un **cerceau** *nom masculin*

C'est un grand cercle de bois pour jouer. On le pousse avec une baguette. Au Pays des Jouets, il y a des **cerceaux**.

un **cercle** *nom masculin*

Les Nains s'asseyaient en **cercle** autour de Blanche-Neige pour l'écouter. Ils s'asseyaient en rond. ▶ Regarde aussi les formes et les figures, page 215. ☆═Un boulevard **circulaire** fait le tour d'une ville. Il a plus ou moins la forme d'un cercle.

un **cercueil** *nom masculin*

Les Nains emportent le **cercueil** de Blanche-Neige au sommet d'une montagne. Ce sont les morts que l'on met dans les **cercueils**.

une **céréale** *nom féminin*

C'est une plante qui donne du grain qui se mange. Le blé, le maïs, le riz, l'orge, l'avoine sont des **céréales**.

une **cérémonie** *nom féminin*

Tout le monde se prépare pour la **cérémonie** du mariage. Les **cérémonies** marquent les événements importants.

un **cerf** *nom masculin*

Voilà un magnifique **cerf** ! Regardez ses cornes comme des branches, ce sont des **bois**.

Le **cerf** est un animal de la forêt. La **biche**, sa femelle, ne porte pas de **bois** sur sa tête. Les **faons** sont les petits. Quand le cerf crie, on dit qu'il **brame**. ═On ne prononce pas le *f*.

un **cerf-volant** *nom masculin*

Quand il y a du vent, les enfants vont faire voler leurs **cerfs-volants**.

une **cerise** *nom féminin*

Le Petit Chaperon rouge cueille des **cerises**. Ce sont des petits fruits rouges et ronds avec un noyau qui poussent sur un arbre, le **cerisier**.

certain *adjectif*

Aladin est **certain** qu'il réussira à épouser la Princesse. Il en est sûr. Il en a la **certitude**.

le **cerveau** *nom masculin*

C'est l'organe, dans notre tête, qui nous permet de penser, de parler, de sentir et de bouger car il commande toutes les parties de notre corps.

la **cervelle** *nom féminin*

C'est le cerveau des animaux. On dit de quelqu'un qu'il n'a pas de **cervelle** quand il oublie tout.

cesser *verbe*

C'est arrêter. Parler **sans cesse**, c'est parler sans arrêt.

un **cétacé** *nom masculin*

Les **cétacés** sont de grands mammifères marins. La baleine et le dauphin sont des **cétacés**.

un **chacal** *nom masculin*

C'est un animal d'Asie et d'Afrique qui ressemble au renard et au loup. Les **chacals** mangent des animaux morts.

le **chagrin** *nom masculin*

La Belle va partir chez la Bête. Son père a beaucoup de **chagrin**. Il a de la peine, il est triste, il est malheureux.

une **chaîne** *nom féminin*

Pinocchio est attaché à une **chaîne**. Pinocchio est **enchaîné**. Une **chaîne** est faite d'anneaux accrochés les uns aux autres qu'on appelle des **maillons**.
Faire la chaîne, c'est se tenir les uns aux autres par la main.
Pour changer de programme à la télévision, il faut changer de **chaîne**.

Quel mot, page 100, se prononce de la même façon ?

la **chair** *nom féminin*

On mange la **chair** des animaux, c'est ce qu'il y a entre la peau et les os.
La **chair** d'une cerise, c'est ce qu'il y a entre la peau et le noyau.

Quel mot, page 101, se prononce de la même façon ?

une **chaise** *nom féminin*

Boucle d'or est assise sur la petite **chaise**. La **chaise** est un siège, un meuble pour s'asseoir.

un **chalet** *nom masculin*

C'est une maison de bois à la montagne.

la **chaleur** *nom féminin*

Cendrillon aimait la **chaleur** d'un bon feu de cheminée. Il faisait chaud et cela la réchauffait. La **chaleur**, c'est le contraire du froid.

se **chamailler** *verbe*

Tous les camarades de Pinocchio **se chamaillaient** souvent. Ils se disputaient un peu pour des bêtises.

une **chambre** *nom féminin*

C'est une pièce pour dormir. Boucle d'or s'est endormie dans la **chambre** des Ours. *Sais-tu sur quel lit ? Pour le savoir, regarde page 287.*

un **chameau** *nom masculin*

Les **chameaux** et les dromadaires peuvent traverser le désert sans boire beaucoup.
Le **chameau** a deux bosses sur le dos, le **dromadaire** n'en a qu'une.

un **champ** *nom masculin*

C'est un grand terrain à la campagne que l'on cultive. Dans un **champ** de blé, on fait pousser du blé.
Quel mot, page 95, se prononce de la même façon ?

un **champignon** *nom masculin*

Les **champignons** poussent dans les forêts ou dans les prés. Certains se mangent, mais d'autres sont très dangereux. Attention !

Alice est devenue aussi petite que le **champignon** ! Elle voit son **pied** et son **chapeau**.

un **champion**, une **championne** *nom*

Aujourd'hui, si Robin faisait des **championnats** de tir à l'arc, ce serait lui le **champion** ! Ce serait lui le meilleur, le vainqueur.

la **chance** *nom féminin*

Cendrillon a de la **chance** d'avoir une fée pour marraine. Elle va pouvoir aller au bal ! Quelle **chance** !

une **chandelle** *nom féminin*

C'est une grande bougie.
Pour faire de la lumière, la Bête apporta deux **chandeliers** avec chacun deux **chandelles**.

changer *verbe*

Alice **change** tout le temps de taille. Elle n'a jamais la même taille. Que de **changements** !
➤ **Changer**, c'est aussi transformer. Quand la Fée **change** la citrouille en carrosse, la citrouille devient un carrosse.
➤ **Changer**, c'est aussi remplacer. Si la lampe ne marche plus, il faut **changer** l'ampoule, il faut en mettre une autre à la place.

une **chanson** *nom féminin*

C'est une musique avec des paroles que l'on chante. Il y a plusieurs **couplets** et toujours le même **refrain** dans une **chanson**.

chanter *verbe*

Le soir, les sirènes **chantent** et tous les marins écoutent leurs **chants**.
➤ Un **chanteur** ou une **chanteuse**, c'est une personne qui chante. Les **chanteurs** sont des artistes.

un **chapeau** *nom masculin*

On met des **chapeaux** pour protéger sa tête du froid ou du soleil. Les **chapeliers** fabriquent des chapeaux.
➤ Le **chapeau** d'un champignon, c'est sa partie haute, au-dessus du pied.

une **chapelle** *nom féminin*

C'est une petite église.

un **chaperon** *nom masculin*

C'était une sorte de grande capuche qui couvrait la tête et les épaules. Le Petit **Chaperon** rouge en portait un rouge.

un **chapitre** *nom masculin*

C'est chacune des parties d'un livre. Il y a 36 **chapitres** dans *Pinocchio*.

le **charbon** *nom masculin*

Pour se chauffer, Gepetto met du **charbon** dans son poêle. On trouve le **charbon** dans les mines. C'est une sorte de pierre noire qui brûle très bien en donnant de la chaleur.

le **charcutier**, la **charcutière** *nom*

Le charcutier prépare et vend du jambon, de la saucisse, du pâté dans sa charcuterie.

charger *verbe*

Aladin **charge** tous ses trésors dans la carriole. Il les met dans la carriole pour les transporter. C'est un précieux **chargement**, il y fera attention quand il le **déchargera**.

un **chariot** *nom masculin*

Autrefois, c'était une voiture en bois à quatre roues, tirée par des bœufs ou des chevaux. Aujourd'hui, un **chariot** sert à transporter des achats dans les supermarchés ou les bagages dans les gares.

Il n'y a qu'un seul *r*.

charitable *adjectif*

Une personne **charitable** est généreuse et bonne.

charmant *adjectif*

C'est le Prince **charmant** qui réveillera la Belle au bois dormant. Une personne **charmante** est agréable, elle plaît, elle a du **charme**. On est **charmé**, enchanté par elle.

la **charpente** *nom féminin*

La **charpente** d'une maison, ce sont toutes les poutres de bois ou de métal qui soutiennent les murs et le toit. Le **charpentier** construit les charpentes.

une **charrette** *nom féminin*

Une **charrette**, c'est une voiture tirée par des animaux. *Où vont tous les enfants ? Pour le savoir, regarde page 351.*

chasser *verbe*

Dans la forêt, Robin des Bois et ses amis sont obligés de **chasser** pour se nourrir. Ils doivent attraper et tuer des animaux. Ils reviennent toujours de la **chasse** avec beaucoup de gibier. Ce sont de bons **chasseurs**.

Chasser, c'est aussi forcer à partir. Les vaches **chassent** les mouches avec leur queue.

C

un **chat** *nom masculin*

Alice a rencontré un drôle de **chat**. C'était un **chat** qui souriait. Mais normalement, les **chats** ne font que **miauler** quand ils appellent ou **ronronner** quand ils sont contents. Le **chat**, c'est le mâle ; la femelle, c'est la **chatte** et leurs petits s'appellent des **chatons**.

un **châtaignier** *nom masculin*

C'est un grand arbre qui donne des **châtaignes**. Les **châtaignes** ressemblent aux marrons.

châtain *adjectif*

Des cheveux **châtains** sont entre le blond et le brun.

un **château** *nom masculin*

Autrefois, seuls les rois, les princes, les seigneurs vivaient dans des **châteaux**.
▶ Regarde page 293 le magnifique **château** du Prince.

un **château fort** *nom masculin*

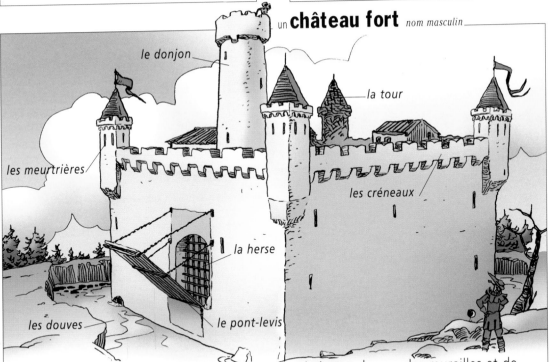

le donjon

la tour

les meurtrières

les créneaux

la herse

les douves

le pont-levis

Au Moyen Âge, les **châteaux forts** étaient protégés par de grandes murailles et de larges fossés remplis d'eau, les **douves**. On ne pouvait entrer ou sortir qu'en baissant le **pont-levis** et en levant la **herse**. Du haut du **donjon**, on pouvait voir l'ennemi arriver et, par les **meurtrières** et les **créneaux**, on envoyait des projectiles.

chatouiller *verbe*

C'est toucher doucement la peau, sous les pieds, sous les bras, sur le ventre ou sur le côté, et cela énerve ou cela fait rire aux éclats. Les personnes **chatouilleuses** craignent les **chatouilles**.

chaud *adjectif*

Cette soupe est trop **chaude**, je vais me brûler !

S'habiller **chaudement**, c'est mettre des vêtements qui tiennent chaud.

un **chaudron** *nom masculin*

La Sorcière fait bouillir toutes sortes de choses étranges dans son **chaudron** pour préparer son poison !
Un **chaudron**, c'était une sorte de grosse marmite qu'on accrochait au-dessus du feu, dans la cheminée.

chauffer *verbe*

Autrefois, on allumait des feux dans les cheminées pour **chauffer** les pièces, pour qu'il y fasse chaud.
Aujourd'hui, on **se chauffe** avec des radiateurs. C'est un **chauffage** plus moderne !

un **chauffeur** *nom masculin*

Pour conduire son carrosse, Cendrillon n'avait pas de **chauffeur**, mais un cocher. Un **chauffeur** conduit une voiture, un taxi.

une **chaumière** *nom féminin*

C'est une maison au toit couvert de **chaume**, de paille séchée. La maison des Nains est une **chaumière**.

la **chaussée** *nom féminin*

Dans les rues, les voitures roulent sur la **chaussée**, et les piétons marchent sur les trottoirs.

chausser *verbe*

Cendrillon **chaussa** sans peine la pantoufle de verre. **Chausser** des chaussures, c'est les mettre à ses pieds. **Se déchausser**, c'est enlever ses chaussures.

une **chaussette** *nom féminin*

Les Nains mettent de grosses **chaussettes** avant d'enfiler leurs bottes, pour avoir chaud aux pieds.

un **chausson** *nom masculin*

À la maison, on met des **chaussons**, c'est plus léger que les chaussures et ça tient chaud aux pieds.
Et les **chaussons aux pommes**, en as-tu goûté ? C'est une pâtisserie fourrée de compote de pommes.

une **chaussure** *nom féminin*

Les mocassins, les tennis, les baskets, les ballerines, les bottes s'achètent dans des magasins de **chaussures**. Les **chaussures** protègent le pied pour marcher, courir ou faire du sport.

chauve *adjectif*

Le père La Cerise est presque **chauve**. Il n'a presque plus de cheveux.

une **chauve-souris** *nom féminin*

Les **chauves-souris** sont des petits animaux étranges. Elles ressemblent à des souris, mais elles peuvent voler avec leurs grandes ailes sans poils et sans plumes. Elles volent la nuit. Et le jour, elles dorment la tête en bas !

chavirer *verbe*

La barque de Gepetto **a chaviré**. Elle s'est retournée. ▶ Regarde page 495.

le **chef** *nom masculin*

Akela est le **chef** des loups. C'est lui qui dirige les loups, il les commande.

un **chemin** *nom masculin*

Un **chemin**, c'est une petite route dans la campagne.

▬▬▬☆⟨ Le **chemin**, c'est aussi le moyen d'aller d'un endroit à un autre.

Que fait Hansel pour pouvoir retrouver son chemin ? Pour le savoir, regarde page 81.

le **chemin de fer** *nom masculin*

C'est le train.

une **cheminée** *nom féminin*

J'entrerai par la cheminée !

Une **cheminée**, c'est à la fois l'endroit où on fait du feu et le conduit sur le toit par où la fumée sort.

une **chemise** *nom féminin*

C'est un vêtement léger qui couvre le haut du corps.

▬▬▬☆⟨ Une **chemise de nuit**, c'est une robe pour dormir.

un **chêne** *nom masculin*

C'est un grand arbre qui peut vivre très longtemps. Les cochons aiment beaucoup ses fruits, les **glands**.

▬▬◖ *Quel mot, page 93, se prononce de la même façon ?*

une **chenille** *nom féminin*

Cette **chenille** n'est pas comme les autres !

Une vraie **chenille**, c'est un petit animal au corps tout mou comme un ver. *Mais après, la Chenille se transforme. Pour savoir en quoi, regarde page 344.*

un **chèque** *nom masculin*

Le **chèque** remplace les billets et les pièces de monnaie. On peut l'échanger contre de l'argent à la banque.

C

cher *adjectif*

« La nourriture est **chère**, elle coûte beaucoup d'argent. » Voilà ce que disait toujours la mère d'Hansel et Gretel.
—Un ami très **cher**, c'est un ami qu'on aime beaucoup.
Quel mot, page 93, se prononce de la même façon ?

chercher *verbe*

Le Magicien **cherche** la lampe d'Aladin. Il regarde partout pour la trouver.

un **cheval** *nom masculin*

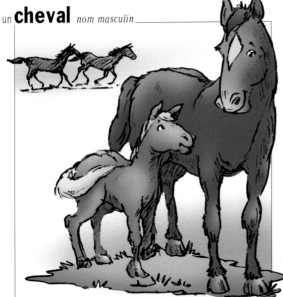

Les **chevaux** sont des animaux qui courent vite. On dit qu'ils sont les meilleurs amis des hommes. La femelle est la **jument**, le petit est le **poulain**. Quand il crie, le cheval **hennit**.
—Autrefois, les **chevaliers** étaient des seigneurs qui montaient à cheval pour aller se battre. Aujourd'hui, celui qui monte à cheval est un **cavalier**, il fait de l'**équitation**.

chevaucher *verbe*

C'est courir à cheval.

un **cheveu** *nom masculin*

Boucle d'or a de beaux **cheveux** blonds tout bouclés.

Blanche-Neige a une magnifique **chevelure** brune. Elle a les **cheveux** bruns, presque noirs.

la **cheville** *nom féminin*

Grâce à notre **cheville**, nous pouvons bouger le pied. ▶ Regarde le corps, page 125.

une **chèvre** *nom féminin*

C'est un animal avec des cornes et de longs poils. La **chèvre** donne du lait, dont on fait du fromage. Le **bouc**, c'est le mâle de la chèvre. Le petit est le **chevreau**. Quand elle crie, la chèvre **bêle**.

un **chien** *nom masculin*

> Quel énorme petit **chien** !

Normalement, les **chiens** sont plus petits que nous. Le **chien**, c'est le mâle. La femelle est la **chienne** et les **chiots**, ce sont leurs petits. Le chien **aboie** pour appeler, les chiots **jappent**.

un **chiffon** *nom masculin*

C'est un morceau de tissu qui sert à essuyer. En général, les **chiffons** sont faits dans de vieux tissus abîmés.

chiffonner *verbe*

Quand Aladin est rentré de son long voyage, ses vêtements étaient tout **chiffonnés**. Ils étaient pleins de plis.

un **chiffre** *nom masculin*

Les **chiffres** servent à écrire les nombres, comme les lettres servent à écrire les mots. 0, 1, 2, 3, 4, 5, 6, 7, 8, 9 sont des chiffres. ▶ Regarde <u>les nombres</u>, page 328.

la **chimie** *nom féminin*

Dans son laboratoire de **chimie**, le **chimiste** fait des expériences pour voir comment un élément agit sur un autre quand il les met ensemble, quelle réaction **chimique** cela fait.
La Sorcière, quand elle prépare son poison, fait de la **chimie** sans le savoir.

un **choc** *nom masculin*

Le verre est très fragile, il se casse au moindre **choc**. Il se casse dès qu'il cogne, heurte quelque chose.
Un **choc**, c'est aussi une grande émotion. Les Nains ont eu un **choc** quand ils ont vu Blanche-Neige sans vie. Ils ont été très **choqués**.

le **chocolat** *nom masculin*

On fabrique le **chocolat** avec du **cacao** et du sucre. Le **cacao** vient de la graine d'un arbre des pays chauds, le **cacaoyer**. C'est fou ce qu'on peut faire de bon avec du **chocolat** : des tablettes, des bonbons, une boisson, des gâteaux, de la crème ! Miam !!

c

un **chœur** *nom masculin*

Les sept Nains chantent **en chœur** en revenant de la mine. Ils chantent ensemble. Un **chœur**, ou une **chorale**, ce sont plusieurs personnes qui chantent ensemble.

Quel mot, page 110, se prononce de la même façon ?

choisir *verbe*

Quelle robe **choisir** ? Quelle robe prendre parmi toutes ces robes ?

La sœur de Cendrillon a le **choix**. Elle a beaucoup de robes parmi lesquelles elle peut **choisir**.

le **chômage** *nom masculin*

Quand on n'a pas trouvé ou retrouvé de travail, on est au **chômage**, on est **chômeur**.

une **chose** *nom féminin*

« Tire la chevillette et la bobinette cherra », dit la grand-mère au Petit Chaperon rouge. Mais qu'est-ce que c'est que ces **choses**-là ? N'importe quel objet est une **chose**. Pour savoir ce que c'est, il faut préciser, donner le nom exact.

un **chou** *nom masculin*

La maman de Boucle d'or a rapporté toutes sortes de **choux** du jardin.
Un **chou blanc**, un **chou vert**, un **chou rouge**, un **chou-fleur** et des **choux de Bruxelles**.

Les **choux à la crème**, ce sont des petites boules de pâte légère et croustillante remplies de crème.

une **chouette** *nom féminin*

La **chouette** et le **hibou** sont des oiseaux de nuit. Ils se ressemblent mais les **hiboux** portent des **aigrettes** sur la tête, les **chouettes** n'en ont pas. La chouette **chuinte** et le hibou **hulule**.

chrétien *adjectif*

Dans la religion **chrétienne**, le **christianisme**, on croit en Jésus-Christ, fils de Dieu. Les **catholiques**, les **protestants** et les **orthodoxes** sont des **chrétiens**. Mais c'est seulement dans la religion catholique que le pape est le chef de l'Église.

un **chronomètre** *nom masculin*

C'est un instrument qui mesure le temps avec beaucoup de précision, à moins d'une seconde près ! Les arbitres ont des **chronomètres** pour compter le temps des coureurs. ▶ Regarde le temps, page 472.

chuchoter *verbe*

C'est parler tout doucement, à voix très basse.

une **chute** *nom féminin*

Alice tombe et tombe encore. Quelle **chute** !

une **cible** *nom féminin*

Robin des Bois ne rate jamais sa **cible**.

une **cicatrice** *nom féminin*

Bagheera, la panthère, a une **cicatrice** autour du cou, là où autrefois les hommes lui avaient mis un collier de fer. Une **cicatrice**, c'est une marque sur la peau, qui reste après une blessure, une coupure, une opération.

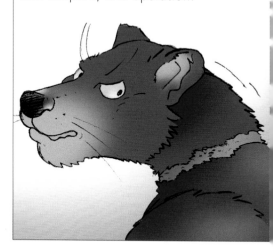

le **cidre** *nom masculin*

C'est une boisson faite à partir de pommes. Il y a toujours un peu d'alcool dans le **cidre**.

c

le **ciel** *nom masculin*

C'est l'espace au-dessus de nos têtes, dehors. Quand il fait beau, le **ciel** est bleu. Quand il pleut, le **ciel** est gris de nuages.

ne **cigale** *nom féminin*

C'est un insecte. Dans les régions chaudes, on entend les **cigales** chanter l'été.

ne **cigogne** *nom féminin*

Les **cigognes** font leur nid sur le toit des maisons. Ce sont de grands oiseaux, aux longues pattes fines, qui voyagent d'une saison à l'autre.

un **cil** *nom masculin*

La Belle au bois dormant dort. On voit ses longs **cils** baissés sur ses yeux fermés.

la **cime** *nom féminin*

C'est l'endroit le plus haut, c'est le sommet d'un arbre ou d'une montagne.

un **cimetière** *nom masculin*

Dans un **cimetière**, on enterre les morts. On met leurs cercueils dans des tombes.
Les Nains ne veulent pas transporter Blanche-Neige au **cimetière**. *Où vont-ils installer son cercueil ? Pour le savoir, regarde page 92.*

le **cinéma** *nom masculin*

C'est l'art de faire des films, de raconter des histoires avec des images, des comédiens, de la musique.
Un **cinéma**, c'est aussi la salle où on peut voir des films.

un **circuit** *nom masculin*

C'est un trajet, un parcours qui ramène toujours au point de départ.
Un **circuit** de petites voitures, c'est un jeu pour faire rouler des petites voitures.

circuler *verbe*

C'est se déplacer d'un endroit à un autre : le sang **circule** dans les veines, les trains **circulent** sur des rails, les voitures **circulent** sur les routes. Quand il y a trop de voitures sur la route, il y a des problèmes de **circulation**.

la **cire** *nom féminin*

Les abeilles fabriquent de la **cire**. C'est une matière jaune et molle.
➤ La **cire**, c'est aussi la matière qui sert à **cirer** les meubles, à les rendre brillants. Le **cirage** sert à cirer les chaussures.

les **ciseaux** *nom masculin*

Avec des **ciseaux**, on peut couper du papier ou du tissu.

ciselé *adjectif*

Le coffre d'Aladin était en argent **ciselé**. Le métal est travaillé très finement.

une **citadelle** *nom féminin*

Autrefois, les **citadelles** étaient construites pour protéger les habitants. La ville était entourée de hauts **remparts**, de **fortifications**. Et on ne pouvait entrer ou sortir que par des portes bien gardées.

un **cirque** *nom masculin*

En général, les **cirques** sont installés sous de grandes tentes qu'on appelle des **chapiteaux**. Au centre, c'est la **piste**, les spectateurs sont assis sur les **gradins**.

Entrez ! Venez voir nos animaux, nos acrobates, nos jongleurs et nos clowns ! Entrez ! Le spectacle va commencer !

ne **cité** *nom féminin*

C'est un groupe d'immeubles, de maisons.

Ce qu'on appelle aujourd'hui une ville s'appelait autrefois une **cité**. C'est pour cela qu'on appelle les habitants des villes des **citadins**.

citer *verbe*

Alice n'arrive même plus à **citer** trois noms de villes. Elle n'arrive plus à les dire, à les nommer.

un **citron** *nom masculin*

C'est un fruit jaune clair, au goût acide, qui pousse sur un arbre, le **citronnier**.

ne **citrouille** *nom féminin*

Va dans le potager et apporte-moi une **citrouille**. C'est un très gros fruit orange.

À quoi peut donc servir cette citrouille ? Pour le savoir, regarde page 88.

clair *adjectif*

Qu'est-ce qui est **clair** ?
– Une couleur, quand elle est plus proche du blanc que du noir. Le bleu ciel est plus **clair** que le bleu marine.
– La rivière, quand elle est transparente et qu'on voit à travers. Son eau est **claire**.
– La chambre des Ours, quand il fait jour et que le soleil entre par la fenêtre. La pièce est **claire**.

le **clair de lune** *nom masculin*

À quinze ans, les petites sirènes ont le droit de s'asseoir sur les rochers au **clair de lune**.
Le **clair de lune**, c'est la lumière que donne la lune, la nuit, par très beau temps.

une **clairière** *nom féminin*

C'est un endroit sans arbres, au milieu d'une forêt.

clandestin *adjectif*

Les passagers **clandestins** voyagent sans billet sur un bateau ou un avion, et ils ne veulent pas qu'on sache qu'ils sont là.

clapoter *verbe*

Quand l'eau de la mer **clapote**, cela fait de toutes petites vagues et un petit bruit, le **clapotis**.

une claque *nom féminin*

C'est un coup donné avec le plat de la main. *Va voir page 228 qui a reçu une claque.*

claquer *verbe*

Pinocchio est sorti en **claquant** la porte. Il l'a fermée d'un geste brusque et cela a fait du bruit.

une clarinette *nom féminin*

C'est un instrument de musique qui ressemble à la flûte.

une classe *nom féminin*

Pinocchio ne veut pas aller en **classe**. Il ne veut pas aller à l'école.

classer *verbe*

C'est ranger dans un certain ordre. Dans un dictionnaire, les mots sont **classés** par ordre alphabétique.

un clavier *nom masculin*

Sur le **clavier** du piano, il y a des touches noires et des touches blanches pour jouer toutes les notes.
Sur le **clavier** de l'ordinateur, il y a des touches pour chaque lettre.

une clé *nom féminin*

Les **clés** servent à ouvrir ou à fermer les serrures.
On écrit **clé** ou **clef**.

une clémentine *nom féminin*

mandarine

un client, une cliente *nom*

Le père de la Belle était un marchand qui avait beaucoup de **clients**. Il y avait beaucoup de personnes qui venaient lui acheter des marchandises.

clignoter *verbe*

La lumière **clignote**. Elle s'allume, elle s'éteint, elle s'allume, elle s'éteint sans arrêt.

le climat *nom masculin*

Dans la jungle, là où vit Mowgli, le **climat** est très chaud et très humide. Dans le Nord, là où vit la Petite Sirène, le **climat** est plutôt froid. Le **climat**, c'est le temps qu'il fait d'habitude dans une région du monde.

une cloche *nom féminin*

DING DONG

Toutes les **cloches** carillonnent dans les **clochers** pour fêter le mariage du Prince.
Une **clochette**, c'est une petite cloche.

à cloche-pied

Sauter à **cloche-pied**, c'est sauter sur un seul pied.

une **clôture** *nom féminin*

Les vaches ne peuvent pas s'échapper, il y a une **clôture** qui ferme le pré.

un **clou** *nom masculin*

Le Petit Cochon fixe les planches de sa maison avec des **clous** et un marteau.

un **clown** *nom masculin*

C'est un artiste qui fait rire les enfants. Où voit-on des **clowns** ? *Pour le savoir, regarde page 106.*

regarde page 106.

une **coccinelle** *nom féminin*

C'est un insecte rouge à pois noirs. On l'appelle aussi **bête à bon Dieu**.

un **cocher** *nom masculin*

La Fée a transformé le gros rat en **cocher**. Un **cocher**, c'était celui qui conduisait les carrosses, les diligences, les voitures tirées par des chevaux.

cocher *verbe*

C'est marquer d'un trait ou d'une croix des mots sur une liste.

un **cochon** *nom masculin*

C'est un animal qui a la queue en tire-bouchon et le museau qui se termine par un **groin**. Quand il crie, il **grogne** ou il **couine**. ▶ Regarde aussi **porc**.

Il était une fois trois Petits Cochons...

un **cochon d'Inde** *nom masculin*

C'est un animal qui ressemble au hamster. ▶ Regarde page 242.

COC...

un **cocotier** *nom masculin*

≡⇒ noix de coco

une **cocotte** *nom féminin*

C'est une petite marmite pour faire cuire la viande, les légumes.
◆★← C'est aussi le nom qu'on donne parfois aux **poules** à cause de leur manière de crier : cot cot cot cot, co-cot !

un **code** *nom masculin*

Pour se comprendre, les singes ont un **code** à eux.
◆★← Un **code**, c'est aussi un ensemble de chiffres et de lettres qu'on est seul à connaître et qui sert à entrer dans une maison par exemple.

le **cœur** *nom masculin*

Robin voit Marianne et son **cœur** bat plus fort. Grâce à notre **cœur**, le sang circule dans nos veines.
◆★← Dans un jeu de cartes, le **cœur** est en rouge. ▶ Regarde page 88.
◆★← Avoir **bon cœur**, c'est être gentil, généreux. Avoir **mal au cœur**, c'est avoir envie de vomir. Savoir **par cœur**, c'est savoir parfaitement.
≡ *Quel mot, page 103, se prononce de la même façon ?*

un **coffre** *nom masculin*

Je vais pouvoir remplir ce **coffre** de toutes les pièces d'or que j'ai trouvées !

◆★← Le **coffre**, c'est aussi la partie arrière d'une voiture, pour mettre les bagages.

un **coffret** *nom masculin*

C'est une boîte avec un couvercle qui ressemble à un petit coffre pour mettre des choses précieuses.
◆★← Dans un **coffret** de disques, il y a plusieurs disques.

cogner *verbe*

C'est taper, frapper.

coiffer *verbe*

Aurore aimait **coiffer** sa poupée avec un peigne et une brosse. Elle lui faisait toujours de jolies **coiffures**.
◆★← On va chez le **coiffeur** ou chez la **coiffeuse** pour se faire coiffer et couper les cheveux.

un **coin** *nom masculin*

La couverture du livre a quatre **coins** :
en haut à gauche, en haut à droite, en
bas à gauche, en bas à droite.
▶ Regarde aussi <u>où ?</u> page 339.

coincer *verbe*

Si quelque chose **coince** le tiroir. On ne
peut plus l'ouvrir ni le fermer.

le **col** *nom masculin*

C'est la partie du vêtement qui est
autour du cou.
Quel mot, sur cette page, se prononce de la même façon ?

la **colère** *nom féminin*

Quand elle apprend que Blanche-Neige
est toujours vivante, la méchante Reine
est très en **colère**. Elle n'est pas
contente du tout et elle le montre.
Une personne **coléreuse**
se met souvent en colère.

en **colimaçon**

L'escalier de la tour du château est **en
colimaçon**. Il tourne sur lui-même.

colin-maillard

Pour jouer à **colin-maillard**, il faut
mettre un bandeau sur les yeux et
essayer d'attraper un joueur.

un **colis** *nom masculin*

C'est un paquet que l'on envoie par
la poste.

la **colle** *nom féminin*

Gepetto va **coller** un pied neuf à
Pinocchio. Pourvu qu'il tienne et qu'il
ne se **décolle** pas !

Avec un peu de **colle**,
je vais arranger ça !

col...

collectif _adjectif_

Le football est un sport **collectif** : on joue à plusieurs, en équipe. La course à pied est un sport **individuel** : on court pour soi-même.

une **collection** _nom féminin_

Faire une **collection** de coquillages, c'est en ramasser le plus possible pour les garder, c'est les **collectionner**.

un **collège** _nom masculin_

C'est une école. En France, les enfants vont au **collège** de 11 à 15 ans, après l'école primaire et avant le lycée.

un **collier** _nom masculin_

C'est un bijou qu'on porte autour du cou. _Combien la princesse Badroulboudour porte-t-elle de colliers ? Va voir page 63._
━━━━▶☆≼ Les chiens aussi ont des **colliers** pour les tenir en laisse.

une **colline** _nom féminin_

La Petite Sirène aperçoit les **collines** couvertes de vigne. La **colline** est plus petite qu'une montagne.

une **colombe** _nom féminin_

C'est un pigeon. On appelle souvent **colombes** les pigeons blancs.

une **colonie de vacances** _nom féminin_

Partir en **colonie de vacances**, c'est partir en vacances avec beaucoup d'autres enfants et des moniteurs.

une **colonne** _nom féminin_

À l'entrée du château, il y a deux grandes **colonnes** de marbre rose et au milieu un escalier.
━━━━▶☆≼ Une **colonne** de chiffres, ce sont des chiffres écrits les uns sous les autres.

le **coloriage** _nom masculin_

Pinocchio aurait bien voulu un cahier de **coloriage** au lieu d'un livre de lecture. Il **aurait colorié** toutes les images avec des crayons de couleur.

un **combat** _nom masculin_

Le **combat** entre Robin et les soldats du Baron est terrible. Ils se battent, ils **combattent** de toutes leurs forces. Un **combat**, c'est une lutte.

combien ?

Ce mot sert à poser des questions sur la quantité.

Mowgli a **beaucoup** de noix de coco. Il en a **trop** pour lui tout seul. Il va en donner aux singes.

Ceux-là n'en ont **pas beaucoup**. Ils en ont **un peu**. Ils n'en ont que **quelques-unes**.

113

com...

une **comédie** *nom féminin*

C'est une histoire, un film ou une pièce de théâtre qui fait rire.

⭐← Jouer la **comédie**, c'est faire du théâtre, du cinéma. Les **comédiens** et les **comédiennes** jouent la comédie, ce sont des acteurs.

comique *adjectif*

Ce qui est **comique** fait rire, c'est drôle, amusant.

commander *verbe*

Fais ce que je te dis, et tout de suite ! C'est moi qui **commande** !

La Princesse **commande**, c'est elle qui donne des ordres, qui dirige.

⭐← **Commander**, c'est aussi passer une **commande**, c'est demander qu'une marchandise soit prête pour tel jour, à telle heure.

commencer *verbe*

Les contes **commencent** souvent par « Il était une fois... ». L'alphabet **commence** par la lettre A et se termine par la lettre Z. Le **commencement**, c'est ce qu'il y a au début.

le **commerce** *nom masculin*

Faire du **commerce**, c'est acheter et vendre des marchandises. Le boulanger, le boucher, le marchand de jouets sont des **commerçants**.

⭐← Dans un centre **commercial**, il y a toutes sortes de boutiques, de magasins, de **commerces**.

commettre *verbe*

Commettre un vol, c'est voler. **Commettre** une erreur, c'est faire une erreur.

une **commission** *nom féminin*

Faire une **commission**, c'est apporter un message à quelqu'un de la part de quelqu'un d'autre.

⭐← Faire les **commissions**, c'est faire les courses.

commode *adjectif*

Avec une baguette magique, on a tout ce qu'on veut. C'est bien **commode** ! C'est pratique et facile.

une **commode** *nom féminin*

C'est un meuble à tiroirs pour ranger les vêtements.

commun *adjectif*

Les Ours ont une chambre **commune**.
C'est une chambre pour eux trois. Ce
n'est pas une chambre individuelle.
⭐ Faire quelque chose
en commun, c'est le faire ensemble.

une **commune** *nom féminin*

C'est une ville, ou un village, et la
région qui est autour. Chaque
commune est dirigée par un maire.
⭐ L'école **communale**
dépend de la commune.

communiquer *verbe*

Parler, c'est **communiquer**. Téléphoner,
c'est **communiquer**. Quand on est au
téléphone, on est en **communication**
avec celui à qui on parle.

un **compagnon**, une **compagne** *nom*

Cendrillon aurait bien voulu avoir un
compagnon ou une **compagne** de jeu,
quelqu'un avec qui jouer.
⭐ Tenir **compagnie** à
quelqu'un, c'est rester près de lui.

comparer *verbe*

Le Petit Chaperon rouge goûte toutes
les confitures pour les **comparer**.
Elle veut savoir les ressemblances,
les différences, laquelle est meilleure,
laquelle est moins bonne. Elle fait
des **comparaisons**.

une **compétition** *nom féminin*

Dans les **compétitions** de tir à l'arc,
chacun essayait d'être le meilleur, mais
c'est toujours Robin qui gagnait.

complet *adjectif*

C'est
complet !

Le théâtre est **complet**, toutes les
places sont prises, on ne peut plus
entrer.
⭐ « Le Petit Chaperon
rouge va chez sa ... » Cette phrase
n'est pas **complète**. Il manque quelque
chose. Peux-tu la **compléter** ?

un **complice**, une **complice** *nom*

Le Renard boiteux a un **complice** pour
voler Pinocchio, c'est le Chat aveugle.
Il va l'aider à commettre sa mauvaise
action.

un **compliment** *nom masculin*

Tu as eu du courage,
tu as été un bon
petit garçon !

La Fée fait des **compliments** à
Pinocchio, elle le félicite.

115

com...

compliqué *adjectif*

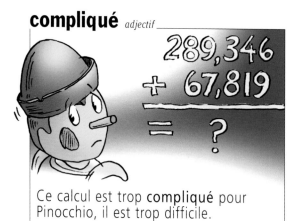

$$289,346$$
$$+ 67,819$$
$$= ?$$

Ce calcul est trop **compliqué** pour Pinocchio, il est trop difficile.

le **comportement** *nom masculin*

Quel drôle de **comportement** pour une cuisinière ! Vraiment, c'est une étrange façon de **se comporter**, de se tenir, de se conduire.

composer *verbe*

Composer une musique, une poésie, c'est les inventer, les écrire.

la **compote** *nom féminin*

Pour faire de la **compote** de pommes, on épluche les pommes, on les coupe en morceaux et on les fait cuire avec un peu d'eau et du sucre.

comprendre *verbe*

Comprendre un mot, c'est savoir ce que ce mot veut dire.

compter *verbe*

Blanche-Neige **compte** les chaises. Il y en a sept, pour les sept Nains. Un **comptable** fait des **comptes**. Il calcule. Sur une voiture, le **compteur** kilométrique compte les kilomètres parcourus.

un **concert** *nom masculin*

C'est un spectacle où l'on écoute de la musique.

la **conclusion** *nom féminin*

Pinocchio n'est pas très malade, c'est la **conclusion** des médecins. C'est ce qu'ils disent à la fin.

un **concombre** *nom masculin*

C'est un légume long avec une peau verte. On le mange en salade.

116

c

un **concours** nom masculin

C'est une épreuve où chacun essaie d'être le meilleur, c'est une compétition.

un **concurrent**, une **concurrente** nom

C'est chacune des personnes qui participent à un concours, à une compétition, à un championnat pour essayer de gagner.

condamner verbe

Pinocchio a été **condamné** à quatre mois de prison. Il a été obligé d'aller en prison. Mais il ne méritait pas cette **condamnation**, cette punition, puisque ce n'était pas lui le voleur.

une **condition** nom féminin

Blanche-Neige pourra rester avec les Nains si elle veut bien s'occuper de leur maison. C'est leur **condition**.

conduire verbe

Demain, nous **conduirons** Hansel et Gretel dans la forêt, nous les y emmènerons.

Conduire, c'est aussi faire rouler, faire marcher une voiture, un camion, un train.
Se conduire, c'est se comporter, se tenir. Une personne qui **se conduit** bien a une bonne **conduite**.

un **cône** nom masculin

les formes et les figures, page 214.

la **confiance** nom féminin

Aladin a fait **confiance** au Magicien. Il était sûr qu'il était honnête, bon et incapable de faire le mal. Mais Aladin était trop **confiant**. Il aurait dû se méfier.

une **confidence** nom féminin

C'est une chose que l'on dit en secret à quelqu'un.

confier verbe

Je te **confie** Marianne. Elle va rester avec toi. Fais bien attention à elle ! Qu'il ne lui arrive rien !

Confier, c'est aussi dire un secret, faire une confidence.

une **confiserie** nom féminin

Les bonbons, les chocolats, les caramels sont des **confiseries**, des friandises.
Une confiserie, c'est aussi la boutique où l'on achète des bonbons.

confisquer *verbe*

Pinocchio ! tu ne dois pas apporter de jouet à l'école. Je te **confisque** ta bille, je te la prends.

la **confiture** *nom féminin*

La maman du Petit Chaperon rouge fait de la **confiture** de fraises. Elle fait cuire ensemble les fraises et le sucre.

confondre *verbe*

Des frères jumeaux se ressemblent beaucoup, on peut les **confondre**, on peut les prendre l'un pour l'autre, on peut faire une **confusion**.

confortable *adjectif*

Boucle d'or trouve le petit lit tout à fait **confortable**. Elle s'y sent bien.
➤✦ Dans une maison **confortable**, il y a tout le **confort** : du chauffage, une salle de bains, et on se sent bien, à l'aise.

confus *adjectif*

Alice ne comprenait plus rien, tout était **confus** dans sa tête. Tout était trouble, embrouillé.

congeler *verbe*

Congeler des aliments, c'est les faire geler pour les conserver longtemps dans un **congélateur**.

connaître *verbe*

Je veux **connaître** l'homme qui peut m'offrir tant de trésors. Je veux savoir qui il est.

Le Sultan veut faire la **connaissance** d'Aladin, il veut le rencontrer.
➤✦ Une personne **connue** est une personne célèbre. Tout le monde la connaît, sait qui elle est.

un **conseil** *nom masculin*

La Fée donne des **conseils** à Pinocchio pour qu'il devienne un vrai petit garçon. Elle lui dit ce qu'il doit faire.
➤✦ **Conseiller** quelqu'un, c'est lui donner des conseils.

conserver *verbe*

C'est garder assez longtemps.
◆══════★≫═Dans les boîtes de **conserve**, les légumes se gardent longtemps.

une **console** *nom féminin*

Avec une **console**, on peut jouer à des jeux électroniques.

consoler *verbe*

Ne sois pas triste, petite sœur, on s'en sortira !

Hansel **console** Gretel. Il lui dit des choses pour qu'elle ait moins de peine.

constater *verbe*

Le Sultan n'en croit pas ses yeux. Mais il ne peut que **constater** que ce qu'on lui a dit est vrai. Le palais est bien là. Il s'en rend compte. Il le voit.

construire *verbe*

Les trois Petits Cochons **construisent** chacun une maison. Ils font les murs, les toits, les portes.
◆══════★≫═Avec un jeu de **construction**, on peut construire toutes sortes de choses en assemblant des pièces.

contagieux *adjectif*

Une maladie **contagieuse** s'attrape facilement, c'est pour cela qu'il ne faut pas trop s'approcher du malade.

un **conte** *nom masculin*

C'est une histoire inventée qui commence souvent par « Il était une fois... ».
🧹════════ *Regarde le mot* compter *et trouve le mot qui se prononce de la même façon.*

contempler *verbe*

C'est regarder longtemps. Le Prince, sur son bateau, contemple la mer.

contenir *verbe*

Que peut bien **contenir** ce flacon ? Qu'est-ce qu'il y a dedans ?

BOIS MOI

◆══════★≫═Le **contenu** d'une boîte, c'est ce qu'il y a dans la boîte.
◆══════★≫═Le **contenu** d'une histoire, c'est ce que l'histoire raconte.

con...

content *adjectif*

Le Petit Chaperon rouge va voir sa grand-mère et elle est toute **contente**. Elle est gaie, joyeuse, heureuse.

se **contenter** *verbe*

Il faudra **vous contenter** d'un petit morceau de pain, je n'ai que ça à vous donner, et soyez contents.

un **continent** *nom masculin*

Sur la Terre, il y a de grandes étendues de terre, les **continents**, et de grandes étendues d'eau, les océans.

continuer *verbe*

Continuer, c'est ne pas s'arrêter.

le **contour** *nom masculin*

Sur la carte, les **contours** de la forêt sont en rouge. Ce sont les lignes qui font le tour de la forêt et qui marquent ses limites.

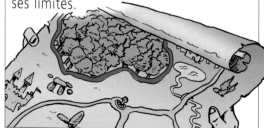

contraire *adjectif*

Non, ils ne sont pas partis par là ! Ils sont partis dans le sens **contraire**, dans le sens opposé.

▶ Regarde aussi <u>les contraires</u>, page 122.

contrarier *verbe*

Pinocchio **contrarie** toujours Gepetto en ne lui obéissant pas. Il l'ennuie, il lui fait de la peine, et Gepetto est bien **contrarié**, il est ennuyé et triste.

contrôler *verbe*

Dans le train, les **contrôleurs contrôlent** les billets des voyageurs. Ils les regardent pour vérifier qu'ils sont bons. Ils en font le **contrôle**.

convaincre *verbe*

Aladin a réussi à **convaincre** sa mère : elle ira chez le Sultan. Aladin lui a dit toutes sortes de choses pour qu'elle accepte d'aller chez le Sultan.

une **conversation** *nom féminin*

La Belle et la Bête ont de longues **conversations**. Elles parlent ensemble.

c

un **copain**, une **copine** *nom*

C'est un ami, un camarade.

copier *verbe*

C'est écrire, dessiner ou faire la même chose que ce que quelqu'un d'autre a déjà fait.

un **coq** *nom masculin*

Dans la basse-cour, il y a un magnifique **coq**. Le **coq**, c'est le mâle de la poule. Quand il chante, il crie « cocorico ».

une **coque** *nom féminin*

C'est une coquille. Quand on mange un œuf **à la coque**, on le mange dans sa coquille.

un **coquelicot** *nom masculin*

C'est une petite fleur des champs rouge vif, très fragile.

coquet *adjectif*

Les sœurs de Cendrillon sont très **coquettes**. Elles aiment être bien coiffées, porter de belles robes et de jolis rubans.

un **coquillage** *nom masculin*

Le toit du château du Roi de la mer est fait de **coquillages** qui s'ouvrent et se ferment au gré des courants. Un **coquillage**, c'est un animal de la mer, recouvert d'une coquille. Les moules, les huîtres sont des **coquillages**.

une **coquille** *nom féminin*

La **coquille**, c'est l'enveloppe dure des œufs, des noisettes, des noix, des coquillages ou des escargots.

le **corail** *nom masculin*

Les murs du château du Roi de la mer sont en **corail**. Les **coraux** sont des petits animaux de la mer qui ressemblent à des arbres.

les contraires

Tous ces mots ont des sens contraires, opposés. Chaque mot est différent.

Elle est **petite**.

Elle est **grande**.

Un peu d'eau.

Beaucoup d'eau.

Il est **gentil**.

Elle est **méchante**.

Elle est **gaie**.

Elle est **triste**.

Elle est **belle**.

Elle est **laide**.

Il **pousse**.   Il **tire**.

On peut aussi fabriquer des contraires
en ajoutant *dé*, *il*, *im*, *in*, *ir*, *mal* aux mots.
En voici quelques exemples.

Elle est **coiffée**.

Elle est **décoiffée**.

C'est **lisible**.

C'est **illisible**.

C'est **possible**.

C'est **impossible**.

Il est **visible**.

Il est **invisible**.

Un trait **régulier**.

Un trait **irrégulier**.

Elle est **heureuse**.

Elle est **malheureuse**.

cor...

un corbeau *nom masculin* _____

C'est un oiseau noir avec un bec noir. Quand les **corbeaux** crient, on dit qu'ils **croassent**.

une corbeille *nom féminin* _____

Voyez mes belles pommes dans ma **corbeille** !

Une **corbeille**, c'est une sorte de panier.

une corde *nom féminin* _____

Les brigands installent la **corde** pour pendre Pinocchio. Une **corde** est faite de gros fils tordus ensemble. La **corde** est plus grosse que la ficelle.

le cordonnier *nom masculin* _____

On porte ses chaussures chez le **cordonnier** quand il faut les réparer.

une corne *nom féminin* _____

La chèvre, le taureau, la girafe ont des **cornes** sur la tête. Ce sont des sortes de pointes dures.

un cornet *nom masculin* _____

Pinocchio secoue son **cornet** avant de lancer les dés. Un **cornet** a presque la forme d'un cône.

le corps *nom masculin* _____

Pinocchio est un pantin en bois et il voudrait bien un vrai **corps** de petit enfant en chair et en os ! ▶ Regarde la page d'à côté.

correct *adjectif* _____

Une réponse **correcte** est bonne, juste, exacte.

corriger *verbe* _____

À l'école, les maîtres et les maîtresses **corrigent** les cahiers de leurs élèves. Ils écrivent ce qui est juste à la place de ce qui est faux.

═══════▶✦◀═Quand on voit mal, on porte des lunettes pour **corriger** sa vue.

═══════▶✦◀═**Corriger**, c'est aussi battre, donner une fessée, donner une **correction**.

le corps

Hansel et Gretel font leur toilette.

la tête

le cou

l'épaule

la taille

la hanche

le bras

le coude

la poitrine

le ventre

le nombril

le sexe

le poignet

la main

la nuque

le dos

la fesse

la cuisse

le mollet

la cheville

le talon

le sexe

le genou

le pied

un **corsaire** nom masculin

Autrefois, les **corsaires** attaquaient les bateaux ennemis pour les piller et ils rapportaient leur butin au roi.
▶ Regarde aussi **pirate**.

un **cosmonaute** nom masculin

C'est un astronaute. Il voyage dans l'espace.

un **costume** nom masculin

C'est un ensemble de vêtements. Le clown met son **costume** avant d'entrer sur la piste.

━━━━✦≪━Un **costume**, c'est aussi une veste et un pantalon faits dans le même tissu.

━━━━✦≪━Dans un bal **costumé**, on porte des costumes qui sont des déguisements.

une **côte** nom féminin

La charrette qui emmène les enfants au Pays des Jouets a du mal à monter la **côte**. Ce sera plus facile en descendant !

━━━━✦≪━Les **côtes**, ce sont aussi les os qui font le tour de notre buste.

la **côte** nom féminin

La Petite Sirène a nagé jusqu'à la **côte**. C'est là où la mer rejoint la terre.

un **côté** nom masculin

De chaque **côté** de la porte, il y a un lion sculpté. Il y en a un à gauche et un à droite de la porte.

━━━━✦≪━Le **côté**, c'est aussi la direction.

le **coton** nom masculin

Le **coton** pousse sur une plante des pays chauds. Ce sont des boules blanches toutes douces. On en fait du tissu ou on s'en sert pour nettoyer les blessures.

le **cou** nom masculin

Le **cou** d'Alice était devenu si grand qu'il pouvait se tordre comme un serpent. Le **cou** permet de bouger la tête.

━≣━ *Quel mot, page 128, se prononce de la même façon ?*

coucher *verbe*

Robin et ses amis **couchaient** par terre.
Ils dormaient par terre.

➤⭐⥽—Quand le soleil **se couche**, c'est le soir, il va bientôt faire nuit et le soleil disparaît à l'horizon.

le **coude** *nom masculin*

Grâce à notre **coude**, nous pouvons plier le bras. ▶ Regarde le corps, page 125.

coudre *verbe*

Le tailleur prend le tissu, le fil et l'aiguille et il se met à **coudre** des habits neufs pour Aladin. Il fait de la **couture**.

➤⭐⥽—La **couture**, c'est aussi l'endroit où il y a le fil **cousu**. Si la **couture** se défait, si elle est **décousue**, il faut la **recoudre**.

une **couette** *nom féminin*

Petit Ours dort bien au chaud sous sa **couette**.

couler *verbe*

Qu'est-ce qui **coule** ?
– L'eau **coule** du robinet.
– Le fleuve **coule** vers la mer.
– Les larmes **coulent** sur les joues.
– Le miel **coule** sur les doigts.
Tous les liquides **coulent**.

➤⭐⥽—**Couler**, c'est aussi tomber au fond de l'eau. Il y a eu une tempête et le bateau du Prince **a coulé**.

une **couleur** *nom féminin*

Le bleu, le rouge, le jaune, le vert, le noir et le blanc sont des **couleurs**.

un **couloir** *nom masculin*

Maude conduit Robin à travers les **couloirs** des caves du château.
Un **couloir**, c'est un passage dans une maison pour aller d'une pièce à une autre.

un **coup** *nom masculin*

Gepetto vient juste de finir les pieds de son pantin et voilà qu'il reçoit un **coup** de pied sur le nez !

Quel mot, page 126, se prononce de la même façon ?

coupable *adjectif*

Le Valet de Cœur est accusé d'avoir volé les tartes. Mais il dit qu'il n'est pas **coupable**, que ce n'est pas lui qui a volé. Il dit qu'il est innocent.

une **coupe** *nom féminin*

C'est une sorte de verre très large. Le Sultan aimait boire dans des **coupes** en or.
Une **coupe**, c'est aussi une sorte de vase très large.
Regarde aussi **couper**.

couper *verbe*

Cendrillon **coupe** les cheveux de sa sœur avec des ciseaux. Elle va lui faire une jolie **coupe** de cheveux.
Les ciseaux, les couteaux sont très **coupants**, on peut **se couper**, se faire une **coupure** avec.

un **couple** *nom masculin*

Un **couple**, c'est deux personnes ou deux animaux.

un **couplet** *nom masculin*

 chanson

la **cour** *nom féminin*

La **cour** de la ferme, c'est l'espace dehors entouré par des murs.
La **cour** d'un roi ou d'une reine, ce sont toutes les personnes qui vivent près du roi ou de la reine.
Quels mots, sur la page d'à côté, se prononcent de la même façon ?

le **courage** *nom masculin*

Courage, papa ! N'aie pas peur, nous allons bientôt toucher terre.

Pinocchio va tout faire pour sauver son père, malgré le danger et les difficultés. Il a du **courage**, il est devenu un garçon **courageux**.

le **courant** *nom masculin*

C'est le mouvement de l'eau, c'est la force qui pousse l'eau dans un sens.
Le **courant électrique**, c'est l'électricité qui passe dans le fil.

C

courber *verbe*

Quand le vent **courbe** les arbres, les arbres ne sont plus droits, ils sont un peu pliés, ils se penchent.

courgette *nom féminin*

C'est un légume vert.

courir *verbe*

C'est aller le plus vite possible. Quand on fait la **course**, tous les **coureurs** partent du même endroit et celui qui a gagné, c'est celui qui arrive le premier.

couronne *nom féminin*

Le roi porte une **couronne** sur la tête.

courrier *nom masculin*

C'est l'ensemble des lettres qu'on envoie ou qu'on reçoit par la poste.

cours *nom masculin*

C'est une leçon. Pour apprendre le piano, on prend des **cours** de piano.

Quels mots, sur ces deux pages, se prononcent de la même façon ?

cours d'eau *nom masculin*

Les ruisseaux, les rivières, les fleuves sont des **cours d'eau**.

une course *nom féminin*

Aladin part faire les **courses**. Il va acheter ce dont il a besoin.

Regarde aussi **courir**.

court *adjectif*

Boucle d'or porte une jupe **courte**. Sa maman porte une jupe longue.

Être **court**, c'est aussi ne pas durer longtemps. Un film **court** dure moins longtemps qu'un film long.

Quels mots, sur ces deux pages, se prononcent de la même façon ?

un cousin, une cousine *nom*

Tes **cousins**, ce sont les enfants de ton oncle et de ta tante.

un coussin *nom masculin*

La pantoufle est posée sur un **coussin** de velours rouge.

129

un **couteau** *nom masculin*

Qui a coupé avec mon **couteau** ?

Les **couteaux** ont une lame qui sert à couper et un manche pour les tenir dans la main.

coûter *verbe*

Combien peut **coûter** ce jambon ? Je me demande quel est son prix ?

une **coutume** *nom masculin*

À 15 ans, les petites sirènes montent à la surface de la mer. C'est la **coutume** au pays du Roi de la mer. C'est comme cela que l'on fait depuis toujours là-bas.

la **couture** *nom féminin*

 coudre

couver *verbe*

La poule **couve** ses œufs. Elle les tient au chaud sous son corps jusqu'à ce que les poussins naissent.

un **couvercle** *nom masculin*

Un **couvercle** sert à fermer une marmite, une boîte, un coffre, un bocal.

le **couvert** *nom masculin*

Mettre le couvert, c'est mettre tout ce qu'il faut sur la table pour le repas : l'assiette, le couteau, la cuillère et le verre.

une **couverture** *nom féminin*

Le Loup se cache sous la **couverture**.
La **couverture** d'un livre, c'est le carton ou le papier solide qui tient toutes les pages attachées et qui protège le livre.

couvrir *verbe*

Le toit du château du Roi de la mer est **couvert** de coquillages. Il y a des coquillages dessus.
**Se couvrir**, c'est mettre des vêtements sur soi pour se protéger du froid, de la pluie, de la neige.

c

un **crabe** *nom masculin*

Le **crabe** sort de la mer et s'avance sur le sable. Ses pinces sont terribles et sa carapace très dure. ▶ Regarde aussi **crustacé**.

cracher *verbe*

« Beurk ! Ce n'est pas bon du tout », dit le poisson en **crachant** les livres de Pinocchio.

une **craie** *nom féminin*

À l'école, le maître écrit au tableau avec une **craie** blanche. Et il efface avec un chiffon ou une éponge.

craindre *verbe*

Le Sultan était très autoritaire et tout le monde le **craignait**. Tout le monde avait peur de lui.

Un animal **craintif** se sauve dès qu'on s'approche de lui, car il a peur.

se **cramponner** *verbe*

C'est s'agripper.

le **crâne** *nom masculin*

C'est l'os dur de la tête.

un **crapaud** *nom masculin*

C'est un animal qui vit près de l'eau et qui saute comme une grenouille. Que va faire la Sorcière de ces **crapauds** ?
Regarde page 369.

craquer *verbe*

Le Loup souffle et la maison de bois se met à **craquer**. Le bois bouge et cela fait du bruit.

Craquer, c'est aussi se casser, se déchirer avec un bruit sec.

une **cravate** *nom féminin*

Les hommes portent des **cravates** autour du col de leurs chemises.

un **crayon** *nom masculin*

Pinocchio a des **crayons** pour écrire.

une **créature** *nom féminin*

Une **créature**, c'est un être vivant. Sur terre, il y a toutes sortes de **créatures**.

créer *verbe*

C'est inventer ce qui n'existait pas avant.

la **crème** *nom féminin*

C'est la matière grasse du lait. On achète la **crème** à la **crémerie**, qui vend aussi du lait, du beurre et du fromage.
━━━☆≪Pour faire une **crème** au chocolat, il faut du lait, des œufs et du chocolat.
━━━☆≪Pour se protéger du soleil, on met de la **crème** sur la peau, c'est tout doux.

une **crêpe** *nom féminin*

Blanche-Neige fait des **crêpes** pour ses amis les Nains. Elle a fait la pâte avec du lait, des œufs et de la farine.

crépiter *verbe*

Le feu **crépite** dans la cheminée. On entend de tout petits bruits secs.

le **crépuscule** *nom masculin*

C'est lorsqu'il ne fait ni tout à fait nuit, ni tout à fait jour. Le **crépuscule** du matin, c'est l'aube, le soleil va se lever. Le **crépuscule** du soir, c'est la nuit qui tombe.

creuser *verbe*

Dans la mine, les Nains **creusent** la terre de la montagne pour trouver du fer et de l'or. Ils font des trous.

creux *adjectif*

La paille est **creuse** à l'intérieur. Elle est vide. C'est pour cela qu'on peut boire avec.
━━━☆≪Dans une assiette **creuse**, on peut mettre de la soupe car elle est plus profonde qu'une assiette plate.
━━━☆≪L'écureuil se cache dans un **creux** de l'arbre. C'est un trou.

crever *verbe*

Oh ! Le ballon est **crevé** ! Il y a un trou, on ne peut plus jouer avec.

c

une **crevette** *nom féminin*

C'est un petit animal de la mer, au corps recouvert d'une carapace.

un **cri** *nom masculin*

KAÏÏ

HuiHui

GÜÜÜ!

Les singes poussent des **cris** aigus dans les arbres. On les entend **crier** de loin !

un **crime** *nom masculin*

Le Chasseur va-t-il tuer Blanche-Neige ? Va-t-il commettre ce **crime** et devenir un **criminel** ? *Regarde page 176.*

une **crinière** *nom féminin*

Les lions, les chevaux ont une **crinière**, ils ont de longs poils sur la tête et le cou.

une **crise** *nom féminin*

Avoir une **crise** de fou rire, c'est se mettre à rire tout d'un coup et ne plus pouvoir s'arrêter.

le **cristal** *nom masculin*

Les verres en **cristal** font comme des notes de musique quand on tape doucement dessus avec une cuillère.

critiquer *verbe*

Cendrillon se fait toujours **critiquer** par ses sœurs. Ses sœurs lui font des **critiques**, des remarques : « Tu n'as pas bien fait ceci, tu n'as pas bien fait cela, regarde comme tu es mal habillée ! »

un **crochet** *nom masculin*

Les Petits Cochons vont pendre la marmite au **crochet** de la cheminée. Un **crochet** permet d'accrocher quelque chose.

crochu *adjectif*

La Sorcière a un nez **crochu**. Le chat a des griffes **crochues**, elles font comme un crochet.

un **crocodile** *nom masculin*

Les **crocodiles** vivent dans les fleuves des pays chauds. Ils ont des grandes mâchoires et quand ils sortent de l'eau, ils rampent en s'aidant de leurs pattes toutes courtes.

croire *verbe*

Gepetto **croit** que son pantin sera un bon petit garçon. Il pense que c'est vrai.

croiser *verbe*

Le chemin du Petit Chaperon rouge **croise** le chemin du Loup, dans la forêt. Ils vont se rencontrer au **croisement**.

une **croisière** *nom féminin*

C'est un long voyage en bateau.

la **croissance** *nom féminin*

Un enfant en pleine **croissance** est en train de grandir.

un **croissant** *nom masculin*

Pinocchio sort en pleine nuit. Dans le ciel, il y a un **croissant** de lune.

Un **croissant**, c'est aussi une pâtisserie qui a la forme d'un **croissant** de lune.

une **croix** *nom féminin*

Robin fait une **croix** sur l'arbre pour que ses amis suivent son chemin.

croquer *verbe*

Blanche-Neige **croque** dans la pomme. Elle enfonce ses dents dans la pomme pour en manger un morceau.

un **croquis** *nom masculin*

C'est un dessin simple que l'on fait rapidement.

croustiller *verbe*

Quand le pain est tout chaud, sa croûte **croustille**, elle croque sous la dent, elle est **croustillante**.

la **croûte** *nom féminin*

La **croûte** du pain, c'est ce qui est doré, grillé et plus dur, autour de la mie. Un **croûton**, c'est un bout de pain dur ou grillé.

cru *adjectif*

Les animaux de la jungle mangent de la viande **crue**. Mowgli préfère la faire cuire. Ce qui est **cru** n'est pas cuit.

une **cruche** *nom féminin*

Elle remplit sa **cruche** à la fontaine.

cruel *adjectif*

Monsieur le Chasseur, ne soyez pas **cruel** ! Ne me faites pas de mal !

Une personne **cruelle** fait souffrir les autres, elle est pleine de **cruauté**.

un **crustacé** *nom masculin*

C'est un animal qui vit dans l'eau et dont le corps est couvert d'une carapace. Les crabes, les langoustes, les homards, les crevettes sont des **crustacés**.

un **cube** *nom masculin*

Les dés sont des **cubes**.▶ Regarde <u>les formes et les figures</u>, page 215.

cueillir *verbe*

Dans le bois, le Petit Chaperon rouge **cueille** des fleurs dans l'herbe, des fruits sur les arbres et des champignons par terre. Elle les détache pour les prendre. Elle en fait la **cueillette**.

une **cuillère** *nom féminin*

On mange la soupe avec une **cuillère**.
Avec quoi mange-t-on la viande ? Pour le savoir, va voir page 217. On peut aussi écrire *cuiller*.

le **cuir** *nom masculin*

C'est la peau d'un animal qu'on prépare spécialement pour faire des vêtements, des chaussures, des sièges. Le **cuir chevelu**, c'est la peau du crâne.

cuire *verbe*

Mowgli fait **cuire** la viande sur le feu. Il la mangera quand elle sera **cuite**. Les appareils de **cuisson** servent à faire cuire les aliments.

la **cuisine** *nom féminin*

la casserole — l'évier — le moule — le fouet — le torchon — le rouleau — la passoire — le four — la poêle

La maman du Petit Chaperon rouge fait la **cuisine** dans sa **cuisine**. Elle prépare les repas dans une pièce spéciale où il y a tout pour **cuisiner**.
Le métier d'un **cuisinier** ou d'une **cuisinière**, c'est de faire la cuisine.

la **cuisse** *nom féminin*

La **cuisse** va de la hanche au genou.
▶ Regarde le corps, page125.

cuit *adjectif*

cuire

le **cuivre** *nom masculin*

C'est un métal jaune orangé ou presque rouge.

une **culotte** *nom féminin*

La **culotte** couvre les fesses. C'est un sous-vêtement. Une **culotte**, c'est aussi un pantalon, long ou court.

cultiver *verbe*

C'est travailler la terre pour faire pousser des légumes, des céréales. Les **cultivateurs cultivent** la terre. Ils font la **culture** des légumes, des céréales.

curieux *adjectif*

Alice est **curieuse**. Elle veut voir ce qu'il y a derrière la porte du jardin. Elle veut savoir. Elle est pleine de **curiosité**.

un **cycliste**, une **cycliste** *nom*

C'est une personne à vélo, à bicyclette.

un **cygne** *nom masculin*

C'est un oiseau au long cou qui nage, glisse sur l'eau.

Dd

un **daim** *nom masculin*

Il y a beaucoup de **daims** dans la forêt de Sherwood. Le **daim** ressemble au cerf mais il a des petites taches blanches. La femelle s'appelle la **daine** et leur petit le **faon**. Quand il crie, le daim **brame**.

une **dame** *nom féminin*

C'est une femme.

Un jeu de **dames**, c'est un jeu auquel on joue avec des pions, blancs et noirs, sur un **damier** aux cases blanches et noires.

se **dandiner** *verbe*

Les canards **se dandinent** quand ils marchent. Ils balancent leur corps d'un côté et de l'autre.

dan...

dangereux *adjectif*

Sur le panneau, il y a écrit « Attention ! **danger** », parce qu'à cet endroit la route est **dangereuse** et on peut avoir un accident.

danser *verbe*

Les marionnettes **dansent** sur la scène. **Danser**, c'est faire des mouvements en suivant le rythme de la musique. Les **danseurs** et les **danseuses** font des spectacles de **danse**.

la **date** *nom féminin*

Pour fêter l'anniversaire d'un ami, il faut connaître sa **date** de naissance. Il faut savoir le jour, le mois et l'année de sa naissance.

un **dauphin** *nom masculin*

La sirène joue avec les **dauphins**. Ce sont des animaux de la mer qui aiment bien la compagnie des hommes.

davantage

Les sœurs de la Belle avaient beaucoup de robes mais elles en voulaient **davantage**. Elles en voulaient encore plus.

un **dé** *nom masculin*

Pinocchio joue aux **dés**. Ce sont des petits cubes. Chaque dé a six faces marquées de 1, 2, 3, 4, 5, 6 points. On met un **dé à coudre** sur le doigt pour ne pas se piquer en cousant.

138

déballer _verbe_

 emballer

débarbouiller _verbe_

Mère Louve **débarbouille** son petit. Elle le lave.

débarrasser _verbe_

Débarrasser la table, c'est enlever les assiettes, les verres, les couverts et tout ce qu'il y a sur la table.
Se débarrasser de quelque chose, c'est ne plus le garder, parce qu'on n'en a plus besoin.

se **débattre** _verbe_

Pinocchio **se débat**. Il fait des mouvements dans tous les sens pour s'échapper.

déblayer _verbe_

Le jardinier **déblaye** l'allée, il enlève les feuilles mortes.

déborder _verbe_

Attention, le lait **déborde** ! Ça coule partout.
Quand les rivières **débordent**, l'eau inonde la campagne.

déboucher _verbe_

boucher

debout

les positions, page 374.

un **débris** _nom masculin_

Le bateau s'est fracassé sur les rochers. Les **débris** du bateau flottent sur l'eau. Les **débris**, c'est ce qui reste quand quelque chose est cassé, brisé.

deb...

se **débrouiller** *verbe*

Dans la forêt, Robin et ses amis doivent **se débrouiller** pour manger, dormir. Heureusement, ils trouvent toujours un moyen pour y arriver, ils sont très **débrouillards**.

le **début** *nom masculin*

Aladin est un méchant garçon, têtu et paresseux, au **début** de l'histoire, quand l'histoire commence, **débute**.
➤ **Débuter**, c'est aussi commencer à apprendre. Les **débutants** commencent à apprendre.

décembre

 mois

décevoir *verbe*

Pinocchio **déçoit** Gepetto. Il n'est pas le petit garçon que Gepetto aurait voulu avoir. ➤ Regarde aussi **déçu**.

déchaîné *adjectif*

Quand les enfants sont **déchaînés**, ils sont très énervés et ils n'arrêtent pas de bouger et de faire du bruit.

déchiffrer *verbe*

Pinocchio arrivait à peine à **déchiffrer** quelques mots. Il arrivait à peine à les lire.

déchirer *verbe*

En courant dans le bois, Boucle d'or **a déchiré** sa jupe. Maintenant il y a un trou, une **déchirure**.

décider *verbe*

Pour avoir des jambes, la Petite Sirène **a décidé** d'aller voir la Sorcière. Elle a choisi de le faire, elle a pris cette **décision**.

déclarer *verbe*

J'épouserai celle à qui cette pantoufle ira.

Voilà ce que **déclare** le Prince. Voilà ce qu'il dit haut et fort. Voilà ce qu'il annonce.

décoiffé *adjectif*

Blanche-Neige a tellement couru qu'elle est toute **décoiffée**. Ses cheveux sont en désordre. Elle n'est plus coiffée.

décoller *verbe*

Quand l'avion quitte le sol et s'envole, on dit qu'il **décolle**. C'est le **décollage**.
➤ Regarde aussi **colle**.

un **décor** *nom masculin*

On installe les **décors** pour le Théâtre des Marionnettes. Que représentent-ils ?

décorer *verbe*

Les sirènes ont un coin à elles qu'elles peuvent **décorer**, arranger comme elles veulent. La Petite Sirène fait sa **décoration** avec une statue de marbre et des fleurs rose vif.

découper *verbe*

À l'école, on **découpe** des images, des dessins. On les coupe en suivant leurs formes. On fait des **découpages**.

décourager *verbe*

Hansel ne **se décourage** jamais. Il ne perd jamais courage.

découvrir *verbe*

Père Loup **découvre** un petit d'homme dans les buissons. Il le trouve. Père Loup est tout étonné de sa **découverte**.

décrire *verbe*

La Petite Sirène demandait souvent à sa grand-mère de lui **décrire** le monde des hommes. Et sa grand-mère lui en faisait la **description**. Elle lui disait comment étaient les villes, les forêts, les gens, les animaux.

décrocher *verbe*

C'est enlever ce qui est accroché.
━━━☆≪━Décrocher, c'est aussi prendre le téléphone, pour répondre ou pour appeler. Et à la fin de la communication, on **raccroche**.

déçu *adjectif*

> Non, je n'ai pas pu parler au Sultan.

Aladin est **déçu**, il aurait tellement voulu que sa mère puisse parler pour lui au Sultan. C'est une grande **déception** pour Aladin.

une déesse *nom féminin*

 dieu

défaire *verbe*

Si quelque chose est mal fait, on **défait** tout et on recommence !

une défaite *nom féminin*

Les soldats du Baron ont perdu la bataille. Pour eux, c'est une **défaite**. Pour Robin et ses amis, qui ont gagné, c'est une **victoire**.

un défaut *nom masculin*

La maman d'Aladin l'aime malgré tous ses **défauts**. Elle l'aime malgré toutes les choses qu'elle ne trouve pas bien chez lui.

défendre *verbe*

Baloo et Bagheera **défendent** toujours Mowgli. Ils le protègent, ils se battent pour lui. Ils prennent sa **défense**.
━━━☆≪━Défendre, c'est aussi interdire. Quand, sur la porte, il y a écrit « **Défense** d'entrer », cela veut dire qu'on ne peut pas entrer, que c'est **défendu**, interdit.

une défense *nom féminin*

C'est chacune des deux très longues dents pointues de l'éléphant.
━━━☆≪━Regarde aussi **défendre**.

défiler *verbe*

Les soldats **défilent** devant le Roi. Ils avancent les uns derrière les autres. C'est un beau **défilé**.

d

définir *verbe*

Définir un mot, c'est expliquer ce qu'il veut dire. C'est donner sa **définition**, son sens, sa signification.

défoncer *verbe*

Le Loup frappe si fort sur la maison de bois qu'il va **défoncer** la porte. Il va la casser.

déformer *verbe*

À l'école, j'ai appris à rire et à médire.

La Simili-Tortue **déforme** les mots. Elle aurait dû dire « à lire et à écrire ». **Déformer**, c'est changer ou abîmer la forme de quelque chose.

dégager *verbe*

Allez ! Allez ! **Dégagez** le passage ! Laissez passer !

Les gens doivent laisser de la place.

les dégâts *nom masculin*

La tempête a été très forte. Et cela a fait beaucoup de **dégâts**. Les arbres, les maisons, les bateaux sont abîmés.

le dégel *nom masculin*

 geler

dégonfler *verbe*

 gonfler

dégouliner *verbe*

Quand la confiture **dégouline**, elle coule partout.

dégourdi *adjectif*

Des enfants **dégourdis** savent se débrouiller. Ils sont astucieux, malins.

dégoûtant *adjectif*

Une chose **dégoûtante**, c'est une chose très sale, qui **dégoûte**. On n'a pas envie d'y toucher.

un degré *nom masculin*

La température se mesure en **degrés**. Au pays d'Aladin, il fait très chaud, il fait souvent plus de 30 **degrés**.

dégringoler *verbe*

Le Loup frappe si fort sur la maison de bois que tout **dégringole**. Tout tombe.

143

déguerpir *verbe*

Les animaux ont fait un tel vacarme que les voleurs **déguerpissent**. Ils partent à toute vitesse. Ils s'enfuient.

déguiser *verbe*

La méchante Reine **s'est déguisée** en vieille femme pour aller voir Blanche-Neige. Elle s'est maquillée et habillée comme une vieille femme.

Un **déguisement**, c'est un costume pour se déguiser.

déguster *verbe*

C'est boire ou manger doucement, avec un grand plaisir, parce que c'est très bon.

déjeuner *verbe*

C'est prendre le repas du matin ou de midi. ▶ Regarde aussi **repas**.

délabré *adjectif*

La maison des parents d'Hansel et Gretel est vieille et très **délabrée**. Elle est très abîmée, elle n'est pas en bon état du tout.

un **délai** *nom masculin*

Vous avez un **délai** de trois mois pour revenir ici, ou vous, ou une de vos filles.

Un **délai**, c'est le temps qu'on donne pour faire quelque chose.

délayer *verbe*

Délayer de la peinture, c'est la mélanger avec de l'eau.

d

délibérer _verbe_

Comment chasser les voleurs ?

Les animaux **délibèrent**. Ils discutent pour se mettre d'accord. _Regarde sur la page d'à côté ce qu'ils ont décidé de faire._

délicat _adjectif_

Le coquelicot est une fleur **délicate**, c'est une fleur très fragile. Il faut s'en occuper avec **délicatesse**, avec beaucoup de douceur et d'attention.

délicieux _adjectif_

Ce qui est **délicieux** est très bon, c'est un **délice**, un régal. Boucle d'or trouve la soupe de Petit Ours **délicieuse**.

délivrer _verbe_

Gretel **délivre** son frère. Elle le libère, il est libre.

un déluge _nom masculin_

C'est une pluie très forte, très violente.

demain

⟹ les jours, page 274.

demander _verbe_

La méchante Reine **demande** à son miroir qui est la plus belle. La méchante Reine pose la question à son miroir. **Demander**, c'est aussi dire ce qu'on veut. Les Nains **demandent** à Blanche-Neige de s'occuper de leur maison.

une démarche _nom féminin_

Les canards ont une drôle de **démarche**. Ils ont une drôle de façon de marcher.

démarrer _verbe_

C'est commencer à avancer, à rouler.

démasquer _verbe_

Qui a volé les tartes ? Nous **démasquerons** le coupable ! Nous saurons qui il est !

dem...

démêler *verbe*

⟹ emmêler

déménager *verbe*

C'est changer de maison. C'est aller habiter ailleurs. Les **déménageurs** **déménagent** tous les meubles dans leur camion, pendant le **déménagement**.

une **demeure** *nom féminin*

C'était une grande maison, mais moins grande qu'un château et moins riche qu'un palais.

une **demi-heure** *nom féminin*

C'est la moitié d'une heure, c'est trente minutes.

démodé *adjectif*

Une robe **démodée** n'est plus à la mode.

une **demoiselle** *nom féminin*

C'est une jeune fille.

démolir *verbe*

Le Loup **démolit** la maison de bois. Il va la détruire, comme la maison de paille.

un **démon** *nom masculin*

Les amis de Pinocchio sont de vrais petits **démons** ! Ils le poussent toujours à faire des bêtises !

démonter *verbe*

Pour réparer les pneus, il faut **démonter** les roues. Il faut les défaire.

dénoncer *verbe*

Pinocchio **dénonce** ses voleurs au juge. Il donne leur nom.

le **dénouement** *nom masculin*

Le **dénouement** d'une histoire, c'est la fin de l'histoire.

une **dent** *nom féminin*

Oh ! Grand-mère, comme vous avez de grandes **dents** !

Les **dents** servent à mordre, à couper, à mâcher les aliments. Les **incisives**, devant, et les **canines** pointues, de chaque côté, servent à couper et à mordre. Les **molaires**, au fond, servent à mâcher.

⟹ On se brosse les dents avec du **dentifrice** et on se fait soigner les dents chez le **dentiste**.

⟹ Une **dent**, c'est aussi la pointe dure de certains objets. La fourchette, la scie ont des **dents**.

d

la **dentelle** *nom féminin*

C'est un tissu léger avec de jolis motifs à trous.

dépanner *verbe*

⟹ panne

le **départ** *nom masculin*

Tous pleurent au moment du **départ** de la Belle. Ils pleurent au moment où la Belle va partir.

un **département** *nom masculin*

C'est une partie d'un pays.

dépasser *verbe*

La jupe de Gretel **dépasse** sous son tablier. Elle est plus longue que son tablier et on la voit.

Dépasser une voiture, c'est passer devant, c'est la doubler.

se **dépêcher** *verbe*

Je vais être en retard ! Il faut que je **me** dépêche !

Le Lapin Blanc est toujours pressé, il **se** **dépêche** tout le temps, il va vite.

dépenser *verbe*

Le Magicien **a dépensé** beaucoup d'argent pour acheter de beaux habits à Aladin. Il a fait de grosses **dépenses**.

déplacer *verbe*

Qui a **déplacé** ma chaise ? Qui l'a changée de place ?

Se déplacer, c'est aller d'un endroit à un autre.

147

déplier *verbe*

⟹ plier

déployer *verbe*

Les oiseaux **déploient** leurs ailes pour s'envoler. Ils les ouvrent et les étendent.

déposer *verbe*

Le faucon **dépose** Pinocchio sur l'herbe, il le met sur l'herbe.

dérailler *verbe*

Un train qui **déraille** sort de ses rails. C'est un accident, un **déraillement**.

déranger *verbe*

Je ne vous **dérangerai** pas. Je ne vous gênerai pas. Puis-je vivre avec vous ?

Que vont répondre les Nains ? Pour le savoir, regarde page 19.

⟹ Regarde aussi **ranger**.

déraper *verbe*

Quand il y a du verglas, les voitures risquent de **déraper**, de glisser.

dernier *adjectif*

Le **z** est la **dernière** lettre de l'alphabet. Il n'y en a pas d'autres après.

⟹ Regarde aussi **prochain**.

dérober *verbe*

C'est voler.

dérouler *verbe*

On **déroula** un tapis rouge pour accueillir Aladin.

⟹ L'histoire de Mowgli **se déroule** dans la jungle. Elle se passe dans la jungle.

derrière

⟹ où ? page 339.

le **derrière** *nom masculin*

Tomber sur le **derrière**, c'est tomber sur les fesses.

désagréable *adjectif*

Les sœurs de Cendrillon sont très **désagréables**. Elles ne sont pas agréables, pas gentilles, pas aimables.

se **désaltérer** *verbe*

Les animaux **se désaltèrent** à la rivière. Ils boivent.

un **désastre** *nom masculin*

C'est une catastrophe.

une **descendance** *nom féminin*

Blanche-Neige et le Prince eurent beaucoup d'enfants, qui eurent eux-mêmes beaucoup d'enfants. Cela leur fit une grande **descendance**. Les **descendants** d'une personne, ce sont ses enfants, ses petits-enfants et ses arrière-petits-enfants.

descendre *verbe*

C'est plus facile quand on **descend**.

Oui, c'est plus facile dans la **descente** !

Descendre, c'est aller vers le bas.
Comment dit-on quand on va vers le haut ? Pour le savoir, cherche page 314.

une **description** *nom féminin*

 **décrire**

désert *adjectif*

Pinocchio marchait seul dans la nuit. La rue était **déserte** et il commençait à avoir peur. Dans un endroit **désert**, il n'y a personne.

le **désert** *nom masculin*

Dans le **désert**, il n'y a pas d'eau et rien ne pousse ou presque.

désespéré *adjectif*

Les Nains n'arrivent pas à ramener Blanche-Neige à la vie. Ils sont **désespérés**. Ils sont très malheureux. Ils n'ont plus d'espoir.

déshabiller *verbe*

Le Petit Chaperon rouge **se déshabille** pour entrer dans le lit. Elle enlève ses habits, ses vêtements.

désirer *verbe*

Aladin **désire** épouser la princesse Badroulboudour. C'est son seul **désir**. Il le souhaite, il le veut.

désobéir *verbe*

Pinocchio **désobéit** sans arrêt. Il ne fait jamais ce qu'on lui dit de faire. C'est un pantin **désobéissant** et pour devenir un vrai petit garçon, il faut qu'il apprenne à obéir.

désoler *verbe*

Les sœurs de la Belle ne sont pas bonnes et cela **désole** leur père. Cela fait de la peine à leur père.

On dit qu'on est **désolé** quand on regrette ce qu'on a fait.

le **désordre** *nom masculin*

Quel **désordre** ! Rien n'est à sa place, rien n'est rangé.

Une personne **désordonnée** ne range jamais rien. Elle n'a pas d'ordre.

désormais

« **Désormais**, je serai un bon petit garçon. Oui, je serai un bon petit garçon à partir de maintenant, dorénavant », se dit Pinocchio.

un **dessein** *nom masculin*

La méchante Reine avait un terrible **dessein** : faire mourir Blanche-Neige. C'était son but, ce qu'elle voulait faire.

Quel mot, page 151, se prononce de la même façon ?

le **dessert** *nom masculin*

On sert des fruits, des gâteaux et des crèmes au caramel pour le **dessert**. On mange le **dessert** à la fin du repas.

d

un **dessin** *nom masculin*

Pinocchio fait un **dessin** sur son cahier. Il **dessine** une maison.
Les **dessinateurs** dessinent avec des crayons, des stylos.

un **dessin animé** *nom masculin*

C'est un film fait avec des dessins.

détacher *verbe*

Détachez-moi et je vous raconterai tout.

Et l'homme défait le nœud qui tient le pantin attaché.
Regarde aussi **tache**.

un **détail** *nom masculin*

Raconter une histoire avec tous les **détails**, c'est la raconter sans rien oublier, même les petites choses.

détaler *verbe*

Le lapin **détale**. Il s'en va à toute vitesse.

un **détective**, une **détective** *nom*

C'est une personne qui fait des enquêtes pour résoudre des énigmes, des mystères.

détendre *verbe*

Se **détendre**, c'est se reposer, se distraire, s'amuser.

déterrer *verbe*

⟹ enterrer

détester *verbe*

Les deux sœurs **détestaient** la Belle. Elles ne l'aimaient pas du tout.

un **détour** *nom masculin*

Avant d'aller au château, Robin fait un **détour** pour rendre visite à un ami. Il prend un chemin plus long.

détruire *verbe*

Le Loup est passé par là. Il a soufflé, il a cogné et il **a détruit** la maison de paille. La maison est **détruite**, cassée, démolie.

une **dette** *nom féminin*

Avoir des **dettes**, c'est devoir de l'argent à quelqu'un. Payer ses **dettes**, c'est rembourser ce que l'on doit.

le **deuil** *nom masculin*

La mère de Blanche-Neige est morte. Le Roi et toute la cour sont **en deuil**. Ils pleurent la Reine disparue. Ils sont tristes.

dévaler *verbe*

Cendrillon **dévale** l'escalier. Elle le descend à toute vitesse.

devant

où ? page 339.

développer *verbe*

Mowgli courait beaucoup, il faisait toutes sortes d'exercices physiques avec ses amis les loups, cela **développait** ses muscles et ses forces. Il avait de plus en plus de muscles et de forces.

devenir *verbe*

La Petite Sirène veut **devenir** une jeune fille. Elle veut être une jeune fille.

dévier *verbe*

C'est s'écarter de la direction qu'on a prise. Une route **déviée** oblige à faire un détour. C'est une **déviation**.

deviner *verbe*

Devine qui est sous la couverture ?
Si tu ne trouves pas, regarde page 130.
Une **devinette**, c'est un petit jeu. On pose une question et il faut trouver, deviner la réponse.

dévisser *verbe*

visser

devoir *verbe*

Tu **dois** être rentrée à minuit. Il faut que tu sois rentrée à minuit.

Si un ami te prête cinq francs, tu **dois** cinq francs à ton ami. Il faut lui rendre.

> Attention, le verbe **devoir** change très souvent de forme.

Autrefois	Hier	Aujourd'hui	Demain
je devais	j'ai dû	je dois	je devrai
tu devais	tu as dû	tu dois	tu devras
il, elle devait	il, elle a dû	il, elle doit	il, elle devra
nous devions	nous avons dû	nous devons	nous devrons
vous deviez	vous avez dû	vous devez	vous devrez
ils, elles devaient	ils, elles ont dû	ils, elles doivent	ils, elles devront

un **devoir** *nom masculin*

Pinocchio n'aime pas l'école parce qu'il y a des leçons à apprendre et des **devoirs** à faire.

dévorer *verbe*

Si le Loup attrape les Petits Cochons, il va les **dévorer**, c'est sûr ! Il va les manger !

dévoué *adjectif*

La Belle est très **dévouée** à son père. Elle l'aime et fait tout pour qu'il soit heureux. C'est pourquoi elle **se dévoue** pour aller chez la Bête à sa place.

un **diable** *nom masculin*

C'est un mauvais esprit qui pousse à faire le mal. Dans les histoires, on le montre souvent avec une grande queue et des cornes.

On dit d'un enfant qu'il est un vrai petit **diable** quand il ne fait que des bêtises. On dit aussi un **démon**.

un **diadème** *nom masculin*

La Princesse porte un **diadème** de diamants. C'est un bijou en forme de couronne.

une **diagonale** *nom féminin*

Les danseurs font une **diagonale**.
C'est une ligne qui va en biais d'un coin
à un autre coin.

un **dialogue** *nom masculin*

Les **dialogues** d'un film, d'une histoire,
ce sont les paroles que disent les
personnages.

un **diamant** *nom masculin*

Un **diamant**, c'est
une pierre précieuse
transparente qui brille
beaucoup et qui sert
à faire des bijoux.

dicter *verbe*

Robin **dicte** une lettre à Petit Jean. Il
parle et Petit Jean écrit sous sa **dictée**.
À l'école, une **dictée**,
c'est un exercice où il faut écrire
correctement ce que le maître dicte.

un **dictionnaire** *nom masculin*

Le **dictionnaire** explique ce que les
mots veulent dire et il dit comment
ils s'écrivent.

un **dieu**, une **déesse** *nom*

Au temps des Grecs et des Romains,
et chez les anciens Égyptiens, on croyait
en plusieurs **dieux** et **déesses** qui
avaient de grands pouvoirs, chacun
dans un domaine : l'amour, la chasse,
la mer, la guerre…
Dans les religions juive, chrétienne et
musulmane, on ne croit qu'à un seul
dieu, être éternel et créateur de
l'univers.

différent *adjectif*

La Belle et ses sœurs sont très
différentes. Elles ne sont pas pareilles,
elles ne se ressemblent pas. Il y a
beaucoup de **différences** entre elles.

difficile *adjectif*

Monte !

Je n'y arriverai
pas, c'est trop **difficile** !
C'est trop dur. Ce
n'est pas facile.

Au début, Mowgli a des **difficultés**
pour grimper dans les arbres, c'est
difficile pour lui.

digérer _verbe_

Mais je ne veux pas être **digéré** !

Pinocchio et le Thon ont été avalés par le Requin. S'ils ne s'échappent pas, ils vont être **digérés** comme les aliments que nous mangeons et que notre corps transforme pendant la **digestion**.

digne _adjectif_

Petit Jean est **digne** de confiance.
Il mérite qu'on lui fasse confiance.

une digue _nom féminin_

C'est un mur construit dans l'eau, dans un port. ▶ Regarde **port**.

une diligence _nom féminin_

Autrefois, on voyageait en **diligence**.
C'était une voiture tirée par des chevaux qui transportait des passagers.

le dimanche _nom masculin_

 jour

une dimension _nom féminin_

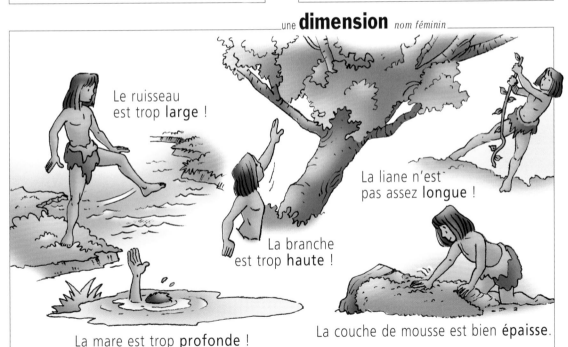

Le ruisseau est trop **large** !

La branche est trop **haute** !

La liane n'est pas assez **longue** !

La mare est trop **profonde** !

La couche de mousse est bien **épaisse**.

La longueur, la largeur, la hauteur, la profondeur, l'épaisseur sont des **dimensions**.
Les **dimensions** permettent de mesurer les objets, d'en donner la taille.

diminuer *verbe*

Gepetto était fatigué de nager. Il sentait ses forces **diminuer**. Il avait de moins en moins de forces.

une **dinde** *nom féminin*

Dans la cour de la ferme, il y a une **dinde**, un **dindon** qui fait la roue, et leur petit, le **dindonneau**. Quand ils crient, les dindons **glougloutent**.

dîner *verbe*

C'est prendre le repas du soir.
▶ Regarde aussi **repas**.

un **dinosaure** *nom masculin*

Pinocchio a trouvé un livre sur les **dinosaures**. Les **dinosaures** sont des animaux qui ont existé sur la Terre bien avant les êtres humains.

dire *verbe*

Dès que le Génie de la lampe apparaît, il parle et voilà ce qu'il **dit** : « Que veux-tu ? Me voici prêt à t'obéir. »

direct *adjectif*

Le Loup prend le chemin le plus court pour aller chez la grand-mère du Petit Chaperon rouge. C'est le chemin le plus **direct**.
Rentrer **directement** à la maison, c'est rentrer sans faire de détours ni s'arrêter nulle part, en prenant la route la plus **directe**.

un **directeur**, une **directrice** *nom*

Mangefeu est le **directeur** du Théâtre des Marionnettes. C'est lui qui dirige le théâtre.

la **direction** *nom féminin*

Les animaux ont pris la **direction** de la ville de Brême. Ils vont vers Brême. Ils se dirigent vers Brême.

diriger *verbe*

C'est commander, être le chef ou le directeur. Mangefeu **dirige** le Théâtre des Marionnettes.
Se diriger, c'est aller vers un endroit, dans une direction.

la **discipline** *nom féminin*

Le Roi de la mer aime l'ordre et la **discipline**. Chacun doit obéir et suivre le règlement.
Quelqu'un qui n'obéit pas et qui n'a pas de discipline est **indiscipliné**.

d

un **discours** *nom masculin*

Le Roi fit un **discours** pour remercier les fées. Il leur parla pendant un bon moment.

discret *adjectif*

Une personne **discrète** ne raconte pas ce qu'on lui confie, et elle ne se mêle pas des affaires des autres.
Une personne **indiscrète** répète ce qu'on lui raconte et elle est capable d'écouter aux portes !

discuter *verbe*

!!
À mon avis...
Je pense que...
Non !
Mais...
Si !
Je crois...

Qui ira chez la Bête ? Toute la famille **discute**. La **discussion** est animée. Chacun parle et donne son avis.

disparaître *verbe*

Où est le palais ? Le palais **a disparu**, il n'est plus là. Le Sultan ne comprend rien à cette **disparition**. *Regarde page 485 pour savoir ce qui s'est passé.*

une **dispute** *nom féminin*

Pinocchio et les garçons ne sont pas d'accord. Une **dispute** éclate. Tous **se disputent** et se disent des choses désagréables.

un **disque** *nom masculin*

Un **disque** permet d'écouter de la musique ou des histoires enregistrées. Un **disque** est plat et rond.
Une **disquette**, c'est un petit disque qu'on utilise sur un ordinateur pour enregistrer des informations.

dissimuler *verbe*

C'est cacher.

dissipé _adjectif_

Un élève **dissipé** n'écoute pas en classe et il ne tient pas en place.

la **distance** _nom féminin_

C'est encore loin ?

Les animaux ont encore une grande **distance** à parcourir avant d'arriver à Brême.

distinguer _verbe_

Quelquefois, les jumeaux se ressemblent tellement qu'on n'arrive pas à les **distinguer** l'un de l'autre. On n'arrive pas à voir qui est qui.

distraire _verbe_

Au cirque, les clowns, les jongleurs, les acrobates font leurs numéros pour **distraire** les enfants. Ils font leurs numéros pour les amuser. C'est un spectacle **distrayant**.
La Belle, pour **se distraire**, aime lire et jouer de la musique, ce sont ses **distractions** préférées.

distrait _adjectif_

Pinocchio ne fait pas attention à tout. Il est souvent **distrait**. Une personne **distraite** oublie toujours quelque chose.

distribuer _verbe_

Robin **distribuait** aux pauvres l'argent qu'il prenait aux riches. Il en donnait à chacun.

un **divan** _nom masculin_

C'est une sorte de canapé ou de lit simple.

divertir _verbe_

Le Sultan a fait venir des musiciens et des danseuses pour **divertir** ses invités, pour les distraire, les amuser. C'était un agréable **divertissement**.

diviser _verbe_

Diviser, c'est partager, séparer en plusieurs parties.

divorcer _verbe_

Quand deux personnes mariées ne s'aiment plus et qu'elles ne veulent plus vivre ensemble, elles **divorcent**. Elles se séparent. C'est le **divorce**.

d

docteur un *nom masculin*

C'est un médecin.

documentaire un *nom masculin*

C'est un film qui apprend des choses sur des sujets réels. Pour faire un **documentaire**, il faut des **documents**. Ce sont des textes, des images ou des sons qui donnent des renseignements, des informations.

dodu *adjectif*

La Sorcière attend que la petite main d'Hansel soit bien **dodue** pour manger l'enfant. Elle attend que sa main soit ronde et grasse.

doigt un *nom masculin*

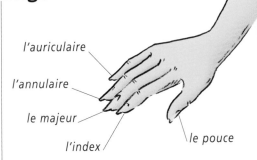

l'auriculaire

l'annulaire

le majeur

l'index

le pouce

On a cinq **doigts** à chaque main.
━━━━━★≼━Pour les doigts de pieds, on dit **orteils**.

domaine un *nom masculin*

Le **domaine** du Roi de la mer est immense. C'est tout l'espace sur lequel il règne.
━━━★≼━Un **domaine**, c'est aussi un château, une grande maison, et tout le terrain qui est autour.

domestique *adjectif*

Cendrillon faisait tous les travaux **domestiques**. Elle faisait tous les travaux de la maison : le ménage, la cuisine, la couture, le repassage.
━━━★≼━Les animaux de la ferme sont des animaux **domestiques**. Ils vivent avec les hommes.

domicile le *nom masculin*

C'est l'endroit où on habite.

dominer *verbe*

Le château fort **domine** la campagne. Il est tout en haut, il est au-dessus.
━━━★≼━Pour sauver son père, Pinocchio réussit à **dominer** sa peur. Il réussit à être plus fort que sa peur.

domino un *nom masculin*

Au Pays des Jouets, on peut faire des parties de **dominos**.

dommage

Le Petit Chaperon rouge est arrivée chez sa grand-mère après le Loup. C'est bien **dommage**. On le regrette.

dompter *verbe*

Dompter un animal sauvage, c'est le dresser. Au cirque, les **dompteurs** font faire des tours aux animaux. ▶ Regarde page 106.

🧹 On ne prononce pas le *p*.

un **don** *nom masculin*

Un **don**, c'est ce que l'on donne, c'est un cadeau.

Regarde aussi **doué**.

le **donjon** *nom masculin*

C'est la plus haute tour d'un château fort. ▶ Regarde page 97.

donner *verbe*

C'est pour toi, prends-le.

Le Magicien **donne** un anneau magique à Aladin. Maintenant, l'anneau est à Aladin.

doré *adjectif*

Les cadres des tableaux sont **dorés**. Ils ont la couleur de l'or. ▶ Regarde page 80.

dorénavant

C'est désormais, à partir de maintenant.

dormir *verbe*

La Belle au bois dormant va **dormir** cent ans. Nous, nous **dormons** la nuit, et quelquefois l'après-midi pour une petite sieste.

un **dortoir** *nom masculin*

La chambre des Nains ressemble à un **dortoir**. C'est une grande pièce avec plusieurs lits.

le **dos** *nom masculin*

Le Chien est monté sur le **dos** de l'Âne. ▶ Regarde aussi le corps, page 125.

Le **dos** d'une photo, c'est l'envers de la photo, le côté où il n'y a pas d'image.

une **dose** *nom féminin*

Une **dose**, c'est une quantité bien précise.

un **dossier** *nom masculin*

La petite chaise de Petit Ours a un petit **dossier**. C'est la partie où on appuie le dos.

doubler *verbe*

En une minute, la taille d'Alice **avait doublé**. Elle était deux fois plus grande. Elle mesurait le **double**.
▸◂ Le Prince porte une cape **doublée** de satin blanc. Il y a une **doublure**, un autre tissu en dessous.
▸◂ **Doubler**, c'est aussi passer devant une voiture, un vélo, c'est les dépasser.

doucement

Les parents dorment. Hansel sort tout **doucement**. Il ne marche pas vite et il ne fait pas de bruit. ▶ Regarde aussi **doux**.

la **douceur** *nom féminin*

 doux

une **douche** *nom féminin*

Mowgli prend une **douche**. Toute l'eau tombe sur son corps.

▸◂ **Se doucher**, c'est prendre une douche pour se laver ou se rincer.

doué *adjectif*

Les sirènes sont **douées** pour la musique. Elles sont très bonnes musiciennes. Elles ont un **don** pour la musique.

douillet *adjectif*

Une personne **douillette** ne supporte pas la plus petite douleur.
▸◂ Un lit **douillet**, c'est un lit où on se sent bien.

la **douleur** *nom féminin*

Aïe!

Le singe crie de **douleur**. Il a très mal.

dou...

douter *verbe*

Tout est si étrange qu'Alice se met à **douter** de tout. Elle n'est plus sûre de rien. Elle a des **doutes**.

⭐ La mère d'Aladin **se doutait** bien que le Magicien n'était pas de la famille. Elle en était presque sûre.

doux *adjectif*

Qu'est-ce qui est **doux** ?
– Le coton est tout **doux**. C'est agréable à toucher.
– La voix des sirènes est **douce**. Quand on l'entend, cela nous berce.
– Père Loup est **doux** avec Mowgli bébé. Il est tendre. Il s'occupe de lui avec beaucoup de **douceur**.

un dragon *nom masculin*

La Fée arrive dans un chariot de feu traîné par des **dragons**. Les **dragons** n'existent pas, ce sont des animaux imaginaires, fabuleux et terrifiants. On raconte qu'ils crachent du feu.

un drame *nom masculin*

La Belle va partir chez la Bête. C'est un **drame** pour son père. C'est très triste, c'est une catastrophe, c'est un événement terrible.

un drap *nom masculin*

Blanche-Neige met des **draps** propres dans les lits des Nains.

🧹 On ne prononce pas le *p*.

un drapeau *nom masculin*

Ce sont les soldats du Baron ! On reconnaît leur **drapeau** !

⭐ Chaque pays a son **drapeau**. Tous les **drapeaux** sont différents.

dresser *verbe*

Pinocchio a été transformé en âne. Le directeur le **dresse** pour qu'il devienne un âne de cirque. Il lui apprend à obéir et à faire des tours.

Dresser une tente, c'est l'installer, la monter.

Se dresser sur la pointe des pieds, c'est se tenir droit sur la pointe des pieds.

le **droit** *nom masculin*

À quinze ans, les sirènes ont le **droit** de monter à la surface de la mer. Elles peuvent le faire, c'est autorisé, permis.

droit *adjectif*

Avec une règle, on trace des traits bien **droits**. ▶ Regarde aussi les formes et les figures, page 215.

On a deux bras : le bras gauche, du côté du cœur, et le bras **droit** de l'autre côté. ▶ Regarde aussi où ? page 339.

Un enfant **droitier** écrit avec la main **droite**. *Comment s'appelle un enfant qui écrit de la main gauche ? Pour le savoir, regarde page 224.*

drôle *adjectif*

C'était **drôle** quand on a fait peur aux voleurs !
Oh oui ! On a beaucoup ri.

Ce qui est **drôle** fait rire, c'est amusant.

La lampe d'Aladin est une **drôle** de lampe, ce n'est pas une lampe comme les autres. Elle est bizarre, étrange.

un **dromadaire** *nom masculin*

 chameau

un **duel** *nom masculin*

C'est un combat entre deux personnes.

dun...

une **dune** *nom féminin*

C'est une colline de sable, au bord de la mer ou dans les déserts.

dur *adjectif*

Qu'est-ce qui est **dur** ?
– Le pain quand il est vieux et sec. Il est **dur** et on ne peut même plus le couper.
– Une addition trop compliquée. Elle est **dure** et on n'arrive pas à la faire.
– Les sœurs de Cendrillon. Elles sont **dures** avec elle. Elles ne sont pas gentilles.

durer *verbe*

Le voyage des animaux **a duré** plusieurs jours. Ils ont voyagé pendant plusieurs jours.

La **durée**, c'est le temps qui passe. ▶ Regarde page 472.

le **duvet** *nom masculin*

Ce sont les toutes petites plumes très légères des oiseaux. On met du **duvet** d'oie ou de canard dans les oreillers ou les couettes. C'est doux et cela tient très chaud.

dynamique *adjectif*

Robin est très **dynamique**, il est toujours prêt à agir.

la **dynamite** *nom féminin*

C'est un explosif. Avec de la **dynamite**, on peut faire sauter des immeubles, des ponts, des trains.

164

Ee

l' **eau** *nom féminin*

Mowgli se baigne dans l'**eau** des rivières. Les sirènes vivent dans l'**eau** de la mer. L'**eau** des rivières est douce, l'**eau** de la mer est salée.

Les **eaux minérales** sont des **eaux** de source.

éblouir *verbe*

Aladin est **ébloui** par la lumière du soleil, il ne voit presque plus rien. Le soleil est **éblouissant**.

On peut aussi être **ébloui** par quelque chose de très beau.

ébouriffé *adjectif*

Quand elle se réveille, Boucle d'or est tout **ébouriffée**. Elle a les cheveux dans tous les sens.

s' **ébrouer** *verbe*

Les animaux **s'ébrouent** en sortant de la mare. Ils secouent leurs plumes, leurs poils pour chasser l'eau.

l' **ébullition** *nom féminin*

bouillir

une **écaille** *nom féminin*

Les poissons, les serpents, les crocodiles ont le corps couvert d'**écailles**. Ce sont de petites plaques dures.

écarlate *adjectif*

Cendrillon a tellement couru qu'elle a les joues **écarlates**. Elle a les joues rouge vif.

écarquiller *verbe*

Ça alors !

Devant tous ces trésors, Hansel et Gretel **écarquillent** les yeux. Ils ouvrent très grand leurs yeux.

écarter *verbe*

Les arbres **s'écartent** pour laisser passer le Prince. *Et dès que le Prince est passé, que font les arbres ? Pour le savoir, regarde page 398.*
━━━━➤☆≪━Une maison **à l'écart** d'un village est un peu loin du village.

échanger *verbe*

« Donnez-moi vos vieilles lampes, je vous en donnerai des neuves », dit le Magicien. Il veut **échanger** les lampes, il veut faire un **échange**.

échapper *verbe*

Le morceau de bois lui **a échappé** des mains pour aller se jeter contre Gepetto.
━━━━➤☆≪━**S'échapper**, c'est aussi réussir à partir, à s'enfuir, à sortir.

une **écharpe** *nom féminin*

Quand il fait froid, on met une **écharpe** en laine autour du cou.

un **échec** *nom masculin*

Avoir un **échec**, c'est ne pas réussir, c'est **échouer**.
━━━━➤☆≪━Un jeu d'**échecs**, c'est un jeu auquel on joue avec des pièces, blanches et noires, sur un **échiquier** aux cases blanches et noires.

_{ne} **échelle** *nom féminin*

Le Petit Cochon monte à l'**échelle** pour finir de construire son toit.

_{un} **écho** *nom masculin*

 résonner

échouer *verbe*

C'est avoir un **échec**, ne pas réussir.
Un bateau qui **s'échoue** touche un rocher ou le fond de l'eau et il ne peut plus avancer.

éclabousser *verbe*

Mowgli joue dans l'eau et il **éclabousse** Baloo. Baloo est tout mouillé.

_{un} **éclair** *nom masculin*

 orage

éclaircir *verbe*

C'est rendre plus clair.

éclairer *verbe*

Les animaux arrivent devant une maison **éclairée**, il y a de la lumière. Autrefois, on **s'éclairait** à la bougie ou au gaz. Aujourd'hui, on **s'éclaire** à l'électricité.

_{un} **éclat** *nom masculin*

Les pierres précieuses d'Aladin ont beaucoup d'**éclat**. Elles brillent beaucoup. Elles sont **éclatantes**.
Un **éclat**, c'est aussi un petit morceau d'un objet cassé.
Regarde aussi **éclater**.

éclater *verbe*

Un ballon trop gonflé peut **éclater** avec un bruit sec. Après, il est crevé.
Éclater de rire, c'est se mettre à rire très fort tout à coup. C'est partir dans un grand **éclat** de rire.

écœurer *verbe*

C'est donner mal au cœur.

une **école** *nom féminin*

Gepetto veut que Pinocchio aille à l'**école** pour apprendre à lire, à compter. ⟶ Les enfants qui vont à l'école sont des **écoliers**.

économiser *verbe*

Économiser de l'argent, c'est ne pas tout dépenser et mettre de l'argent de côté, c'est faire des **économies**.

l'**écorce** *nom féminin*

L'**écorce** de l'arbre, c'est la partie dure autour du tronc et des branches.

écorcher *verbe*

Mowgli **s'est écorché** le genou. Il a une **écorchure** au genou. La peau est déchirée. ⟶ **Écorcher** un mot, c'est mal le prononcer.

écouter *verbe*

Je vais vous raconter mon histoire.

La Souris parle. Alice et les animaux l'**écoutent**. Ils vont tout entendre. ⟶ Boucle d'or est allée dans le bois, elle n'**a** pas **écouté** sa maman. Elle n'a pas suivi les conseils de sa maman.

un **écran** *nom masculin*

Sur l'**écran** de la télévision, on voit les images. Au cinéma, les films sont projetés sur un grand **écran** blanc.

écraser *verbe*

La Sorcière **écrase** le crapaud.
Que va-t-elle en faire ? Regarde page 369.

une **écrevisse** *nom féminin*

C'est un petit crustacé qui vit dans les lacs et les rivières. Quand on fait cuire les **écrevisses**, elles deviennent rouges.

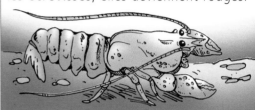

un **écrin** *nom masculin*

C'est une jolie boîte pour ranger des bijoux ou des choses précieuses.

e

écrire *verbe*

Pinocchio apprend à **écrire**. Il a une belle **écriture**, il forme bien ses lettres. ──➤✦──Un **écrivain** écrit des livres.

s'écrouler *verbe*

Les étagères n'étaient pas assez solides. Tout **s'est écroulé**. Tout est tombé. Tout s'est effondré.

l'écume *nom féminin*

C'est la mousse blanche qui se forme à la surface de la mer quand il y a beaucoup de vagues. On raconte que les sirènes se transforment en **écume** après leur mort.

un écureuil *nom masculin*

C'est un petit animal, un rongeur, qui a une queue presque aussi grande que son corps. Les **écureuils** adorent les noisettes.

une écurie *nom féminin*

Le cheval entre dans l'**écurie**. Il va pouvoir manger et dormir.

l'éducation *nom féminin*

Le père de la Belle donna toutes sortes de maîtres à ses enfants pour qu'ils aient une bonne **éducation**, pour qu'ils soient bien **éduqués**. **Éduquer** un enfant, c'est lui apprendre tout ce qu'il devra savoir quand il sera grand.

eff...

effacer *verbe*

Avec une gomme, on peut **effacer** ce qu'on a écrit. On peut le faire partir, disparaître.

effaroucher *verbe*

Effaroucher un animal, c'est le faire partir en lui faisant peur.

effectuer *verbe*

C'est faire.

un effet *nom masculin*

Cela doit faire un drôle d'**effet** de grandir ou de rapetisser comme Alice. Cela doit faire une drôle d'impression.
➤ Regarde aussi **efficace**.

efficace *adjectif*

Prends cela. Tu verras, c'est très **efficace**. Bientôt tu seras guéri.

Ce qui est **efficace** donne de bons résultats. Cela fait de l'**effet**, cela agit vite.

s'effondrer *verbe*

C'est s'écrouler.

un effort *nom masculin*

Faire des **efforts**, c'est faire tout ce qu'on peut pour réussir, c'est **s'efforcer** de réussir.

Malgré tous ses **efforts**, la sœur de Cendrillon n'arrive pas à faire entrer son pied dans la pantoufle.

effrayer *verbe*

La Belle tremble quand elle voit la Bête pour la première fois. Elle est **effrayée**, elle a très peur. Il faut dire que c'est une apparition terrible, **effrayante**.

égal *adjectif*

Blanche-Neige découpe le gâteau en huit parts **égales**. Toutes les parts ont la même taille. Elles sont pareilles.

170

égarer *verbe*

Le père de la Belle **s'est égaré** dans le brouillard. Il s'est perdu, il ne sait plus où il est.

une église *nom féminin*

C'est le bâtiment où les catholiques se réunissent pour prier.

égoïste *adjectif*

Les sœurs de la Belle sont **égoïstes**. Elles ne pensent qu'à elles et jamais aux autres. Quel **égoïsme** !

égratigner *verbe*

Boucle d'or **s'est égratigné** les jambes en passant dans les ronces. Les épines lui ont un peu écorché la peau. Elle s'est fait des **égratignures**.

s' élancer *verbe*

Bagheera **s'élance** au milieu des singes. Avant de **s'élancer**, elle a pris de l'**élan** pour se donner de la force et de la vitesse.

élargir *verbe*

➤ large

un élastique *nom masculin*

Pinocchio tire sur l'**élastique** pour lancer sa petite boule de papier. Après, l'**élastique** va reprendre sa forme.

une élection *nom féminin*

➤ élire

l' électricité *nom féminin*

L'**électricité** sert à donner de la lumière et à faire marcher les moteurs. C'est une énergie. L'**électricité** passe dans des fils **électriques**. Les appareils **électriques** marchent à l'électricité. Un **électricien** sait installer ou réparer les appareils électriques.

élégant *adjectif*

Une personne **élégante** est habillée et coiffée avec beaucoup de goût.

ele...

un **élément** *nom masculin*

Dans un jeu de construction, chaque pièce est un **élément** du jeu. Un **élément**, c'est chaque partie d'un ensemble.

un **éléphant** *nom masculin*

C'est un énorme animal d'Afrique et d'Asie. Il a une grande **trompe** à la place du nez et deux **défenses** en ivoire. La femelle est une **éléphante** et leur petit un **éléphanteau**. Quand il crie, l'éléphant **barrit**.

L'**éléphant** emmène Mowgli à la mare.

un **élève**, une **élève** *nom*

À l'école, les **élèves** apprennent à lire et à écrire.

élever *verbe*

C'est Mère Louve qui **a élevé** Mowgli. C'est elle qui s'est occupée de Mowgli bébé et qui l'a éduqué.
➤**Élever** des animaux, c'est les nourrir et s'en occuper. C'est en faire l'**élevage**.

un **elfe** *nom masculin*

Dans les contes des pays du Nord, les génies sont des **elfes**.

éliminer *verbe*

Tu triches, tu es **éliminé**

Être **éliminé** à un jeu, c'est ne plus avoir le droit de continuer le jeu.

élire *verbe*

C'est choisir une personne parmi d'autres, par un vote, une **élection**. En France, le président est **élu**.

éloigner *verbe*

Boucle d'or n'aurait pas dû **s'éloigner** de chez elle. Elle n'aurait pas dû aller loin de chez elle.

emballer *verbe*

Aladin **emballe** son plat d'argent pour aller le vendre. Il le met dans un papier. Quand il sera chez le marchand, il le **déballera**. Il le sortira du papier.
➤L'**emballage**, c'est le papier, le carton dans lequel on a mis quelque chose.

embarquer *verbe*

Le Prince et sa femme **embarquent** sur le bateau. Ils montent sur le bateau. Quand ils seront arrivés, ils **débarqueront**, ils descendront.

embarrasser *verbe*

C'est gêner.

embellir *verbe*

Blanche-Neige, en grandissant, **embellissait** chaque jour. Elle devenait de plus en plus belle.

l'embonpoint *nom masculin*

Avoir de l'**embonpoint**, c'est être un peu gros.

un embouteillage *nom masculin*

Quand il y a trop de voitures sur les routes, cela fait des **embouteillages**. On a du mal à passer, les routes sont **embouteillées**.

embrasser *verbe*

À la fin de l'histoire, Hansel et Gretel retrouvent leur papa. Et il les **embrasse**. Il les tient dans ses bras et il leur donne des baisers.

une émeraude *nom féminin*

Une **émeraude**, c'est une pierre précieuse de couleur verte. ▶ Regarde page 359.

émerveiller *verbe*

« Quel beau palais, quelle merveille ! » dit le Sultan. Le Sultan est **émerveillé** par le palais d'Aladin. Il le regarde en l'admirant.

émigrer *verbe*

C'est quitter son pays pour aller vivre dans un autre pays. ▶ Regarde aussi **immigrer**.

une émission *nom féminin*

C'est un programme de radio ou de télévision.

emm...

emmêler _verbe_

Les fils sont tout **emmêlés**. Ils font des nœuds. Il va falloir du temps pour les **démêler** !

emménager _verbe_

C'est s'installer dans une maison, avec ses meubles, ses affaires.

emmener _verbe_

La charrette **emmène** Pinocchio et les enfants au Pays des Jouets. Elle les conduit au Pays des Jouets.

s' emmitoufler _verbe_

Il fait froid. Marianne et son amie Maude sont bien **emmitouflées**. Elles portent des manteaux chauds.

une émotion _nom féminin_

La peur, la joie, la tristesse sont des **émotions**. On tremble, on rougit, on rit, on pleure quand on a des **émotions** fortes.

➤─────⚡ Un enfant **émotif** est très sensible. ▶ Regarde aussi **ému**.

s' emparer _verbe_

Les brigands **se sont emparés** de Pinocchio. Ils l'ont pris. _Que vont-ils lui faire ? Pour le savoir, regarde page 354._

empêcher _verbe_

Pousse-toi ! Tu m'**empêches** de respirer. Je ne peux pas respirer.

un empire _nom masculin_

C'est un pays ou un ensemble de pays dirigés par un **empereur** ou une **impératrice**. _L'empereur est le chef d'un empire. Comment s'appelle le chef d'un royaume ? Pour le savoir, regarde page 426._

un **emploi** _nom masculin_

La mère d'Aladin ne savait pas quel **emploi** son fils aurait plus tard. Elle ne savait pas quel métier, quelle profession, quel travail il aurait.

★⟨**L'emploi du temps**, c'est la liste de tout ce qu'on a à faire dans la journée ou la semaine.

★⟨Regarde aussi **mode d'emploi**.

un **employé**, une **employée** _nom_

C'est une personne qui travaille pour une autre personne, le patron, qui la paie.

employer _verbe_

Employer une chose, c'est s'en servir, c'est l'utiliser.

★⟨**Employer** une personne, c'est la faire travailler en la payant.

empoigner _verbe_

Les deux gendarmes **empoignent** Pinocchio pour le jeter en prison. Ils l'attrapent et le tiennent bien fort avec leurs mains.

empoisonner _verbe_

Pour tuer Blanche-Neige, la méchante Reine a préparé une pomme **empoisonnée**. Elle a mis du poison dans la pomme.

emporter _verbe_

Le Magicien **a emporté** la lampe. Il l'a prise et il est parti avec.

★⟨**S'emporter**, c'est se mettre en colère. Les sœurs de Cendrillon **s'emportent** souvent contre elle.

une **empreinte** _nom féminin_

Un éléphant est passé par là !

Mowgli reconnaît l'**empreinte** de l'éléphant. C'est la trace qu'il a laissée en marchant.

★⟨Les **empreintes digitales**, ce sont les marques que laissent les doigts. Elles sont différentes pour chaque personne.

s' **empresser** _verbe_

C'est se dépêcher de faire quelque chose et le faire le mieux possible.

emp...

emprisonner *verbe*

 → prison

emprunter *verbe*

Prête-moi ton cheval.

Robin **emprunte** un cheval à son ami. C'est un **emprunt**, il lui rendra plus tard.

ému *adjectif*

Va-t'en vite, pauvre petite !

Le Chasseur est **ému** par Blanche-Neige. Il est touché. Il ne va pas la tuer.
—Une histoire **émouvante** nous touche le cœur.

encadrer *verbe*

Les deux gendarmes **encadrent** Pinocchio. Ils se tiennent l'un à sa gauche, l'autre à sa droite.
—Regarde aussi **cadre**.

enceinte *adjectif*

Une femme **enceinte**, c'est une femme qui attend un enfant, elle a un gros ventre tout rond.

une **enceinte** *nom féminin*

Le mur d'**enceinte** d'un château fort fait le tour du château.

enchaîner *verbe*

→ chaîne

enchanté *adjectif*

Dans une forêt **enchantée**, il se passe des choses magiques, extraordinaires.
—Être **enchanté**, c'est aussi être très content, être ravi.

un **encombrement** *nom masculin*

Quand il y a trop de voitures sur les routes, il y a des **encombrements**. On ne peut plus avancer.

➤─⭐ Un objet **encombrant** prend trop de place.

encourager *verbe*

Allez, Mowgli ! Vas-y !

Mowgli va sauter pour la première fois. Bagheera l'**encourage**. Elle crie pour lui donner du courage.

l' **encre** *nom féminin*

C'est un liquide noir, bleu, rouge ou vert pour écrire. Autrefois, l'**encre** était dans un **encrier**. Aujourd'hui, on met des cartouches d'**encre** dans les stylos.

🖌️─ *Quel mot, page 34, se prononce de la même façon ?*

endormir *verbe*

D'un coup de baguette magique, la Fée a **endormi** tous les habitants du château. Maintenant, tout le monde dort.

un **endroit** *nom masculin*

Aladin aurait dû cacher sa lampe à un autre **endroit**. Il aurait dû la mettre autre part.

à l' **endroit**

Ce qui est **à l'endroit** est dans le bon sens, du bon côté. Ce qui est **à l'envers** est dans le mauvais sens, du mauvais côté.

l' **énergie** *nom féminin*

Les trois Petits Cochons étaient pleins d'**énergie** pour construire leur maison. Ils étaient pleins de courage et de force. Ils étaient très **énergiques**.

➤─⭐ Le vent, le courant de l'eau, la vapeur, la chaleur du soleil sont des sources d'**énergie**. Ce sont des forces qu'on peut utiliser pour faire marcher des appareils.

énerver *verbe*

Arrêtez de dire n'importe quoi ! Vous m'**énervez** !

Alice est très **énervée**, elle va se mettre en colère.

l'**enfance** *nom féminin*

Les petites sirènes passent toute leur **enfance** au fond de la mer. L'**enfance**, c'est la période de la vie où on est un enfant.

un **enfant**, une **enfant** *nom*

C'est un petit garçon ou une petite fille. ◄━━━━━✦◄ Un **enfant**, c'est aussi le fils ou la fille de quelqu'un. La Belle au bois dormant et le Prince ont eu deux **enfants** : Aurore, une petite fille, et Jour, un petit garçon.

l'**enfer** *nom masculin*

Dans la religion catholique, les personnes très méchantes vont en **enfer** après leur mort. Là, elles souffrent et sont punies pour le mal qu'elles ont fait sur la terre. L'**enfer**, c'est le contraire du paradis.

enfermer *verbe*

La Sorcière **enferme** Hansel dans une petite cabane. Elle le fait entrer et elle ferme le verrou. Il ne peut plus sortir.

enfiler *verbe*

La Reine **enfile** son aiguille. Elle passe un fil dedans.

enflammer *verbe*

On frotte l'allumette sur la boîte pour l'**enflammer**. Et quand elle s'**enflamme**, elle prend feu. Il y a une flamme.
◄━━━━━✦◄ Les produits **inflammables** s'enflamment très facilement. Il ne faut pas les approcher de quelque chose de chaud.

enfler *verbe*

L'Âne Pinocchio s'est fait mal en tombant, et maintenant sa patte **enfle**, elle est **enflée**, elle est plus grosse.

enfoncer *verbe*

Le Petit Cochon tape avec son marteau pour **enfoncer** les clous dans le mur, pour les faire entrer dans le mur.
━━★◁━**S'enfoncer**, c'est aussi aller vers le fond. Le bateau coule, il **s'enfonce** dans la mer.

enfourcher *verbe*

Enfourcher un cheval, une bicyclette ou un balai de sorcière, c'est monter dessus, une jambe de chaque côté, à califourchon. ▶ Regarde page 82.

s'enfuir *verbe*

Boucle d'or **s'enfuit** par la fenêtre. Elle part à toute vitesse.

engager *verbe*

Aladin **engage** plusieurs hommes pour travailler au palais. Il leur demande de travailler pour lui, contre un salaire.
━━★◁━**S'engager**, c'est aussi faire une promesse. Pinocchio **s'est engagé** à devenir un bon garçon.

un engin *nom masculin*

C'est n'importe quel appareil ou n'importe quelle machine dont on ne dit pas le nom exact.

engloutir *verbe*

Les animaux avaient très faim, ils **ont englouti** leur repas en une seconde ! Ils l'ont avalé très vite.

engourdi *adjectif*

Quand il fait très froid ou quand on est resté longtemps dans une même position, on peut avoir les mains ou les jambes **engourdies**. On a du mal à les bouger.

l'engrais *nom masculin*

On met de l'**engrais** dans la terre pour que les plantes poussent mieux.

engraisser *verbe*

La Sorcière veut **engraisser** Hansel avant de le dévorer. Elle lui donne à manger pour qu'il devienne plus gros et gras.

une énigme *nom féminin*

C'est un mystère, c'est quelque chose qu'on ne comprend pas mais qu'on veut comprendre.

enjamber *verbe*

On raconte qu'avec des bottes de sept lieues on peut **enjamber** une rivière. On la franchit d'un seul pas.

enlever *verbe*

Pour se déshabiller, le Petit Chaperon rouge **enlève** ses habits. Elle les retire.
★≈Les singes **ont enlevé** Mowgli. Ils l'ont pris avec eux, ils l'ont emmené de force avec eux.

un **ennemi**, une **ennemie** *nom*

Robin est toujours prêt à aider ses amis et à se battre contre ses **ennemis**, ceux qui lui veulent du mal.
★≈À la guerre, l'**ennemi**, c'est ceux contre lesquels on se bat.

un **ennui** *nom masculin*

Gepetto a bien des **ennuis** avec Pinocchio. Il a bien des problèmes, des difficultés. Il est bien **ennuyé**.
★≈Regarde aussi **ennuyer**.

ennuyer *verbe*

Les trois Petits Cochons ont décidé de partir parce qu'ils **s'ennuyaient** à la ferme. Ils n'avaient rien d'intéressant à faire, ils ne s'amusaient pas. Quel **ennui** !

énorme *adjectif*

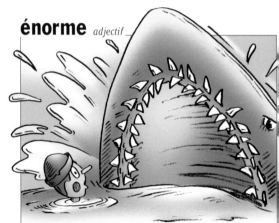

Pinocchio voit sortir de l'eau la bouche **énorme** d'un **énorme** monstre marin, le Requin. Ce qui est **énorme** est très grand, très gros, gigantesque.
★≈Aimer **énormément** quelque chose, c'est l'aimer beaucoup et plus encore.

une **enquête** *nom féminin*

Le Sultan n'a pas fait faire d'**enquête** sur Aladin. Il n'a aucun renseignement, aucune information sur lui.
★≈Les détectives, les **enquêteurs** sont chargés d'**enquêter**. Ils font des enquêtes pour résoudre les mystères, les énigmes.

enregistrer *verbe*

Avec un magnétophone, on **enregistre** des sons, des musiques. Avec une caméra, on **enregistre** des images. Avec un ordinateur, on **enregistre** des informations, du texte, des images, du son. **Enregistrer**, c'est garder en mémoire.

s'**enrhumer** *verbe*

 rhume

e

enroué _adjectif_

Quand on a mal à la gorge, on est **enroué**. On a la voix grave et on a du mal à parler.

enrouler _verbe_

La Reine **enroule** le fil sur une bobine. Elle tourne le fil autour de la bobine. Elle le **déroulera** pour coudre.

une **enseigne** _nom féminin_

Aladin regarde les **enseignes** des boutiques de la rue. Ce sont les panneaux qui servent à les reconnaître. Aujourd'hui, les **enseignes** sont souvent lumineuses.

enseigner _verbe_

C'est Baloo qui **enseigne** à Mowgli les lois de la jungle. C'est lui qui apprend à Mowgli les lois de la jungle. À l'école, les **enseignants**, ce sont les maîtres, les instituteurs, les professeurs, ceux qui enseignent aux élèves.

ensemble

Les sœurs de Cendrillon sont toujours **ensemble**. Elles sont toujours l'une avec l'autre. Cendrillon, elle, reste seule près de la cheminée.

ensorceler _verbe_

Je vais vous jeter un sort !

La Fée va **ensorceler** les deux sœurs de la Belle. _Sais-tu ce que les sœurs vont devenir ? Regarde page 456._

ensuite

Le Chasseur voulait me tuer.

Que s'est-il passé **ensuite** ? Que s'est-il passé après ?

Pour connaître la suite de l'histoire, regarde page 362.

181

entamer *verbe*

Entamer un pain, c'est commencer à en manger.

entasser *verbe*

Il y avait plein de choses **entassées** dans le grenier. Il y en avait beaucoup, les unes sur les autres, en tas.

entendre *verbe*

On **entend** grâce à nos oreilles. Quand on **entend** mal, on a des problèmes d'**audition**.

Les Nains **s'entendent** très bien. Ils sont toujours d'accord entre eux.

enterrer *verbe*

Pinocchio **enterre** ses pièces d'or. Il les met dans la terre.

Mais le Renard et le Chat vont **déterrer** son trésor. Ils vont le sortir de la terre.

Enterrer un mort, c'est mettre son cercueil dans la terre, dans une tombe, à son **enterrement**.

s'entêter *verbe*

C'est ne pas vouloir changer d'avis.

l'enthousiasme *nom masculin*

Les Petits Cochons construisent leurs maisons avec **enthousiasme**. Ils sont très contents de construire leurs maisons, alors ils y mettent toutes leurs forces. Ils sont **enthousiastes**.

entier *adjectif*

Hansel et Gretel avaient si faim qu'ils auraient pu manger la maison tout **entière**. Ils auraient pu manger toute la maison. Ils auraient pu la manger **entièrement**.

entonner *verbe*

Entonner une chanson, c'est se mettre à la chanter.

un entonnoir *nom masculin*

L'aubergiste remplit la bouteille avec un **entonnoir**. *Quelle forme a un entonnoir ? Pour trouver, regarde page 215.*

l'**entourage** *nom masculin*

Personne n'a reconnu Cendrillon au bal.
Même pas les gens de son **entourage** :
sa famille, ses voisins et les amis de sa
famille.

entourer *verbe*

La Petite Sirène **entoure** de ses bras
la statue du Prince. Elle met ses bras
autour de la statue.

entraîner *verbe*

Les camarades de Pinocchio
l'**entraînent** à la plage. Ils le font venir
avec eux.
➤—**S'entraîner**, c'est
s'exercer pour réussir de mieux en
mieux. En sport, les **entraîneurs**
entraînent les sportifs. Ils leur font
suivre un **entraînement**.

entrebâiller *verbe*

Une porte **entrebâillée** est à peine
ouverte. ▶ Regarde **entrouvrir**.

une **entreprise** *nom féminin*

Les usines, les commerces, les sociétés
sont des **entreprises**. On y travaille.

entrer *verbe*

Entrez
dans ma maison !
Venez à l'intérieur !

➤—L'**entrée** d'une maison,
d'un souterrain, c'est l'endroit par
lequel on entre.

entretenir *verbe*

Entretenir une maison, c'est s'en
occuper pour qu'elle soit toujours
propre.
➤—La lessive, la cire, l'eau
de Javel sont des produits d'**entretien**,
qui servent à entretenir la maison.

entrouvrir *verbe*

Boucle d'or **entrouvre** la porte.
Elle l'ouvre un peu. Il n'y a personne,
elle peut entrer.

énumérer *verbe*

... des robes, des chapeaux, des bijoux, des tissus...

Les sœurs de la Belle **énumèrent** toutes les choses dont elles ont envie.

envahir *verbe*

Le jardin est **envahi** de sauterelles. Il y en a partout. C'est une véritable **invasion** !

une **enveloppe** *nom féminin*

On met les lettres dans des **enveloppes** pour les envoyer.

Qu'y a-t-il dans cette **enveloppe** ?
Pour le savoir, regarde page 267.

envelopper *verbe*

Aladin **enveloppe** le plat d'argent dans un papier. Il met du papier tout autour.

à l'**envers**

 à l'endroit

une **envie** *nom féminin*

Pinocchio a **envie** d'aller au Pays des Jouets. Il veut y aller.

envier *verbe*

Cendrillon va épouser le Prince. Ses sœurs l'**envient**. Elles voudraient être à sa place. Elles sont **envieuses**, jalouses.

environ

Quand Père Loup l'a trouvé, Mowgli avait **environ** un an. Il avait à peu près un an. Peut-être un peu moins, peut-être un peu plus.

les **environs** *nom masculin*

La Sorcière habite dans les **environs** du château du Roi de la mer. Ce n'est pas loin.

L'**environnement**, c'est tout ce qui nous entoure : l'air, l'eau, la nature, les maisons.

s'**envoler** *verbe*

C'est partir en volant. Les oiseaux, les avions **s'envolent**.
➤ **S'envoler**, c'est aussi partir, disparaître tout à coup.

envoyer *verbe*

Envoyer un ballon, c'est le lancer.
➤ **Envoyer** une lettre à un ami, c'est l'expédier, la faire partir par la poste pour que l'ami la reçoive.

épais *adjectif*

Le troisième Petit Cochon a fait des murs bien **épais** et une porte bien **épaisse** pour que le Loup n'entre pas. Les murs et la porte ne sont pas minces. Ils ont beaucoup d'**épaisseur**.
▶ Regarde aussi **dimension**.
➤ **Épaissir**, c'est rendre ou devenir plus épais.

s'**épanouir** *verbe*

Quand les fleurs **s'épanouissent**, elles s'ouvrent.
➤ Être **épanoui**, c'est être très content, heureux.

éparpiller *verbe*

Les sœurs de Cendrillon n'ont pas d'ordre. Toutes leurs affaires sont **éparpillées** dans la maison. Il y en a un peu partout. ▶ Regarde page 150.

une **épaule** *nom féminin*

Grâce à l'**épaule**, on peut bouger le bras. ▶ Regarde <u>le corps</u>, page 125.

une **épave** *nom féminin*

Les sirènes trouvaient souvent les **épaves** des bateaux coulés, au fond de l'eau. Une **épave**, c'est un bateau, une voiture qui ont eu un accident et qui sont abandonnés.

une **épée** *nom féminin*

C'est une arme faite d'une grande lame pointue.

➤ Jour, le fils de la Belle au bois dormant, apprenait l'**escrime**. C'est un sport où on se bat à l'épée, au fleuret ou au sabre.

épeler *verbe*

P, I, N, O, C, C, H, I, O

Pinocchio **épelle** son nom. Il dit chaque lettre de son nom.

un **épi** *nom masculin*

Un **épi** de blé, c'est la tige avec les grains.

Un **épi** sur la tête, c'est quelques cheveux qui ne veulent pas rester coiffés.

une **épice** *nom féminin*

Les **épices**, ce sont des plantes qui donnent du goût aux aliments. Le poivre est une **épice**. Une sauce trop **épicée** pique ou brûle. Il y a trop d'**épices** dedans.

une **épicerie** *nom féminin*

C'est un magasin où l'on vend des conserves, des épices, du sucre, du café, de l'huile, des boissons et toutes sortes d'autres choses à manger. L'**épicier**, ou l'**épicière**, tient une **épicerie**.

une **épidémie** *nom féminin*

Quand beaucoup de personnes attrapent la même maladie en même temps ou les unes après les autres, c'est une **épidémie**.

épier *verbe*

Le Loup **épie** le Petit Chaperon rouge. Il la guette, il est aux aguets. ▶ Regarde page 27.

l' **épinard** *nom masculin*

C'est une plante dont on mange les grandes feuilles vertes.

une **épine** *nom féminin*

Les roses ont des **épines**. Ce sont des petites pointes qui piquent, sur des tiges ou sur des branches.

une **épingle** *nom féminin*

Avec des **épingles**, on peut attacher, **épingler** des papiers ou des tissus.

un **épisode** nom masculin

C'est chacune des parties d'une histoire. Dans un feuilleton à la télévision, il y a de nombreux **épisodes**.

éplucher verbe

Éplucher un fruit, c'est enlever la peau du fruit. **Éplucher** un légume, c'est enlever sa peau ou les parties qu'on ne mange pas. Les **épluchures**, c'est tout ce qu'on a enlevé.

une **éponge** nom féminin

Avec une **éponge**, on peut essuyer, **éponger** ce qui est mouillé. À l'école, avec une **éponge**, on peut effacer ce qui est écrit à la craie.

➤✦─Les vraies **éponges** sont des animaux qui vivent dans la mer, fixés sur des rochers.

une **époque** nom féminin

Notre **époque**, c'est maintenant, c'est le temps où nous vivons.

épouser verbe

Aladin veut **épouser** la princesse Badroulboudour. Il veut se marier avec elle. Il sera son **époux**, son mari. Elle sera son **épouse**, sa femme.

épouvantable adjectif

Une histoire **épouvantable**, c'est une terrible histoire, qui fait très peur ou qui rend très triste.

un **épouvantail** nom masculin

Il y a un **épouvantail** dans le jardin pour que les oiseaux ne viennent pas manger les fruits et les légumes.

épouvanté adjectif

Pinocchio est **épouvanté**. Qu'est-ce qui lui fait si peur ? *Pour le savoir, regarde page 180.*

une **épreuve** nom féminin

C'est quelque chose d'assez difficile à faire ou à supporter.

éprouver verbe

Quand on a peur, on **éprouve** de la peur. Quand on est amoureux, on **éprouve** de l'amour. Quand on est triste, on **éprouve** de la tristesse.

épuiser verbe

Les parents d'Hansel et Gretel **ont épuisé** toutes leurs pauvres réserves de nourriture. Ils n'ont plus rien à manger.

➤✦─Être **épuisé**, c'est aussi être très fatigué, c'est ne plus avoir de force du tout.

equ...

l'**équilibre** *nom masculin*

Mowgli s'amuse à tenir en **équilibre** sur les épaules de Baloo. Il essaie de ne pas tomber, ni à gauche, ni à droite.

un **équipage** *nom masculin*

L'**équipage** d'un bateau ou d'un avion, ce sont les personnes qui travaillent sur ce bateau ou sur cet avion.

une **équipe** *nom féminin*

On fait deux **équipes**. Vous trois ensemble, contre nous trois ensemble.

Une **équipe**, c'est un groupe de personnes qui jouent ou travaillent ensemble.

équiper *verbe*

Robin **équipe** ses amis pour partir au combat. Il leur donne tout ce dont ils auront besoin pour le combat. Mais les soldats du Baron ont un meilleur **équipement**, ils sont mieux **équipés**.

l'**équitation** *nom féminin*

 cheval

errer *verbe*

C'est aller n'importe où en étant un peu perdu. Un chien **errant**, c'est un chien qui **erre** dans les rues sans savoir où aller.

une **erreur** *nom féminin*

Faire une **erreur**, c'est se tromper.

escalader *verbe*

Escalader les montagnes, c'est grimper en haut des montagnes, c'est faire de l'**escalade**.

une **escale** _nom féminin_

Le Prince part en voyage en mer. Il fera **escale** à plusieurs endroits. Son bateau s'arrêtera dans plusieurs ports et il pourra descendre.

➤ En avion, les **escales** se font dans les aéroports.

un **escalier** _nom masculin_

La méchante Reine monte le petit **escalier** qui mène à sa chambre secrète. Un **escalier**, c'est un ensemble de marches pour monter ou descendre.

un **escargot** _nom masculin_

L'**escargot** sort de sa coquille quand il pleut. C'est un petit animal qui avance doucement en rampant.

escarpé _adjectif_

Les chèvres grimpent sur des sentiers **escarpés**. La pente est très raide.

un **esclave**, une **esclave** _nom_

Autrefois, les **esclaves** appartenaient à leur maître, ils ne travaillaient que pour lui. Ils n'étaient pas libres. Aladin et le Sultan avaient de nombreux **esclaves** à leur service.

escorter _verbe_

Robin arrive au château du Baron **escorté** de ses amis. Ses amis l'accompagnent. Il a une bonne **escorte**.

l'**escrime** _nom féminin_

 épée

un **escroc** _nom masculin_

Le Magicien est un **escroc**. Il se fait passer pour quelqu'un de gentil, mais c'est pour mieux voler la lampe d'Aladin. Les **escrocs** sont des gens malhonnêtes.

l'**espace** _nom masculin_

Avoir assez d'**espace**, c'est avoir assez de place. Laisser de l'**espace** entre les lignes, c'est laisser de la place vide.

➤ Les astronautes voyagent dans l'**espace**. Ils voyagent loin de la Terre, dans l'Univers.

une **espèce** _nom féminin_

Dans la nature, il y a de très nombreuses **espèces** de plantes. Il y en a de très nombreuses sortes, variétés.

espérer _verbe_

Le père de la Belle **espère** que tout ira bien pour sa fille quand elle sera chez la Bête. Il le souhaite. Il en a l'**espoir**.

espiègle _adjectif_

Pinocchio est un pantin **espiègle**. Il aime faire des farces et jouer des tours, mais il n'est pas méchant.

espionner _verbe_

Espionner quelqu'un, c'est regarder tout ce qu'il fait, écouter tout ce qu'il dit pour découvrir ses secrets.
— Les **espions** et les **espionnes** essaient de voler des secrets aux pays étrangers. Ils font de l'**espionnage**.

l'**espoir** _nom masculin_

➡ espérer

l'**esprit** _nom masculin_

C'est notre tête, notre intelligence, notre pensée.

essayer _verbe_

Blanche-Neige **a essayé** tous les lits des Nains avant de se coucher dans le septième. Elle est montée sur chaque lit pour voir comment il était. Elle a fait des **essais**.
— Pinocchio **essaie** de devenir un bon petit garçon. Il fait des efforts pour cela.

l'**essence** _nom féminin_

Les voitures d'autrefois étaient tirées par des chevaux. Aujourd'hui, elles ont un moteur qui marche avec de l'**essence**. L'**essence** est un carburant, un produit qui brûle, qui vient du pétrole.

l'**essentiel** _nom masculin_

C'est ce qu'il y a de plus important. L'**essentiel**, pour Aladin, est d'épouser la princesse Badroulboudour.

essoufflé _adjectif_

Cendrillon a couru si vite qu'elle est tout **essoufflée**, elle a du mal à respirer, elle perd son souffle.

essuyer _verbe_

C'est frotter pour enlever l'eau, la poussière, les traces. On **essuie** la vaisselle avec un torchon, les meubles avec un chiffon, le tableau noir avec une éponge.

l'**est** _nom masculin_

 ➡ nord

estimer *verbe*

La Bête était bonne et généreuse et la Belle l'**estimait** beaucoup. Elle l'aimait bien et l'appréciait. La Belle avait de l'**estime** pour la Bête.

l'estomac *nom masculin*

Les aliments que nous mangeons vont dans notre **estomac** qui commence à les digérer.

Le **c** à la fin du mot ne se prononce pas.

une estrade *nom féminin*

Le Roi et la Reine de Cœur sont installés sur une **estrade**. Il faut monter deux marches pour y arriver.

une étable *nom féminin*

Les vaches dorment dans une **étable**.
Et les chevaux, sais-tu où ils dorment ? Pour le savoir, regarde page 169.

un établi *nom masculin*

Gepetto fabrique son pantin sur son **établi**. C'est une grande table très solide, avec tous les outils à côté.

un étage *nom masculin*

Le château de la Bête a deux **étages**. Au rez-de-chaussée, il y a un escalier qui mène au premier et au deuxième **étage**.

une étagère *nom féminin*

C'est une planche fixée sur un mur ou dans un meuble pour poser des objets.

étaler *verbe*

Blanche-Neige **étale** de la confiture sur son gâteau. Elle met une couche de confiture sur son gâteau.

Étaler des choses, c'est aussi les mettre les unes à côté des autres.

étanche *adjectif*

Une montre **étanche** ne s'abîme pas si elle est dans l'eau, car l'eau ne rentre pas dedans.

un **étang** *nom masculin*

Le Prince s'arrêta près d'un **étang**.
Un **étang** est plus grand qu'une mare
et plus petit qu'un lac.
➤ On ne prononce pas le *g*.

une **étape** *nom féminin*

Quand on fait un voyage en deux
étapes, on s'arrête une fois pour
se reposer.

un **état** *nom masculin*

La voiture est en trop
mauvais état pour continuer !
Il faut la réparer.

Quand elle sera réparée, la voiture sera
à nouveau en **bon état**.
➤ Un **État**, c'est aussi un
pays avec son gouvernement. La France
est un État d'Europe.

l' **été** *nom masculin*

L'**été**, c'est la saison après le printemps,
quand il fait beau et chaud.

éteindre *verbe*

Quelqu'un a soufflé sur la bougie.
Elle est **éteinte**.
➤ **Éteindre** la lumière,
c'est la fermer.

étendre *verbe*

La Belle trouve la Bête **étendue** sur
l'herbe. La Bête est allongée sur l'herbe.
➤ **Étendre** une couverture
par terre, c'est la mettre à plat par
terre.

une **étendue** *nom féminin*

Les mares, les étangs, les lacs, les mers
sont des **étendues** d'eau. Le désert est
une **étendue** de sable.

éternel *adjectif*

Une chose **éternelle** dure toujours et toujours, pour l'**éternité**.

éternuer *verbe*

Atchoum !

Alice a respiré du poivre. Elle **éternue**. Quand on a un rhume, on **éternue** aussi.

étinceler *verbe*

C'est briller beaucoup. Les étoiles **étincellent** dans le ciel.

une étincelle *nom féminin*

C'est une toute petite flamme, une toute petite lumière, qui s'éteint tout de suite.

une étiquette *nom féminin*

Pinocchio a collé une **étiquette** sur son cahier. Il y a écrit son nom et sa classe.

étirer *verbe*

Quand Bagheera se réveille, elle **étire** son dos, son cou et ses pattes. Elle les tend très fort.

une étoffe *nom féminin*

Le tailleur a toutes sortes d'**étoffes** dans sa boutique. Il a toutes sortes de tissus.

une étoile *nom féminin*

C'est un astre qui brille la nuit dans le ciel. Quand il y a beaucoup d'**étoiles** dans le ciel, on dit que le ciel est **étoilé**. Une **étoile de mer**, c'est un petit animal à cinq branches. La Petite Sirène en met une dans ses cheveux.

e

étonner *verbe*

Petit Ours est très **étonné** de voir Boucle d'or dans son lit. Il ne trouve pas ça normal du tout. Il est surpris.

étouffer *verbe*

C'est ne plus pouvoir respirer.

étourdi *adjectif*

Une personne **étourdie** oublie toujours quelque chose.

étrange *adjectif*

« Grand-mère n'est pas comme d'habitude, c'est **étrange** », se dit le Petit Chaperon rouge. Elle trouve sa grand-mère **étrange**, bizarre, étonnante, pas normale.

un **étranger**, une **étrangère** *nom*

La maman du Petit Chaperon rouge lui avait bien dit de ne pas parler aux **étrangers**. Elle ne devait pas parler aux personnes qu'elle ne connaissait pas.

Un **étranger**, c'est aussi une personne d'un autre pays, d'un pays **étranger**.

étrangler *verbe*

Étrangler quelqu'un, c'est lui serrer si fort le cou qu'il ne peut plus respirer et qu'il meurt.

un **être** *nom masculin*

Les animaux et les hommes sont des **êtres** vivants. Les hommes, les femmes et les enfants sont des **êtres** humains.

être *verbe*

Qui **es**-tu ?

Je **suis** Alice.

Attention, le verbe **être** change très souvent de forme.

Autrefois	Hier	Aujourd'hui	Demain	Il faut que
j'étais	j'ai été	je suis	je serai	je sois
tu étais	tu as été	tu es	tu seras	tu sois
il, elle était	il, elle a été	il, elle est	il, elle sera	il, elle soit
nous étions	nous avons été	nous sommes	nous serons	nous soyons
vous étiez	vous avez été	vous êtes	vous serez	vous soyez
ils, elles étaient	ils, elles ont été	ils, elles sont	ils, elles seront	ils, elles soient

étroit *adjectif*

Shere Khan n'arrive pas à entrer dans la caverne. L'ouverture est trop **étroite**. Elle n'est pas assez large.

étudier *verbe*

C'est travailler pour apprendre.

un **étui** *nom masculin*

On range ses lunettes dans un **étui**.

s'**évader** *verbe*

Robin **s'est évadé** de la prison. Il a réussi à partir sans qu'on le voie. Il racontera son **évasion** à ses amis.

s'**évanouir** *verbe*

La vieille femme a serré si fort les lacets que Blanche-Neige **s'est évanouie**. Elle est par terre, ne bouge plus et ne sent plus rien. Mais elle se réveillera, ce n'est qu'un **évanouissement**.

un **événement** *nom masculin*

La petite Princesse est née. Le Roi invite toutes les fées pour fêter l'**événement**. Un **événement**, c'est quelque chose d'important qui arrive, qui se produit.

un **éventail** *nom masculin*

Le Lapin Blanc a un grand **éventail**. Il l'agite pour avoir de l'air frais.

un **évier** *nom masculin*

 cuisine

éviter *verbe*

La Duchesse **évite** le coup. La poêle ne l'atteint pas, elle passe à côté.

e

195

exact *adjectif*

Avec sa montre, le Lapin Blanc a toujours l'heure **exacte**. Il a l'heure juste.

exagérer *verbe*

Le chocolat, c'est bon, mais si on **exagère**, si on en mange trop, on peut être malade.

examiner *verbe*

À l'hôpital, un médecin **examine** la Fée. Il écoute les battements de son cœur, regarde et touche son corps pour voir si tout va bien. Il lui fait un **examen**.

excellent *adjectif*

Alice goûta un bout de tarte. La tarte était **excellente**. Elle était très bonne.

une exception *nom féminin*

Mère Louve voulait que les loups acceptent Mowgli, le petit d'homme. Elle voulait qu'ils fassent une **exception** pour lui, car d'habitude aucun être humain n'était accepté parmi les animaux.

exciter *verbe*

Pinocchio est très **excité** à l'idée de partir au Pays des Jouets. Il a très envie d'y aller, il est impatient et joyeux. C'est une aventure **excitante**.

excuser *verbe*

Excuse-moi, je te demande pardon, je n'aurais pas dû te parler de chat.

Alice demande qu'on l'**excuse**, car elle regrette ce qu'elle a dit.

exécuter *verbe*

L'acrobate **exécute** un saut périlleux. Il le fait.

un exemple *nom masculin*

Les animaux suivirent l'**exemple** de l'Âne. Ils firent comme lui. Un **exemple** sert de modèle.

un exercice *nom masculin*

Pinocchio prépare son numéro de cirque. Il fait beaucoup d'**exercices**. Le directeur veut qu'il s'**exerce** chaque jour. Il recommence plusieurs fois par jour pour bien apprendre.

exiger *verbe*

La méchante Reine **exige** qu'on lui obéisse. Elle le veut absolument.
➤✦≺—À l'école, le maître est très **exigeant**, il demande beaucoup d'efforts à ses élèves.

s'exiler *verbe*

S'exiler, c'est partir vivre loin de son pays, en **exil**.

l'existence *nom féminin*

L'**existence**, c'est la vie.

exister *verbe*

Robin **a** vraiment **existé**. C'est un personnage réel. Mais les fées **existent-elles** vraiment ?

exotique *adjectif*

L'ananas, le kiwi, l'avocat, la banane sont des fruits **exotiques**. Ils viennent de pays lointains.

expédier *verbe*

Expédier une lettre, c'est l'envoyer.

une expédition *nom féminin*

C'est un voyage un peu compliqué ou un voyage dans un pays lointain.

une expérience *nom féminin*

La Sorcière fait plusieurs essais pour mettre au point son poison. Elle fait des **expériences**.
➤✦≺—Avoir de l'**expérience**, c'est savoir beaucoup de choses, parce qu'on les a vécues, apprises.

expliquer *verbe*

Baloo **explique** à Mowgli comment chercher le miel. Il lui dit comment faire, il lui donne des **explications** pour qu'il comprenne et qu'il sache.

un exploit *nom masculin*

Comment Aladin a-t-il fait pour construire son palais en une nuit ? C'est un **exploit** ! C'est une réussite extraordinaire !

explorer *verbe*

Mowgli **explore** la forêt. Il part à la découverte de la forêt.

exploser *verbe*

C'est éclater avec violence. Quand une bombe **explose**, on entend le bruit de l'**explosion**.

exposer *verbe*

Le marchand **expose** sa marchandise. Il l'installe pour que tout le monde la voie.
➤✦≺—À l'école, quand on **expose** les dessins des élèves, les parents viennent à l'**exposition**.

e

exp...

exprès

Faire quelque chose **exprès**, c'est le faire parce qu'on le veut.

l'**expression** *nom féminin*

Le clown change d'**expression** comme il veut. Son visage peut montrer, **exprimer** la joie, la tristesse, la colère.
▶ Regarde <u>les sentiments</u>, page 439.
★ Une **expression**, c'est aussi un groupe de mots.

exprimer *verbe*

Exprimer ses sentiments, c'est dire ou montrer ce qu'on ressent, ce qu'on pense
★ S'exprimer, c'est aussi parler.

l'**extérieur** *nom masculin*

Le Loup est à l'**extérieur** de la maison. Il est dehors. Les Petits Cochons sont à l'**intérieur**, dedans.

extraordinaire *adjectif*

Au royaume du Roi de la mer, il y a des plantes **extraordinaires**. Ce sont des plantes comme on n'en voit jamais.

F f

une **fable** *nom féminin*

C'est une petite histoire, une poésie qui se termine par une morale.

fabriquer *verbe*

Gepetto **a fabriqué** son pantin. Il l'a fait, il l'a construit. Mais il a oublié ses oreilles, c'est un défaut de **fabrication**.

fabuleux *adjectif*

Les dragons, les licornes sont des animaux **fabuleux**. Ils n'existent que dans les fables, les histoires.
Une fortune **fabuleuse**, c'est une fortune extraordinaire.

la **façade** *nom féminin*

Il y a deux lanternes sur la **façade** de l'auberge. C'est le mur de devant, là où il y a la porte d'entrée.

une **face** *nom féminin*

Les dés ont six **faces**. Ils ont six côtés plats.

◆━━━━☆〉〈━La **face**, c'est aussi le visage.

se **fâcher** *verbe*

Quand Pinocchio n'obéit pas, Gepetto **se fâche**. Il se met en colère et il le gronde.

◆━━━━☆〉〈━Se **fâcher**, c'est aussi ne plus être ami avec quelqu'un et ne plus vouloir lui parler.

facile *adjectif*

C'est **facile** !

Mowgli a appris à s'accrocher aux lianes. Maintenant, il saute avec **facilité** d'arbre en arbre. Il le fait **facilement**, ce n'est pas difficile pour lui.

une **façon** *nom féminin*

Sais-tu de quelle **façon** Hansel et Gretel ont pu retrouver leur chemin ? Sais-tu de quelle manière ? Sais-tu comment ils ont fait ? *Pour le savoir, regarde page 81.*

le **facteur**, la **factrice** *nom*

C'est la personne qui apporte le courrier, les lettres à la maison.

fade *adjectif*

Ce qui est **fade** n'a pas de goût.
▶ Regarde les goûts, page 231.

un **fagot** *nom masculin*

Hansel et Gretel font des petits **fagots** pour faire un feu. Ils ramassent des petites branches et les attachent ensemble.

faible *adjectif*

Aladin n'a pas mangé depuis trois jours. Il se sent très **faible**. Il n'a plus de force.

◆━━━━☆〉〈━Être **faible** avec quelqu'un, c'est céder à tous ses caprices.

la **faim** *nom féminin*

Hansel et Gretel ont **faim**. Ils ont très envie de manger, ils sont affamés.

◆〉〉〈━ *Quel mot, page 208, se prononce de la même façon ?*

fainéant *adjectif*

Être **fainéant**, c'est être paresseux.

faire *verbe*

Qu'est-ce que tu **fais** avec ces planches ?

Je vais **faire** une maison, je vais la construire, la fabriquer.

Attention, le verbe **faire** change très souvent de forme.

Autrefois	Hier	Aujourd'hui	Demain	Il faut que
je faisais	j'ai fait	je fais	je ferai	je fasse
tu faisais	tu as fait	tu fais	tu feras	tu fasses
il, elle faisait	il, elle a fait	il, elle fait	il, elle fera	il, elle fasse
nous faisions	nous avons fait	nous faisons	nous ferons	nous fassions
vous faisiez	vous avez fait	vous faites	vous ferez	vous fassiez
ils, elles faisaient	ils, elles ont fait	ils, elles font	ils, elles feront	ils, elles fassent

une falaise *nom féminin*

Le château du Prince est construit sur la **falaise** au-dessus de la mer.

familier *adjectif*

Le chat, le chien sont des animaux **familiers**, ils vivent près des gens.

la famille *nom féminin*

Voilà la **famille** Ours. Il y a le père, la mère et leur enfant, Petit Ours.

➤☆ La **famille**, c'est aussi les grands-parents, les oncles et les tantes, les cousins et les cousines.

➤☆ Une fête **familiale**, c'est une fête de famille.

la **famine** *nom féminin*

Cette année-là, il n'y avait plus rien à manger dans tout le pays. C'était la **famine**. Tout le monde avait faim.

se **faner** *verbe*

Quand les fleurs **se fanent**, leurs pétales deviennent tout secs, ils s'abîment et tombent.

une **fanfare** *nom féminin*

C'est un groupe de musiciens. La **fanfare** joue pour annoncer le spectacle.

la **fantaisie** *nom féminin*

L'histoire d'Alice est pleine de **fantaisie**. C'est drôle, original et amusant.

fantastique *adjectif*

Les contes de fées sont des contes **fantastiques**. Il s'y passe des choses qui n'existent pas réellement. Ce qui est **fantastique** est aussi extraordinaire. Le Lapin Blanc court à une vitesse **fantastique**.

un **fantôme** *nom masculin*

N'y allez pas, il y a des **fantômes** ! Ce sont les esprits de tous ceux qui sont morts là, il y a cent ans !

« Mais les **fantômes** n'existent pas », se dit le Prince et il continua son chemin.

un **faon** *nom masculin*

C'est le petit du cerf ou du daim.

une **farce** *nom féminin*

Si tu sèmes tes pièces d'or, il poussera un arbre chargé d'or.

Le Renard et le Chat font une **farce** à Pinocchio. Ils lui jouent un tour. Et Pinocchio les croit. *Que va-t-il faire ? Regarde page 182.*

la **farine** *nom féminin*

Le meunier écrase les grains de blé pour faire de la **farine**. Avec de la **farine**, on peut faire du pain, des gâteaux, des crêpes.

la **fatigue** *nom féminin*

Les animaux ont beaucoup marché. La **fatigue** les gagne, ils sont **fatigués**. Ils n'ont plus de force. *Que va faire l'Âne pour se reposer ? Regarde page 55.*

faucher *verbe*

Le Petit Cochon rencontre un homme qui **fauche** son champ. Il coupe les blés avec sa **faux**.

Cela me fera de la paille pour construire ma maison.

se **faufiler** *verbe*

Les poissons **se faufilent** entre les algues. Ils passent entre les algues.

la **faune** *nom féminin*

C'est l'ensemble de tous les animaux d'une région. Avec Mowgli, nous apprenons à connaître toute la **faune** de la jungle.

une **faute** *nom féminin*

Tu m'écrases ! Je ne peux plus respirer à cause de toi !

Oh ! Excuse-moi ! Je ne le fais pas exprès ! Ce n'est pas ma **faute** !

Faire une **faute**, c'est aussi faire une erreur, se tromper.

un **fauteuil** *nom masculin*

C'est un siège avec des bras et un dossier.

un **fauve** *nom masculin*

Le lion, le tigre, la panthère sont des **fauves**. Ce sont des animaux sauvages.

faux *adjectif*

Une réponse **fausse** n'est pas exacte, pas juste. Ce qui est **faux** n'est pas vrai.

favori *adjectif*

Le numéro de l'Âne Pinocchio était le numéro **favori** des spectateurs. C'était leur numéro préféré. Et l'orchestre jouait leur musique **favorite**, celle qu'ils préféraient.

une **fée** *nom féminin* _____

On raconte que les **fées** ont des pouvoirs magiques. Il y a des bonnes **fées** et des méchantes **fées**. Le Roi a invité toutes les **fées** pour la naissance de sa fille.

fêlé *adjectif* _____

Une tasse **fêlée** n'est pas vraiment cassée.

féliciter *verbe* _____

C'est très bien ! Je te **félicite**. Toutes mes **félicitations**.

La Fée **félicite** Pinocchio dans son rêve. Elle lui fait beaucoup de compliments.
Que va-t-il se passer quand il va se réveiller ?
Pour le savoir, va voir page 509.

une **femelle** *nom féminin* _____

Mère Louve est une **femelle**. Père Loup est un **mâle**.

féminin *adjectif* _____

Gretel est un prénom **féminin**. C'est un prénom de fille, de femme. Hansel est un prénom **masculin**, c'est un prénom de garçon, d'homme.

une **femme** *nom féminin* _____

La maman d'Hansel et Gretel est une **femme**. Le papa d'Hansel et Gretel est un homme.

La **femme**, c'est aussi l'épouse. Quand Blanche-Neige se marie avec le Prince, elle devient sa **femme**, et le Prince devient son mari.

fendre *verbe* _____

Le père La Cerise **fend** une bûche avec une hache. Il la coupe dans le sens de la longueur. ▶ Regarde page 241.

une **fenêtre** *nom féminin* _____

Les **fenêtres** laissent entrer l'air et la lumière dans les maisons.

le **fer** *nom masculin*

Les Nains vont chercher du **fer** dans la montagne. C'est un métal qui sert à faire beaucoup d'objets.
━━━━◆≼—Un **fer à repasser** sert à repasser le linge.

férié *adjectif*

Les jours **fériés**, on ne va pas à l'école, on ne travaille pas.

ferme *adjectif*

Une viande **ferme** est un peu dure.

fermer *verbe*

La méchante Reine **ferme** sa porte à clé pour s'enfermer dans sa chambre secrète. Personne ne pourra entrer.
━━━━◆≼—Les magasins **ferment** à 7 heures du soir. C'est l'heure de la **fermeture**. On ne peut plus entrer.

féroce *adjectif*

Shere Khan, le tigre, est l'animal le plus **féroce** de la jungle. Il est sauvage et cruel.

une **ferme** *nom féminin*

Dans une **ferme**, le **fermier** et la **fermière** élèvent des animaux pour avoir du lait, des œufs, des volailles et ils s'occupent des champs. C'est une exploitation agricole.

la grange

le tracteur

l'abreuvoir

le poulailler

L'Âne, le Chien et le Chat arrivent près d'une **ferme**. Ils voient le Coq.

la **fesse** *nom féminin*

Le baron de Nottingham a reçu une flèche dans la **fesse** gauche.
━━━━━✦⟨⟨━Donner la **fessée**, c'est donner des claques sur les **fesses**, sur le derrière.

un **festin** *nom masculin*

Le Roi et les fées font un grand **festin**. C'est un repas de fête. ▶ Regarde page 204.

une **fête** *nom féminin*

Il y a une **fête** au château de la Bête. Ce n'est que danses, musiques, festins et feux d'artifice. Que peut-on bien **fêter** ? *Pour le savoir, regarde page 485.*

le **feu** *nom masculin*

Quand le **feu** brûle, il y a des flammes, de la lumière, de la fumée et une très forte chaleur.
━━━━━✦⟨⟨━Dans les rues, les **feux** rouge, orange, vert guident la circulation. Ce sont des lumières.

un **feu d'artifice** *nom masculin*

La Belle est émerveillée par le **feu d'artifice**, par toutes ces lumières qui éclatent dans le ciel.

une **feuille** *nom féminin*

Les **feuilles** poussent sur les branches des arbres. Le **feuillage**, c'est l'ensemble des feuilles.
━━━━━✦⟨⟨━Une **feuille**, c'est aussi un morceau de papier pour écrire, ou la page d'un cahier, d'un livre.

un **feuilleton** *nom masculin*

C'est une histoire en plusieurs épisodes.

février

 mois

le **fiancé**, la **fiancée** *nom*

C'est la personne avec laquelle on a promis de se marier.

la **ficelle** *nom féminin*

C'est une petite corde fine pour attacher, **ficeler**.

une **fiche** *nom féminin*

C'est une petite feuille de carton pour écrire, noter quelque chose. On classe les **fiches** dans des **fichiers**.

fidèle *adjectif*

Robin avait des amis **fidèles** qui étaient toujours prêts à l'aider.

fier *adjectif*

Le Petit Cochon est **fier** de sa maison de briques. Il est content de l'avoir réussie. Il la regarde avec **fierté**.

Les sœurs de la Belle sont très **fières**, elles croient qu'elles sont mieux que toutes les autres jeunes filles.

la **fièvre** *nom féminin*

Quand on a de la **fièvre**, on est tout chaud parce qu'on est malade. On a de la température.

une **figue** *nom féminin*

Aladin aime les **figues** fraîches. On peut aussi les manger séchées. Ce sont les fruits du **figuier**.

la **figure** *nom féminin*

C'est le visage.

Une **figure**, c'est aussi une forme géométrique. Le carré, le triangle sont des **figures** géométriques.
▶ Regarde les formes et les figures, page 215.

Les sirènes et les dauphins s'amusent à faire des **figures** dans l'eau. Ce sont des mouvements bien précis. ▶ Regarde page 138.

le **fil** *nom masculin*

Le **fil** sert à coudre. On l'enfile dans l'aiguille.

Quel mot, dans cette page, se prononce de la même façon ?

une **file** *nom féminin*

Une **file** de voitures, ce sont des voitures les unes derrière les autres.

Quel mot, dans cette page, se prononce de la même façon ?

filer *verbe*

En haut de la tour, une vieille femme **filait** de la laine avec son **fuseau**. Elle fabriquait des fils de laine. *Que va-t-il se passer ? Pour le savoir, va voir page 361.*

Filer, c'est aussi aller ou partir à toute vitesse.

un **filet** *nom masculin*

Pinocchio se sentit soulevé en l'air. Il était pris dans un énorme **filet** de pêche !

une **fille** *nom féminin*

Gretel est une **fille**. Plus tard, elle sera une femme.

➤⋆Blanche-Neige est la **fille** d'une reine. La Reine est sa mère.

un **filleul**, une **filleule** *nom*

➤ marraine

un **film** *nom masculin*

Au cinéma et à la télévision, on voit des **films**.

➤⋆Filmer, c'est faire un film. On **filme** avec une caméra.

un **fils** *nom masculin*

Aladin était le **fils** d'un tailleur. Son père était tailleur.

➤On prononce le *s* mais pas le *l*.

fin *adjectif*

Le papier est **fin**. Une feuille de papier est plus **fine** qu'une feuille de carton, elle est moins épaisse.

➤⋆Une dentelle très **fine** est travaillée **finement**, avec **finesse**. Elle n'est pas grossière.

la **fin** *nom féminin*

Hansel et Gretel retrouvent leur père à la **fin** de l'histoire, quand l'histoire se termine, quand elle **finit**. **Finalement**, ils retrouvent leur père.

➤ *Quel mot, page 200, se prononce de la même façon ?*

finir *verbe*

Je n'ai pas **fini** mon thé. Il en reste encore.

Finir, c'est terminer.

➤⋆Regarde aussi **fin**.

fixer *verbe*

C'est attacher, coller, clouer pour faire tenir. Au jardin, les bancs sont **fixés** au sol, on ne peut pas les déplacer. Ils sont **fixes**.

un **flacon** *nom masculin*

C'est une petite bouteille. À côté de son miroir, la méchante Reine a des **flacons** de parfum. ▶ Regarde page 312.

flairer *verbe*

Akela **a flairé** quelque chose ! Il a senti une odeur. Grâce à leur **flair**, les animaux reconnaissent les odeurs.

un **flambeau** *nom masculin*

La nuit, Robin et ses amis avançaient en s'éclairant avec des **flambeaux**.

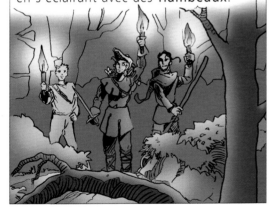

flamber *verbe*

Le père de la Belle entra dans une grande salle où **flambait** un bon feu. Le feu brûlait avec des flammes.

une **flamme** *nom féminin*

Au feu ! Au feu !

Regardez ces **flammes** ! C'est le château qui brûle !

le **flanc** *nom masculin*

Mowgli tape de ses talons sur les **flancs** de l'éléphant. Le **flanc**, c'est le côté. On ne prononce pas le **c**.

flâner *verbe*

C'est se promener sans se presser ou rester à ne rien faire.

une **flaque** *nom féminin*

Quand il pleut, il y a des **flaques** d'eau par terre.

un **flash** *nom masculin*

Grâce au **flash**, on peut prendre des photos quand il n'y a pas beaucoup de lumière. Le **flash** fait comme un éclair.

flatter *verbe*

Vous êtes le plus riche.
Vous êtes le plus puissant !

Le Sultan aime qu'on le **flatte**, il aime qu'on lui fasse beaucoup de compliments.

une **flèche** *nom féminin*

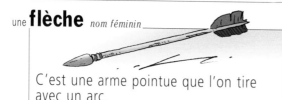

C'est une arme pointue que l'on tire avec un arc.

une **fleur** *nom féminin*

C'est le printemps, il y a des **fleurs** dans les champs et les jardins. Les arbres **fleurissent**, ils se couvrent de **fleurs**. Chez le **fleuriste**, on achète toutes sortes de fleurs comme les roses, les marguerites, les tulipes.

un **fleuve** *nom masculin*

Une des sirènes quitta la mer pour remonter un **fleuve**. C'est un large cours d'eau qui se jette dans la mer. *Comment s'appelle le cours d'eau qui se jette dans le fleuve ? Cherche page 423.*

un **flocon** *nom masculin*

 neige

la **flore** *nom féminin*

C'est l'ensemble de toutes les plantes, de toutes les fleurs, de tous les arbres qui poussent dans une région.

un **flot** *nom masculin*

Le bateau voguait sur les **flots**. Il voguait sur la mer. Verser des **flots** de larmes, c'est pleurer beaucoup.

flotter *verbe*

Le bouchon **flotte** à la surface de l'eau. Il ne coule pas.

flou *adjectif*

Une photo **floue** n'est pas nette. On voit mal ce qu'il y a dessus.

une **flûte** *nom féminin*

C'est un instrument de musique dans lequel on souffle. Celui qui joue de la **flûte** est un **flûtiste**. *Comment s'appelle celui qui joue de l'accordéon ? Cherche page 20.*

le **foie** *nom masculin*

C'est un organe dans notre ventre qui joue un rôle important dans la digestion.

Quel mot, dans cette page, se prononce de la même façon ?

le **foin** *nom masculin*

Le cheval pourra manger, il y a du **foin** dans l'écurie. Ce sont des herbes sèches.

une **foire** *nom féminin*

C'est un grand marché à la campagne ou une grande exposition commerciale dans les villes.

une **fois** *nom féminin*

Petit Jean a trois flèches. Il peut tirer trois **fois**.

Quel mot, dans cette page, se prononce de la même façon ?

la **folie** *nom féminin*

➤ fou

folle *adjectif*

➤ fou

foncé *adjectif*

Une couleur **foncée** est plus proche du noir que du blanc. Ce n'est pas une couleur claire.

foncer *verbe*

C'est aller très vite.

fonctionner *verbe*

Un appareil qui **fonctionne** bien marche bien.

le **fond** *nom masculin*

Alice ne voyait pas le **fond** du puits, tout en bas.

Plus tard, elle aperçut une porte au **fond** du couloir, tout au bout du couloir.

fondre *verbe*

Il fait chaud, le bonhomme de neige commence à **fondre** ! La neige se transforme en eau et elle coule.

Quand un morceau de sucre **fond** dans l'eau, on ne voit plus le morceau de sucre, mais l'eau est sucrée.

211

une **fontaine** *nom féminin*

Cendrillon allait chercher l'eau à la fontaine.

le **football** *nom masculin*

Le **football** est un sport qui se joue à deux équipes avec un ballon rond qu'on envoie avec le pied. Les joueurs sont des **footballeurs**.

la **force** *nom féminin*

Quelle **force** ! Il peut soulever un tronc d'arbre d'une main ! Qu'est-ce qu'il est **fort** !

forcer *verbe*

La Fée **force** Pinocchio à prendre son médicament. Elle l'oblige à le prendre. Il est **forcé** de le prendre.

la **forêt** *nom féminin*

Dans une **forêt**, il y a beaucoup d'arbres. La **forêt** est plus grande qu'un bois.

le **forgeron** *nom masculin*

Le **forgeron** forge le fer. Il le chauffe et il lui donne la forme qu'il veut pour fabriquer des objets.

une **forme** *nom féminin*

La vapeur au-dessus de la marmite prend des **formes** étranges. On dirait une pieuvre. ▶ Regarde aussi page 215.

former *verbe*

Quand on apprend à écrire, on apprend à **former** les lettres, à bien les dessiner. L'écume **se forme** à la surface de la mer. Elle apparaît.

formidable *adjectif*

Ce qui est **formidable** est extraordinaire. C'est très bien.

une formule *nom féminin*

Abracadabra !

Le Magicien prononce une **formule** magique. C'est un mot ou une expression.

fort *adjectif*

Qu'est-ce qui est **fort** ?
– L'ami de Robin quand il soulève le tronc d'arbre. Il est **fort**, il a beaucoup de force. ▶ Regarde la page d'avant.
– Robin quand il tire à l'arc. C'est lui le plus **fort**. C'est lui le meilleur.
– La voix de Gepetto quand il est en colère. Sa voix est **forte**. Il crie presque.
– La moutarde quand elle pique beaucoup. Elle est **forte**.

une forteresse *nom féminin*

C'est une citadelle ou un château fort.

la fortune *nom féminin*

Le père de la Belle avait une grande **fortune**. Il était très riche.

une fosse *nom féminin*

C'est un trou dans la terre.

un fossé *nom masculin*

De chaque côté de la route, il y a un **fossé**. C'est un trou creusé le long de la route.

une fossette *nom féminin*

Quand elle sourit, Boucle d'or a une **fossette** sur la joue. C'est un petit creux.

fou *adjectif*

Nous sommes tous **fous** ici. Je suis **fou**, tu es **folle** !

Et le Chat explique à Alice que si elle n'était pas **folle**, elle ne serait pas venue ici. Elle a sûrement perdu la tête, elle est atteinte de **folie**.

les formes et les figures

Cherche toutes ces formes et toutes ces figures sur le dessin d'à côté.

le cercle
ou le rond   le carré   le rectangle   le losange   le triangle

la sphère   le cube   la pyramide   le cylindre   le cône

le croissant   le cœur   l'étoile   la croix   la flèche

Trouve aussi ce qui est :

droit horizontal   droit vertical   courbe   en zigzag

en spirale   ovale   creux   bombé   pointu

215

la **foudre** *nom féminin*

Il y eut un orage et la Petite Sirène vit la **foudre** tomber sur le mât.

un **fouet** *nom masculin*

Les **fouets** servent à dresser les animaux ou à diriger les chevaux. ▶ Regarde page 163.

une **fougère** *nom féminin*

C'est une plante sans fleurs qu'on trouve dans les bois.

fouiller *verbe*

Il faut trouver Robin. **Fouillez** toute la forêt ! Cherchez partout !

un **fouillis** *nom masculin*

C'est un grand désordre.

un **foulard** *nom masculin*

C'est un grand carré de tissu qu'on met autour du cou ou sur la tête.

la **foule** *nom féminin*

Quelle **foule** ! Quel monde ! Toute la ville est venue voir les trésors d'Aladin.
━━━━☆彡 Une **foule** de choses, c'est un très grand nombre de choses.

un **four** *nom masculin*

Gretel a poussé la Sorcière dans le **four**.
━━━━☆彡 Aujourd'hui, on ne voit plus de feu dans les **fours**. Il y a des **fours** à gaz, des **fours** électriques et des **fours** à micro-ondes pour faire la cuisine.

une **fourche** *nom féminin*

Le paysan ramasse la paille avec sa **fourche**. C'est un outil avec un long manche et des dents pour remuer ou ramasser l'herbe et la paille.

une **fourchette** *nom féminin*

Les Nains piquent leur viande avec leurs fourchettes.

une **fourmi** *nom féminin*

C'est un tout petit insecte. Les **fourmis** vivent ensemble dans des **fourmilières**.

un **fourré** *nom masculin*

C'est un buisson.

fourré *adjectif*

Des bottes **fourrées** ont de la fourrure à l'intérieur. Des bonbons **fourrés** au miel ont du miel à l'intérieur.

la **fourrure** *nom féminin*

Pour avoir chaud, Mowgli se blottit contre la **fourrure** de Baloo. Ce sont tous les poils qu'il a sur la peau.

le **foyer** *nom masculin*

Le **foyer** d'une cheminée, c'est là où on fait le feu.

➤ Le **foyer**, c'est aussi la maison et la famille qui l'habite.

fracasser *verbe*

Le bateau **se fracasse** sur les rochers. Il se brise, se casse avec un grand bruit, un grand **fracas**.

fragile *adjectif*

Ce qui est **fragile** se casse facilement, ce n'est pas solide.

un **fragment** *nom masculin*

C'est un morceau, un bout.

frais *adjectif*

L'eau de la rivière est **fraîche**. Elle est un peu froide. Mowgli aime sa **fraîcheur**.

➤ Des légumes **frais** viennent d'être cueillis, ils ne sont ni vieux, ni en conserve.

une **fraise** *nom féminin*

Cendrillon ramasse des **fraises**. Ce sont les petits fruits rouges et sucrés du **fraisier**.

une **framboise** *nom féminin*

Un peu plus loin, elle cueille des **framboises**. Ce sont les petits fruits rouge foncé et sucrés du **framboisier**.

franc *adjectif*

Alice est une petite fille très **franche**. Elle dit ce qu'elle pense, elle ne ment pas. Elle parle **franchement**, avec **franchise**. Le Magicien, lui, ne fait que mentir, il n'est pas **franc**.
➤ On ne prononce pas le **c**.

franchir *verbe*

D'un bond, le Chien **franchit** la barrière. Il passe par-dessus. ▶ Regarde page 57.

frapper *verbe*

Le Loup **frappe** à la porte. Il tape. **Frapper**, c'est donner des coups, taper ou battre.

la **frayeur** *nom féminin*

C'est une très grande peur.

fredonner *verbe*

Les Nains **fredonnent** une chanson. Ils la chantent tout doucement.

freiner *verbe*

C'est ralentir en appuyant sur les **freins**.

frémir *verbe*

C'est trembler un peu.

fréquent *adjectif*

La Reine de Cœur se met souvent en colère. C'est une chose **fréquente** chez elle. Cela lui arrive souvent.

un **frère** *nom masculin*

Hansel est le **frère** de Gretel. Gretel est sa sœur. Ils ont les mêmes parents.

frétiller *verbe*

Quand un chien est content, sa queue frétille. Il la remue beaucoup et vite.

friandise *nom féminin*

Les bonbons, les chocolats, les caramels sont des friandises.

Frigidaire *nom masculin*

⟹ réfrigérateur

frileux *adjectif*

La grand-mère du Petit Chaperon rouge est frileuse. Elle a toujours froid.

friper *verbe*

Des vêtements fripés sont tout froissés, chiffonnés, ils sont pleins de plis.

frire *verbe*

Tu préfères être frit ou cuit à la tomate ?

Faire frire, c'est faire cuire dans l'huile bouillante.
Des frites, ce sont des pommes de terre frites, cuites dans l'huile.

frise *nom féminin*

Les coffres sont ornés de frises.

friser *verbe*

Des cheveux qui frisent font de toutes petites boucles serrées. Ce sont des cheveux frisés.

frissonner *verbe*

On frissonne quand on a froid ou qu'on est malade. On a des frissons, on tremble de tout son corps.

frite *nom féminin*

⟹ frire

froid *adjectif*

Brrr ! Brrr ! C'est froid !

L'eau est trop froide pour se baigner. Elle n'est pas assez chaude et Mowgli a froid. ▶ Regarde aussi le temps, page 473.

froisser *verbe*

Boucle d'or **a froissé** sa jupe. Elle est fripée, chiffonnée, pleine de plis.

frôler *verbe*

La flèche **a frôlé** le baron de Nottingham. Elle l'a presque touché.

le **fromage** *nom masculin*

On fabrique le **fromage** avec du lait de vache, de brebis ou de chèvre.

froncer *verbe*

Mowgli n'est pas content, il **fronce** les sourcils. Cela fait des petits plis sur son front.

le **front** *nom masculin*

C'est la partie du visage entre les yeux et les cheveux.

une **frontière** *nom féminin*

Le Magicien raconta qu'il avait voyagé dans de nombreux pays. Il avait passé de nombreuses **frontières**. Les **frontières**, ce sont les limites des pays.

frotter *verbe*

La mère d'Aladin **frotte** la lampe avec un chiffon pour la nettoyer. *Que va-t-il se passer ? Pour le savoir, regarde page 37.*

un **fruit** *nom masculin*

Les pommes, les poires, les oranges, les bananes, les cerises sont des **fruits**. ➤—Les pommiers, les poiriers, les orangers, les bananiers, les cerisiers sont des arbres **fruitiers**. Ils donnent des fruits.

fuir *verbe*

C'est partir, s'échapper, s'enfuir, se sauver, c'est prendre la **fuite**. ➤—Un stylo qui **fuit** perd son encre. Il a une **fuite**.

la **fumée** *nom féminin*

Il y a sûrement quelqu'un dans la maison. On voit la **fumée** sortir de la cheminée. Quelqu'un a fait du feu. ➤—Fumer, c'est aussi aspirer la fumée du tabac. Mais c'est dangereux pour la santé.

un **funambule**, une **funambule** *nom*

C'est un acrobate qui marche sur une corde. ▶ Regarde page 106.

furieux *adjectif*

Quoi ! Blanche-Neige est toujours vivante !

La méchante Reine est **furieuse** ! Elle est très en colère.

un **fuseau** *nom masculin*

Autrefois, on filait la laine avec un **fuseau** aux bouts très pointus. ▶ Regarde page 207.

une **fusée** *nom féminin*

Les **fusées** servent à aller dans l'espace.

Pour le feu d'artifice, on prépare les **fusées**. Ce sont des petits tubes remplis de poudre qui explosent dans le ciel avec mille lumières.

un **fusil** *nom masculin*

Le chasseur tire avec son **fusil**. C'est une arme à feu.

PAN !

futé *adjectif*

Une personne **futée** est maligne, dégourdie.

futur *adjectif*

Quand Aladin vit la princesse Badroulboudour, il pensa tout de suite : « Voilà ma **future** femme. Voilà la femme que j'épouserai plus tard. » Le **futur**, c'est l'avenir, c'est ce qui se passera plus tard.

f

Gg

gâcher *verbe*

Gâcher, c'est dépenser, user, jeter pour rien. C'est faire du **gâchis**.

un **gadget** *nom masculin*

C'est un objet plus ou moins utile mais qui est drôle et à la mode.

un **gag** *nom masculin*

Dans les dessins animés, il y a souvent des **gags** qui nous font rire. Ce sont des scènes comiques très courtes.

un **gage** *nom masculin*

Quand on perd à certains jeux, on a un **gage**. On est obligé de faire ce que les autres joueurs demandent.

gagner *verbe*

Robin **gagne** toujours au tir à l'arc. C'est lui le **gagnant**, le vainqueur. Il est le plus fort.
➤ **Gagner** de l'argent, c'est en obtenir en échange d'un travail.

gai *adjectif*

Robin et ses amis sont toujours **gais**. Ils rient et sont de bonne humeur. Ils sont pleins de **gaieté**.

une **galerie** *nom féminin*

Dans le terrier des lapins, il y a de longues **galeries**. Ce sont des sortes de couloirs souterrains.
➤ Les **galeries** d'un centre commercial, ce sont les grands couloirs où il y a des magasins, des boutiques.
➤ La **galerie** d'une voiture, c'est le porte-bagages qu'on met sur le toit.

un **galet** *nom masculin*

C'est une pierre que l'eau des rivières, des torrents ou de la mer a tellement roulée qu'elle est toute lisse.

ne **galette** *nom féminin*

La maman du Petit Chaperon rouge a fait cuire une **galette**. C'est un gâteau rond et plat.

ne **galipette** *nom féminin*

C'est amusant de faire des **galipettes** !

gambader *verbe*

Le Chien **gambade** dans l'herbe. Il court et saute, tout content.

une **gamme** *nom féminin*

La Belle fait des **gammes** au piano. Elle joue toutes les notes dans l'ordre, en montant et en descendant : do, ré, mi, fa, sol, la, si, do ; do, si, la, sol, fa, mi, ré, do.

un **gant** *nom masculin*

Le Lapin Blanc porte une paire de **gants** blancs.

le **garage** *nom masculin*

On met sa voiture au **garage** pour la faire réparer. Le **garagiste** et le mécanicien s'en occupent.
Le **garage**, c'est aussi l'endroit où on peut **garer** sa voiture, à côté de la maison.

galoper *verbe*

Les chevaux **galopent**. Ils courent au **galop**. Les chevaux peuvent aller au **pas**, ils marchent ; au **trot**, ils courent à petits pas ; au **galop**, ils courent très vite.

223

un **garçon** *nom masculin*

Hansel est un **garçon**. Plus tard, il sera un homme.

garder *verbe*

Le château est bien **gardé**. Il est surveillé, protégé par des **gardes**.

➤◆〜Dans une **garderie**, on garde les enfants jusqu'à ce que la famille vienne les chercher.

➤◆〜**Garder** son manteau, c'est ne pas l'enlever. **Garder** longtemps un jouet, c'est ne pas s'en séparer.

➤◆〜Les **gardiens** et les **gardiennes** d'immeuble surveillent les entrées et les sorties de l'immeuble.

la **gare** *nom féminin*

La **gare**, c'est l'endroit où les trains partent et arrivent.

gaspiller *verbe*

C'est dépenser pour rien, sans faire attention. Les sœurs de la Belle **gaspillaient** l'argent de leur père.

un **gâteau** *nom masculin*

La Sorcière donne des **gâteaux** à Hansel et Gretel, ce sont des pâtisseries.

gâter *verbe*

Le père de la Belle **gâtait** ses filles. Il leur donnait tout ce qu'elles voulaient. Elles étaient **gâtées**.

➤◆〜**Se gâter**, c'est aussi s'abîmer. Un fruit qui **se gâte** devient mauvais.

gauche *adjectif*

Lumignon écrit de la main **gauche**, il est **gaucher**. Le côté **gauche**, c'est le côté du cœur.

▶ Regarde aussi <u>où ?</u> page 339.

une **gaufre** *nom féminin*

Devant le Théâtre des Marionnettes, on vendait des **gaufres**. Ce sont des gâteaux très légers qu'on mange chauds.

➤◆〜Une **gaufrette**, c'est un petit gâteau sec en forme de gaufre.

un **gaz** *nom masculin*

Les **gaz** ne sont ni solides, ni liquides. L'air est un **gaz** que l'on respire. Mais d'autres **gaz** sont très dangereux, comme celui qui sert à faire cuire les aliments, par exemple.

De l'eau **gazeuse** est pleine de bulles de gaz.

une **gazelle** *nom féminin*

Les **gazelles** ont des pattes très fines et de longues cornes. Elles courent très vite. Elles vivent dans les pays chauds, en Afrique et en Asie.

le **gazon** *nom masculin*

C'est l'herbe bien verte et bien serrée des pelouses.

gazouiller *verbe*

Les oiseaux et les bébés **gazouillent**. Ils font des petits bruits tout doux, des **gazouillis**.

un **géant**, une **géante** *nom*

Le Pêcheur était immense. Il avait l'air d'un **géant**, et Pinocchio se sentait tout petit.

geler *verbe*

Il a fait si froid que l'eau **a gelé**. Elle s'est transformée en glace. Et le **gel** a abîmé les vignes.

Au printemps, quand il fait plus chaud, la neige et la glace fondent, c'est le **dégel**.

gem...

gémir *verbe*

> Aaaaah ! Je suis fatigué !

Le Chien **gémit**. Il pousse des petits cris pour se plaindre. L'Âne, qui a entendu ses **gémissements**, vient le consoler.

un **gendarme** *nom masculin*

Les **gendarmes** font à peu près le même travail dans les campagnes et les villages que les policiers dans les villes, mais ce sont des militaires.

gêner *verbe*

> Pousse-toi, tu me **gênes**, tu m'empêches de voir. C'est **gênant**.

Être **gêné**, c'est aussi être mal à l'aise.

général *adjectif*

À la demande **générale**, la Souris va raconter son histoire. Tout le monde le lui demande. ▶ Regarde page 168.
En **général**, les animaux de la jungle ne s'attaquent pas aux hommes. Ils ne le font pas d'habitude.

un **général** *nom masculin*

Les **généraux** commandent les armées.

généreux *adjectif*

La Belle est bonne et **généreuse**. Elle est toujours prête à donner aux autres. Elle est pleine de **générosité**.

un **génie** *nom masculin*

Dans les contes et les légendes, il y a toutes sortes de **génies**. Il y en a de bons et il y en a de mauvais.

Le **Génie** de la lampe a des pouvoirs magiques.
On dit d'une personne qu'elle est un **génie**, qu'elle est **géniale**, quand elle est très intelligente ou qu'elle a un don exceptionnel pour un art ou une science.

le genou *nom masculin*

Grâce à nos **genoux**, nous pouvons plier les jambes. ▶ Regarde le corps, page 125.

un genre *nom masculin*

C'est une sorte, une espèce, un type.

les gens *nom masculin*

Ce sont les personnes.

gentil *adjectif*

La Bête est **gentille** avec la Belle. Elle ne lui fait pas de mal. Elle n'est pas méchante. Elle est pleine de **gentillesse**.

la géographie *nom féminin*

C'est l'étude de la Terre, des pays, des régions. Sur les cartes de **géographie**, on voit les montagnes, les fleuves, les mers, les frontières des pays et les villes.

germer *verbe*

Quand une graine se met à **germer**, on voit un tout petit bout de plante qui commence à pousser, c'est le **germe**.

un geste *nom masculin*

La Cuisinière fait des **gestes** dans tous les sens. Elle fait plein de mouvements.

gesticuler *verbe*

C'est ne pas arrêter de bouger, de faire des gestes.

le gibier *nom masculin*

Vous préférez le **gibier** à poil...

... ou à plume ?

Le **gibier**, ce sont les animaux qu'on attrape à la chasse.

une **gifle** *nom féminin*

Le Magicien donne une **gifle** à Aladin.
C'est une claque sur la joue.

gigantesque *adjectif*

Ce qui est **gigantesque** est très grand,
immense.

gigoter *verbe*

C'est bouger, remuer sans arrêt. Alice
prit dans ses bras un bébé qui **gigotait**
sans cesse. *C'était un drôle de bébé. Regarde
page 237.*

un **gilet** *nom masculin*

Le Lapin Blanc porte un **gilet** à trois
boutons. ▶ Regarde page 71.
━━━✦⟨Un **gilet**, c'est aussi
un tricot qui se boutonne devant.

une **girafe** *nom féminin*

La **girafe** a un très
long cou.
C'est un
animal
d'Afrique.
La **girafe**
ne crie
pas, elle
est muette.

une **girouette** *nom féminin*

Sur les clochers, les **girouettes**
tournent dans la direction du vent.

la **glace** *nom féminin*

Quand il fait très froid, l'eau se
transforme en **glace**.

L'hiver, au pays de la Petite Sirène, les
enfants jouent sur la **glace** des étangs
gelés.
━━━✦⟨Quand on a très froid,
on dit qu'on est **glacé**.
━━━✦⟨Une **glace**, c'est aussi
une crème très froide et sucrée, à la
fraise, au chocolat ou à la vanille par
exemple.
━━━✦⟨Une **glace**, c'est aussi
un miroir, ou la vitre d'une voiture.

un **glacier** *nom masculin*

C'est une sorte de grand fleuve de glace qui part du sommet de la montagne.

un **glaçon** *nom masculin*

C'est un petit morceau de glace.

un **gland** *nom masculin*

≡≡⇒ chêne

glisser *verbe*

Mowgli joue à **glisser** sur les pentes. Il fait des **glissades**.

un **globe** *nom masculin*

C'est un objet en forme de boule. Un **globe** terrestre représente la Terre.

un **gobelet** *nom masculin*

C'est une sorte de verre, en métal, en plastique, en carton.

un **goéland** *nom masculin*

Les **goélands** sont des oiseaux de mer, plus grands que les mouettes.

le **golf** *nom masculin*

C'est un sport. Sur un terrain de **golf**, il y a des petits trous dans lesquels il faut envoyer une balle en la lançant avec une sorte de canne, qu'on appelle un **club**.

gommer *verbe*

C'est effacer en frottant avec une **gomme**.

gonfler *verbe*

Quand on souffle dans un ballon, il **gonfle**. Si on laisse l'air partir, il **se dégonfle**, il faut le **regonfler**.

g

un **gong** *nom masculin*

L'homme frappe sur le **gong** pour annoncer l'arrivée du Sultan.

la **gorge** *nom féminin*

C'est le fond de la bouche.

une **gorgée** *nom féminin*

C'est la quantité de liquide qu'on boit en une fois. Le Chapelier boit son thé à petites **gorgées**.

le **gosier** *nom masculin*

C'est le fond de la gorge.

un **gouffre** *nom masculin*

C'est un énorme trou très profond dans la terre. Quand Pinocchio fut avalé par le Requin, il eut l'impression de tomber au fond d'un **gouffre**.

le **goulot** *nom masculin*

 bouteille

une **gourde** *nom féminin*

Robin boit l'eau de sa **gourde**.

gourmand *adjectif*

Baloo adore le miel, c'est un ours très **gourmand**. Il aime manger de bonnes choses, par **gourmandise**, pour le plaisir.

Les bonbons, les confiseries, les friandises sont des **gourmandises**.

le **goût** *nom masculin*

Le chocolat, le café, les cerises, les citrons n'ont pas le même **goût**. On ne sent pas la même chose dans la bouche quand on les mange.
▶ Regarde la page d'à côté.

Avoir du **goût**, c'est aussi aimer les jolies choses. Le Lapin Blanc est élégant, il s'habille avec **goût**.

les goûts

231

goûter *verbe*

Boucle d'or **goûte** chaque soupe. Elle en mange un peu pour voir quel goût elle a.

⭐—Goûter, c'est aussi prendre un petit repas dans l'après-midi.
▶ Regarde aussi **repas**.

une **goutte** *nom féminin*

La Reine s'est piqué le doigt et trois **gouttes** de sang tombent sur la neige.

une **gouttière** *nom féminin*

Le Petit Cochon a bien fait d'installer une **gouttière**. Il pleut !.

gouverner *verbe*

Plus tard, le Prince deviendra roi et il **gouvernera** le royaume. Il le dirigera avec ses ministres, son **gouvernement**.

la **grâce** *nom féminin*

Qu'on leur coupe la tête !

Grâce ! Grâce !

Mais le Roi leur fit **grâce**. Ils n'eurent pas la tête coupée.
⭐—Regarde aussi **gracieux**.

gracieux *adjectif*

Cendrillon est très **gracieuse** quand elle danse, elle est jolie et légère dans ses mouvements. Elle danse avec beaucoup de **grâce**.

un **gradin** *nom masculin*

Au cirque ou au stade, les spectateurs sont assis sur les **gradins**. On dirait des grandes marches d'escalier. ▶ Regarde page 106.

un **grain** *nom masculin*

Aladin prit un **grain** de raisin pour le goûter. C'est chacun des petits fruits ronds d'une grappe de raisin.

La fermière donne du **grain** aux poules. C'est le fruit des céréales. Le riz, le blé donnent des **grains**.

Un **grain**, c'est aussi un tout petit morceau de sable, de poussière.

Un **grain de beauté**, c'est une petite tache brune sur la peau.

Qui a un grain de beauté sur la joue ? Pour le savoir, regarde page 61.

une **graine** *nom féminin*

Le jardinier sème des **graines** dans la terre pour que les plantes poussent.

la **graisse** *nom féminin*

Le beurre, l'huile sont des **graisses**, ils sont très gras.

grand *adjectif*

Papa Ours est plus **grand** que Maman Ours et Maman Ours est plus **grande** que Petit Ours. ▶ Regarde page 201.

Gretel a un **grand** frère, Hansel. Il est plus âgé, plus vieux. C'est son frère aîné.

Agrandir, c'est rendre plus grand. Quand ils vivront ensemble, les trois Petits Cochons devront peut-être **agrandir** leur maison !

la **grandeur** *nom féminin*

Deux arbres de la même **grandeur** sont aussi grands l'un que l'autre. Ils ont la même taille.

grandir *verbe*

C'est devenir plus grand.

Les oreilles de Pinocchio se mettent à **grandir**, à **grandir** ! Elles deviennent de plus en plus grandes ! Ce sont de grandes oreilles d'âne qui lui poussent ! Pinocchio va se transformer en âne !

les **grands-parents** *nom masculin*

Ce sont les parents de nos parents, leurs pères et leurs mères, nos **grands-pères** et nos **grands-mères**.

la **grange** *nom féminin*

Il y a du foin et de la paille dans la **grange** de la ferme. ▶ Regarde page 205.

une **grappe** *nom féminin*

Le raisin, les groseilles et certaines fleurs poussent en **grappes**.

gras *adjectif*

L'huile est **grasse**. Le beurre est **gras**. Un petit cochon bien **gras** est plein de lard et de graisse.

gratter *verbe*

Père Loup **se gratte** en se réveillant. Il frotte ses griffes sur sa peau.

gratuit *adjectif*

Au cirque, l'entrée est **gratuite** pour les tout petits enfants. Il n'y a rien à payer.

grave *adjectif*

Pinocchio est malade, mais ce n'est pas **grave**, il sera bientôt guéri. Les hommes ont la voix plus **grave** que les femmes. Ils ont la voix plus basse.

graver *verbe*

C'est écrire ou dessiner en creusant avec une pointe dans le bois, le verre, le métal. C'est faire de la **gravure**.

le **gravier** *nom masculin*

Il y a du **gravier** blanc dans la cour du château du Prince. Ce sont de tout petits cailloux.

la **grêle** *nom féminin*

Ce sont des petits bouts de glace qui tombent du ciel quand il **grêle**.

grelotter *verbe*

Gepetto a vendu son manteau. Il **grelotte**. Il tremble de froid.

le **grenier** *nom masculin*

Cendrillon couche dans le **grenier**, sous les toits.

une **grenouille** *nom féminin*

Au bord de la mare, il y a une **grenouille**. Ses pattes sont très musclées et palmées pour lui permettre de sauter et de nager. Quand elle crie, la grenouille **coasse**.

la **grève** *nom féminin*

Faire la **grève**, c'est s'arrêter de travailler pour montrer qu'on n'est pas content.

gribouiller *verbe*

C'est écrire ou dessiner n'importe comment.

une **griffe** *nom féminin*

Bagheera admire ses **griffes**. Ce sont les ongles longs et pointus des animaux. Le Chat **a griffé** le voleur, il lui a donné un coup de griffe. Le voleur est blessé.

grignoter *verbe*

Alice **grignote** un bout du champignon. Elle en mange un petit peu. *Va-t-elle grandir ou rapetisser ? Pour le savoir, regarde page 398.*

une **grille** *nom féminin*

Les arbres s'écartèrent et les **grilles** du château s'ouvrirent pour laisser passer le Prince.

griller *verbe*

C'est cuire à feu très vif. On fait **griller** le pain dans un **grille-pain**, et la viande sur un **gril**.

un **grillon** *nom masculin*

Qui es-tu ?

Je suis le Grillon parlant.

Le **grillon** est un insecte noir qu'on appelle aussi **cricri** car les soirs d'été il chante en faisant « cri-cri-cri ».

une **grimace** *nom féminin*

Les singes font d'affreuses **grimaces** à Mowgli.

grimper *verbe*

Mowgli sait **grimper** aux arbres. Il peut monter jusqu'aux plus hautes branches.

grincer *verbe*

Les portes du vieux château **grinçaient**. Elles faisaient du bruit quand on les ouvrait.

la **grippe** *nom féminin*

Quand on a la **grippe**, on a le rhume et de la fièvre. On est **grippé**.

gris *adjectif*

D'un coup de baguette magique, la Fée changea les souris **grises** en magnifiques chevaux **gris**. Le **gris**, c'est une couleur entre le noir et le blanc.

grogner *verbe*

Qu'est-ce que ce bébé qui **grogne** ?

Le bébé était un cochon ! Les cochons, les sangliers, les ours **grognent**.
➤—Les grandes personnes **grognent** aussi quand elles ne sont pas contentes. Un **grognon**, c'est quelqu'un qui n'est jamais content.

gronder *verbe*

Quand Mowgli n'a pas bien appris ses leçons, Baloo le **gronde**, il lui dit que ce n'est pas bien, il lui fait des reproches.
➤—Quand le tonnerre **gronde**, cela fait un bruit long et grave.

gros *adjectif*

Papa Ours est plus **gros** que Maman Ours. Il prend plus de place, c'est pour cela qu'il a une chaise plus grande et plus large. Et Maman Ours est plus **grosse** que Petit Ours.
➤—Des **gros mots**, ce sont des mots qu'il ne faut pas dire, ce n'est pas poli, c'est **grossier**.

une groseille *nom féminin*

Les **groseilles**, ce sont les petits fruits rouges du **groseillier**. Elles poussent en grappes.

la grosseur *nom féminin*

Des billes de la même **grosseur** ont la même taille. Elles sont aussi grosses les unes que les autres.

grossir *verbe*

La Sorcière voulait qu'Hansel **grossisse**, avant de le manger. Elle voulait qu'il devienne plus gros.

une grotte *nom féminin*

Le Pêcheur vivait dans une **grotte**. C'est un grand creux dans la roche, une sorte de caverne.

un **groupe** *nom masculin*

Ce sont plusieurs personnes ou plusieurs choses ensemble.
Se grouper, c'est se mettre en groupe. Les loups sont **groupés** autour d'Akela.

une **grue** *nom féminin*

Au Pays des Jouets, il y a même des **grues** pour s'amuser. Les vraies **grues** servent à lever et à déplacer des choses très lourdes.

un **guépard** *nom masculin*

C'est l'animal le plus rapide du monde. Il vit en Afrique et en Asie.

une **guêpe** *nom féminin*

Les **guêpes** ressemblent aux abeilles mais elles ont le corps jaune et noir.

guérir *verbe*

La Fée dit à Pinocchio : « Bois ce médicament et tu seras bientôt **guéri**, tu ne seras plus malade. »

la **guerre** *nom féminin*

La **guerre**, c'est une lutte, un combat entre deux ou plusieurs pays.

guetter *verbe*

Le Loup, caché derrière un arbre, **guette** le Petit Chaperon rouge, il est aux aguets. Il l'attend en surveillant.
▶ Regarde page 27.
Faire le guet, c'est regarder pour savoir qui arrive.

la **gueule** *nom féminin*

Père Loup prit doucement le petit d'homme dans sa **gueule**.

La **gueule**, c'est le nom qu'on donne à la bouche de certains animaux.

le **gui** *nom masculin*

 houx

guider *verbe*

Un bel oiseau **guida** Hansel et Gretel jusqu'à une petite maison. Il leur montra le chemin.

le **guidon** *nom masculin*

 vélo

le **guignol** *nom masculin*

C'est un théâtre de marionnettes.

une **guirlande** *nom féminin*

Pour préparer la fête, les amis de Robin mettent des **guirlandes** de fleurs et de feuilles entre les arbres.

une **guitare** *nom féminin*

C'est un instrument de musique à cordes. Les **guitaristes** jouent de la guitare.

la **gymnastique** *nom féminin*

Mowgli fait de la **gymnastique**.

g

239

Hh

habile *adjectif*

Seul Robin est capable d'arrêter une flèche en plein vol. C'est lui le plus **habile**, le plus adroit. Quelle **habileté** ! Quelle adresse !

habiller *verbe*

Le Magicien emmène Aladin chez le tailleur pour l'**habiller** de neuf. Il lui achète des habits, des vêtements neufs. **S'habiller**, c'est mettre ses vêtements. *Comment dit-on quand on enlève ses vêtements ? Regarde page 150.*

un **habit** *nom masculin*

Je ne peux pas aller au bal avec mes vilains **habits** ! Il me faut d'autres vêtements.

habiter *verbe*

La famille Ours **habite** une petite maison. Elle vit là.

━━━━☆≪Les **habitants** d'une maison, d'une ville ou d'un pays, ce sont les personnes qui y vivent, qui y habitent.

l'habitude *nom féminin*

Le Petit Chaperon rouge avait l'**habitude** d'aller chez sa grand-mère. Elle le faisait souvent.

━━━━☆≪La Belle **s'est habituée** à la Bête. Elle a pris l'habitude de la voir, et la Bête ne lui fait plus peur.

une hache *nom féminin*

Le père La Cerise fend une bûche avec une **hache**. C'est un outil avec une grosse lame plate.

hacher *verbe*

Hacher de la viande, c'est la couper en tout petits morceaux.

une haie *nom féminin*

Le jardinier taille la **haie**. C'est une rangée d'arbustes serrés les uns contre les autres.

les haillons *nom masculin*

Ce sont de vieux vêtements, très abîmés.

haïr *verbe*

La méchante Reine **haïssait** Blanche-Neige, elle la détestait. Et sa **haine** était si forte qu'elle voulait que Blanche-Neige meure.

l'haleine *nom féminin*

Pinocchio sentit passer un grand vent sur son visage. C'était l'**haleine** du terrible Requin, le souffle, l'air qui sort de la bouche.

le hall *nom masculin*

C'est la grande pièce à l'entrée d'une gare, d'une école, d'un château.

━━━━≪On écrit **a**, mais on prononce **o**.

une **halte** *nom féminin*

Halte !

Robin crie « **Halte !** » pour demander aux voyageurs de s'arrêter.

➤──☆◁─Faire une **halte** au cours d'un voyage, c'est s'arrêter pour se reposer.

un **hamac** *nom masculin*

Avec des lianes, Mowgli s'était fait une sorte de **hamac** pour dormir.

un **hameau** *nom masculin*

C'est un tout petit village, à la campagne, avec juste quelques maisons.

un **hameçon** *nom masculin*

Les pêcheurs mettent un **hameçon** au bout de leur ligne. C'est un petit crochet auquel ils accrochent un ver, un **appât** pour attirer le poisson.

un **hamster** *nom masculin*

C'est un petit animal rongeur. Le **hamster** est plus petit que le **cochon d'Inde**.

la **hanche** *nom féminin*

C'est l'endroit où la cuisse s'attache au corps. ▶ Regarde le corps, page 125.

le **handball** *nom masculin*

Le **handball** est un sport qui se joue à deux équipes avec un ballon rond qu'on ne peut toucher qu'avec les mains.

handicapé *adjectif*

Avec sa cheville enflée, l'Âne Pinocchio est bien **handicapé**. Il boite et il ne peut plus faire son numéro de cirque.

➤──☆◁─Les **handicapés** souffrent d'un **handicap** : quelque chose dans leur corps ou dans leur tête ne fonctionne pas bien.

un **hangar** *nom masculin*

C'est une grande pièce avec juste un toit et des murs pour ranger des outils, des machines ou des réserves.

hanté *adjectif*

On raconta au Prince que le château de la Belle était **hanté**, qu'il y avait des fantômes. ▶ Regarde page 202.

un **hareng** *nom masculin*

C'est un petit poisson de mer. On ne prononce pas le *g*.

un **haricot** *nom masculin*

Cendrillon a cueilli des **haricots** verts. C'est un légume. On peut aussi manger les graines des gros **haricots**, blancs, verts ou rouges.

un **harmonica** *nom masculin*

Le clown joue de l'**harmonica**. C'est un petit instrument de musique.

harmonieux *adjectif*

Des sons **harmonieux** font une jolie mélodie. Des couleurs **harmonieuses** vont bien ensemble. Cela fait une **harmonie**, un accord agréable.

une **harpe** *nom féminin*

La Belle savait jouer de la **harpe**. C'est un grand instrument de musique à cordes.

un **harpon** *nom masculin*

Certains pêcheurs attrapent les gros poissons avec des **harpons**. Ce sont des sortes de piques.

le **hasard** *nom masculin*

Père Loup a trouvé Mowgli **par hasard**. Il ne s'y attendait pas du tout.

se **hâter** *verbe*

C'est se dépêcher, se presser.

hausser *verbe*

Quand Pinocchio se moque de quelque chose, il **hausse** les épaules, il les lève d'un mouvement brusque. Et quand Gepetto est en colère, il **hausse** le ton, il parle plus haut, plus fort.

haut *adjectif*

Une branche **haute** est plus loin du sol qu'une branche basse.

➤⭐← Parler à voix **haute**, c'est parler assez fort pour que tout le monde entende.

➤⭐← Regarde aussi <u>où</u> ? page 339.

la **hauteur** *nom féminin*

≡➤ dimension

hebdomadaire *adjectif*

≡➤ semaine

héberger *verbe*

Les Nains **hébergent** Blanche-Neige. Ils l'accueillent dans leur maison pour qu'elle y dorme et qu'elle y mange.

hélas

> Les oiseaux ont mangé les miettes de pain !

> Hélas ! Nous ne retrouverons pas notre chemin !

On dit « **hélas** ! » quand on regrette beaucoup quelque chose.

un **hélicoptère** *nom masculin*

Au Pays des Jouets, on fait voler des **hélicoptères**. Et quand ils volent, leurs **hélices** tournent.

l'**herbe** *nom féminin*

Alice est assise sur l'**herbe**. Elle cueille un brin d'**herbe**.

➤⭐← Les animaux qui mangent de l'herbe sont **herbivores**.

Comment s'appellent les animaux qui mangent de la viande ? Pour le savoir, regarde page 501.

hérisser *verbe*

Quand Mère Louve est en colère, ses poils **se hérissent**. Ils se dressent tout droits.

un **hérisson** *nom masculin*

C'est un petit animal au corps couvert de piquants. Quand il a peur, le **hérisson** se met en boule.

un **héritier**, une **héritière** *nom*

La princesse Badroulboudour est l'unique **héritière** du Sultan. Elle **héritera** de sa fortune quand il sera mort. C'est elle qui l'aura.

un **héron** *nom masculin*

C'est un oiseau au long cou.

un **héros**, une **héroïne** *nom*

Robin est un **héros**, c'est un homme très courageux. Ses exploits et ses actions **héroïques** sont connus dans le monde entier.

➤━━━★⟨Un **héros**, c'est aussi le personnage principal d'une histoire, celui à qui il arrive toutes les aventures de l'histoire.

hésiter *verbe*

Quelle robe choisir ? La sœur de Cendrillon en a tellement qu'elle **hésite**, elle n'arrive pas à se décider. ▶ Regarde page 103.

l'**heure** *nom féminin*

Il y a 24 **heures** dans une journée. Et chaque **heure** dure 60 minutes.
À quelle heure les Nains se lèvent-ils ? Pour le savoir, regarde page 246.

➤━━━★⟨Se lever de **bonne heure**, c'est se lever tôt.

h

les heures

Il est **7 heures** du matin. Le réveil sonne.

Cinq minutes plus tard, il est **7 heures 5**, les Nains se lèvent. Ils se lavent.

À **7 heures et demie** (7 heures 30), ils prennent leur petit déjeuner.

À **8 heures et quart** (8 heures 15), ils partent pour la mine.

À **9 heures moins 5**, ils arrivent à la mine.

À **9 heures** précises, ils commencent à travailler.

Voici la journée des Nains. Regarde la petite pendule sur chaque dessin :
la petite aiguille indique les heures, la grande indique les minutes.

À **midi** (12 heures), ils déjeunent.

À **2 heures** de l'après-midi,
ils recommencent à travailler.

À **6 heures** du soir, ils rentrent à la maison.

À **8 heures moins le quart**, ils dînent.

À **10 heures**, ils vont se coucher.

À **minuit**, ils dorment à poings fermés.

heureusement

Gepetto allait se noyer. **Heureusement** que Pinocchio savait nager ! C'est une chance !

heureux *adjectif*

Cendrillon épousa le Prince et ils furent très **heureux**, très contents. Ils vécurent dans la joie et le bonheur.

heurter *verbe*

La tête de Petit Jean **a heurté** une grosse pierre. Il s'est cogné la tête sur la pierre.

un **hibou** *nom masculin*

Les **hiboux** ressemblent aux **chouettes**. ▶ Regarde page 103.

hideux *adjectif*

La Sorcière est **hideuse**, elle est horrible, très laide. ▶ Regarde page 250.

hier

≡➤ les jours, page 274.

un **hippopotame** *nom masculin*

Les **hippopotames** vivent dans les fleuves d'Afrique. Ils sont énormes.

une **hirondelle** *nom féminin*

Les **hirondelles** ont la queue fourchue, un dos tout noir et un ventre blanc. Ce sont des oiseaux qui voyagent beaucoup. Quand elles chantent, les hirondelles **gazouillent**.

hisser *verbe*

Les marins **hissent** la voile. Ils la lèvent, ils la font monter, en tirant fort sur les cordes.

➤✦—**Se hisser** quelque part, c'est y monter avec effort.

une **histoire** *nom féminin*

La Souris raconte son **histoire** à Alice. Elle lui raconte tout ce qu'il lui est arrivé.

➤✦—Les livres, les contes racontent des **histoires**, vraies ou fausses.

➤✦—À l'école, on apprend l'**histoire**. Ce sont tous les événements importants du passé.

l'**hiver** *nom masculin*

L'**hiver**, c'est la saison après l'automne. Il fait froid, il neige et les arbres n'ont plus de feuilles.

un **homard** *nom masculin*

Le **homard** et la **langouste** sont des crustacés de mer. Le **homard** a deux énormes pinces.

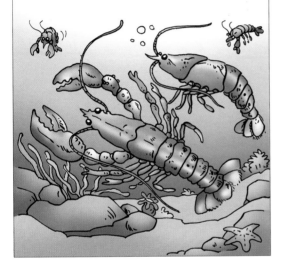

un **homme** *nom masculin*

Le père d'Hansel et Gretel est un **homme**. La mère d'Hansel et Gretel est une femme.

Les **hommes**, ce sont aussi les êtres humains, les personnes. Mowgli a quitté la jungle pour retrouver le monde des **hommes**.

honnête *adjectif*

Une personne **honnête** ne vole pas, ne trompe pas, ne triche pas. Elle agit **honnêtement**, avec **honnêteté**, elle n'est pas **malhonnête**.

l'**honneur** *nom masculin*

À la fin de l'histoire, Pinocchio fait **honneur** à son père, il est devenu un bon petit garçon, son père peut en être fier.

la **honte** *nom féminin*

Quand Pinocchio désobéit, il a **honte**. Il est tout **honteux**. Il ne se sent pas bien car il sait qu'il a fait quelque chose de mal.

un **hôpital** *nom masculin*

Dans les **hôpitaux**, il y a des médecins et des infirmières qui soignent les malades.

l'**horaire** *nom masculin*

L'**horaire** des trains, des bus, ce sont leurs heures de départ et d'arrivée.

l'**horizon** *nom masculin*

Le Prince regardait loin devant lui, à l'**horizon**, là où la terre et le ciel se touchent. Mais plus le bateau avançait, plus la ligne reculait.

h

horizontal *adjectif*

Quand on est couché, on est dans une position **horizontale**, comme la ligne de l'horizon.

un **hôtel** *nom masculin*

Quand on est en voyage ou en vacances, on peut dormir une ou plusieurs nuits à l'**hôtel**. Les **hôteliers** s'occupent des hôtels et de leurs clients.

une **horloge** *nom féminin*

Cendrillon doit partir très vite !
Le premier coup de minuit va sonner à l'**horloge** !
➤━━━☆⟨Les **horlogers** fabriquent, réparent et vendent des montres, des pendules, des horloges.

une **hotte** *nom féminin*

Le paysan porte la paille dans sa **hotte**. C'est un grand panier à bretelles. On dit que le Père Noël a des jouets dans sa **hotte**.
➤━━━☆⟨Dans une cuisine, la **hotte** sert à aspirer la fumée, au-dessus de la cuisinière.

l'**horreur** *nom féminin*

Avoir **horreur** de quelque chose, c'est le détester.
➤━━━☆⟨Regarde aussi **horrible**.

horrible *adjectif*

La Sorcière est **horrible**. Elle est laide à faire peur.

➤━━━☆⟨La Sorcière veut manger Hansel et Gretel, c'est **horrible**, c'est terrible, affreux, c'est une **horreur** !

une **housse** *nom féminin*

Maman Ours a mis la couette dans sa **housse**. Les **housses** sont en tissu, en plastique ou en cuir, elles ont la même forme que l'objet qu'elles protègent.

le **houx** *nom masculin*

Les feuilles du **houx** sont très piquantes et il y a des petites boules rouges. On décore les maisons avec du **houx** et du **gui** pour Noël et le Nouvel An. Le **gui** est aussi une plante mais avec des petites boules blanches.

le **hublot** *nom masculin*

Le Prince regarde la mer par le **hublot**. Les **hublots**, ce sont les fenêtres rondes des bateaux ou des avions.

l' **huile** *nom féminin*

C'est un liquide très gras. Pour faire la cuisine, on utilise de l'**huile** qui vient de fruits ou de plantes comme l'**huile** d'olive ou de tournesol. D'autres sortes d'**huiles** servent aussi à graisser les moteurs, les machines.

une **huître** *nom féminin*

C'est un coquillage de la mer. Parfois, on trouve des perles dans les **huîtres**.

humain *adjectif*

Mowgli est un petit d'homme, c'est un être **humain**.
➤ L'**humanité**, c'est l'ensemble de tous les hommes, de toutes les femmes et de tous les enfants.

l' **humeur** *nom féminin*

Quand on est de **bonne humeur**, on est gai, content. Mais quand on est de **mauvaise humeur**, on se met facilement en colère, on s'énerve, on n'est pas content.

humide *adjectif*

Une serviette **humide** est un petit peu mouillée, elle n'est pas complètement sèche.
➤ Dans les régions **humides**, il pleut souvent.

l' **humour** *nom masculin*

Robin a beaucoup d'**humour**. Il est capable de rire, même quand on se moque de lui, et il aime les histoires drôles.

hurler *verbe*

La Reine de Cœur passe son temps à **hurler**. Elle crie très fort et ses **hurlements** font peur à tout le monde. ━━━✦⟨ Regarde aussi **loup**.

une **hutte** *nom féminin*

Mowgli fabrique une **hutte**. C'est une petite maison faite de branchages et de terre.

l'**hygiène** *nom féminin*

Avoir de l'**hygiène**, c'est suivre toutes les règles de propreté pour rester en bonne santé.

un **hymne** *nom masculin*

La « Marseillaise » est l'**hymne** nationa de la France. C'est le chant de ce pays. Chaque pays a son **hymne**, comme chaque pays a son drapeau.

hypnotiser *verbe*

Les singes sont **hypnotisés** par Kaa. Ils sont comme endormis debout, incapables de bouger.

hypocrite *adjectif*

Les sœurs de la Belle font semblant de pleurer et d'être tristes. Mais en réalité, elles sont contentes que la Belle parte. Elles sont **hypocrites**. Elles ne disent pas leurs vrais sentiments.

I i

un **iceberg** *nom masculin*

C'était l'hiver, une sirène était assise sur un **iceberg**. C'est une énorme masse de glace qui flotte dans l'eau des mers très froides.

idéal *adjectif*

Robin et ses amis cherchaient l'endroit **idéal** pour déjeuner dans la forêt. Ils cherchaient le meilleur endroit.

une **idée** *nom féminin*

J'ai une **idée** pour les faire déguerpir !

À quoi penses-tu ?

L'Âne a trouvé une **idée** pour faire partir les voleurs. Il a imaginé quelque chose. *Pour savoir quoi, regarde page 144.*
Une **idée**, c'est aussi ce qu'on pense de quelque chose.

identique *adjectif*

Deux choses **identiques** sont pareilles.

253

l' **identité** *nom féminin*

Sur une carte d'**identité**, il y a le nom, le prénom, la date et le lieu de naissance.

idiot *adjectif*

La Simili-Tortue dit à Alice des choses **idiotes**, qui n'ont pas de sens. Elle dit des choses bêtes, stupides, des **idioties**.

un **igloo** *nom masculin*

C'est une maison faite avec des blocs de glace.

 On prononce *ou*.

ignorer *verbe*

C'est ne pas savoir.

une **île** *nom féminin*

Pinocchio arrive sur une **île**. C'est une terre entourée d'eau.

Une **presqu'île**, c'est presque une île : il y a une longue bande de terre qui relie l'île à la terre.

illisible *adjectif*

 lire

illuminé *adjectif*

Toute la ville est **illuminée**, il y a des lumières partout.

une **illusion** *nom féminin*

C'est quelque chose qu'on croit voir mais qui n'existe pas vraiment.

illustré *adjectif*

Dans un livre **illustré**, il y a des images, des **illustrations**.

une **image** *nom féminin*

La sœur d'Alice lisait un livre sans **images**. Il n'y avait ni dessins, ni photos, aucune illustration.

imaginer *verbe*

Aladin **imagine** son palais. Il le voit dans sa tête, par la pensée, par l'**imagination**.

imiter *verbe*

Qui est là ?

C'est votre petite-fille, le Petit Chaperon rouge.

Le Loup **imite** la voix du Petit Chaperon rouge. Il parle comme le Petit Chaperon rouge, il prend sa voix.

immédiatement

C'est tout de suite, à l'instant.

immense *adjectif*

La mer est **immense**. Elle est très grande, on n'en voit pas la fin.

un immeuble *nom masculin*

C'est un grand bâtiment avec plusieurs étages et plusieurs appartements à chaque étage.

immigrer *verbe*

C'est venir vivre dans un pays qui n'est pas le sien. ▶ Regarde aussi **émigrer**.

immobile *adjectif*

Les Nains trouvèrent Blanche-Neige étendue par terre et **immobile**. Elle ne bougeait pas du tout.

immortel *adjectif*

On dit que les fées sont **immortelles**. On dit qu'elles ne meurent jamais.

une impasse *nom féminin*

C'est une rue fermée à un bout.

impatient *adjectif*

Vivement 9 heures ! Vivement que la Bête arrive !

La Belle regarde souvent l'heure. Elle est **impatiente** de voir la Bête. Elle l'attend avec **impatience**. Elle a hâte de la voir. **S'impatienter**, c'est s'énerver parce qu'on trouve que quelque chose met trop longtemps à arriver.

impeccable *adjectif*

La maison des Nains est **impeccable**. Elle est très propre. C'est parfait.

une **impératrice** *nom féminin*

⟹ empire

imperméable *adjectif*

Un tissu **imperméable** ne laisse pas passer l'eau.

◆— Un **imperméable**, c'est un manteau pour la pluie.

impitoyable *adjectif*

Le Magicien est **impitoyable** avec Aladin. Il est très dur, il n'a pas de pitié.

important *adjectif*

Il faut que Cendrillon soit rentrée à minuit. C'est très **important**.

◆— Une bêtise sans **importance** n'est pas grave, pas sérieuse. Ça ne compte pas.

impossible *adjectif*

La porte est trop petite, je n'arriverai pas à passer. C'est **impossible**, ce n'est pas possible !

un **impôt** *nom masculin*

On paie des **impôts** pour construire et entretenir les routes, les écoles, les hôpitaux, pour faire marcher tout ce qui est utile à tout le monde.

une **impression** *nom féminin*

C'est ce que l'on ressent. Alice a l'**impression** que rien n'est normal autour d'elle. Elle le pense, elle le sent.

impressionner *verbe*

Le Sultan **impressionne** la mère d'Aladin. Elle est intimidée, **impressionnée**. Elle en a un peu peur.

imprimer *verbe*

Les journaux, les magazines, les livres sont des textes **imprimés**. Ils sont reproduits de très nombreuses fois, dans des **imprimeries**.

improviser *verbe*

Quand Alice ne sait pas quoi répondre, elle **improvise**. Elle invente ce qu'elle a à dire au dernier moment.

à l' **improviste**

Arriver **à l'improviste** chez quelqu'un, c'est arriver chez lui sans l'avoir prévenu.

une **imprudence** *nom féminin*

Le Petit Chaperon rouge a parlé au Loup. C'était une **imprudence**. Elle n'a pas pensé au risque, au danger. Elle n'a pas été prudente. Elle a été **imprudente**.

inadmissible *adjectif*

Pinocchio avait mal agi et Gepetto lui dit : « Ta conduite est **inadmissible**, Pinocchio, je ne peux ni l'accepter, ni l'excuser. »

inanimé *adjectif*

La Belle trouva la Bête étendue sur le sol, **inanimée**. Elle crut qu'elle était morte.

l'**inattention** *nom féminin*

Une faute d'**inattention**, c'est une faute que l'on fait parce qu'on n'a pas fait assez attention.

incapable *adjectif*

≡►►► capable

incassable *adjectif*

Un verre **incassable** ne peut pas se casser.

un **incendie** *nom masculin*

Les soldats ont mis le feu au village ! Quel **incendie** ! Tout brûle ! Vite, de l'eau !

une **incisive** *nom féminin*

≡►► dent

incliner *verbe*

C'est pencher.

incognito

Le Magicien entre au palais **incognito**, sans dire qui il est et sans que personne le reconnaisse.

incolore *adjectif*

L'eau est **incolore**. Elle n'a pas de couleur.

incompréhensible *adjectif*

Une phrase **incompréhensible**, c'est une phrase à laquelle on ne comprend rien.

incroyable *adjectif*

« Comment ce palais a-t-il pu être construit si vite ? C'est **incroyable** ! On a du mal à le croire ! » dit le Sultan.

inconnu *adjectif*

Nous avons vu au bal une princesse **inconnue**. Personne ne sait qui elle est.

indemne *adjectif*

Tu es blessé ?

Non, je n'ai rien !

Mowgli sort **indemne** de la fosse pleine de serpents. Il n'est pas blessé. Il est sain et sauf.

inconsolable *adjectif*

La princesse Badroulboudour a disparu et son père, le Sultan, est **inconsolable**. Il est très triste, il pleure et personne ne peut le consoler.

indépendant *adjectif*

Les Petits Cochons quittent la ferme. Ils veulent être **indépendants**. Ils veulent se débrouiller tout seuls, comme des grands.

un inconvénient *nom masculin*

C'est quelque chose qui gêne, qui dérange. Les Nains ne voient aucun **inconvénient** à ce que Blanche-Neige reste avec eux.

l' index *nom masculin*

⟹ doigt

incorrigible *adjectif*

Pinocchio est **incorrigible** ! Il fait sans arrêt des bêtises.

une indication *nom féminin*

⟹ indiquer

un **indice** *nom masculin*

Robin est passé par là ! Il y a des **indices** de son passage !

l' **indifférence** *nom féminin*

Au bal, le Prince regardait toutes les jeunes filles avec **indifférence**. Elles ne l'intéressaient pas. La seule qui ne lui était pas **indifférente**, c'était Cendrillon.

un **indigène**, une **indigène** *nom*

Les **indigènes**, ce sont les personnes qui vivent depuis toujours dans le pays, la région où elles habitent.

une **indigestion** *nom féminin*

Les animaux ont tellement mangé qu'ils ont une **indigestion** ! Ils ont mal au ventre, ils ne digèrent pas bien ce qu'ils ont mangé.

indiquer *verbe*

> Va tout droit et tourne à gauche.

Le Magicien **indique** à Aladin le chemin à suivre pour trouver la lampe. Il lui dit comment faire et Aladin suit les **indications** du Magicien.

 **Indiquer**, c'est aussi montrer. La petite aiguille d'une montre **indique** l'heure.

indiscret *adjectif*

⟹ discret

indispensable *adjectif*

> De bons outils ! C'est **indispensable** pour bien travailler ! On ne peut pas s'en passer.

ind...

un **individu** *nom masculin*

Les animaux voient trois **individus** en train de manger. Un **individu**, c'est une personne, n'importe laquelle.

individuel *adjectif*

Les Nains dorment dans une chambre commune. Ils n'ont pas de chambre **individuelle**. Une chambre **individuelle**, c'est une chambre pour une seule personne. ▶ Regarde aussi **collectif**.

indulgent *adjectif*

La Fée est **indulgente** avec Pinocchio, elle lui pardonne chaque fois ses bêtises. Elle n'est pas sévère. Elle est pleine d'**indulgence**.

l' **industrie** *nom féminin*

C'est l'ensemble des usines qui fabriquent des produits. L'**industrie** automobile fabrique des voitures. L'**industrie** aéronautique fabrique des avions.
Dans une zone **industrielle**, il y a beaucoup d'usines.

infect *adjectif*

Une soupe **infecte** est très mauvaise.

s' **infecter** *verbe*

Si on ne nettoie pas une blessure, elle risque de s'**infecter**. Il y a plein de microbes et cela fait encore plus mal.

inférieur *adjectif*

 supérieur

infernal *adjectif*

Dans la ville abandonnée, les singes faisaient un bruit **infernal**, terrible. Et en plus, il faisait une chaleur **infernale**, insupportable.

infini *adjectif*

Dans le ciel, il y a des étoiles en nombre **infini**. Il y a une **infinité** d'étoiles. On ne peut pas les compter.

➤ Bagheera parle à Mowgli avec une **infinie** tendresse. Elle lui parle avec une très grande tendresse.

infirme *adjectif*

Le Renard et le Chat font semblant d'être **infirmes**, l'un aveugle, l'autre boiteux.

un **infirmier**, une **infirmière** *nom*

À l'hôpital, les **infirmiers** s'occupent des malades. Ils font les piqûres, les pansements, ils donnent les médicaments.

inflammable *adjectif*

➤ enflammer

une **influence** *nom féminin*

Les camarades de Pinocchio ont une mauvaise **influence** sur lui. Ils l'entraînent à faire des bêtises. La Fée, elle, a une bonne **influence** sur Pinocchio.

une **information** *nom féminin*

À la télévision, à la radio ou dans le journal, on nous donne les **informations** du jour. On nous dit tout ce qui s'est passé dans le monde.

➤ **S'informer**, c'est se renseigner.

l' **informatique** *nom féminin*

Grâce à l'**informatique**, on peut jouer ou travailler avec les ordinateurs.

un **ingénieur** *nom masculin*

Les **ingénieurs** dirigent toutes sortes de travaux techniques ou scientifiques comme la mécanique, la chimie, la construction, l'informatique.

ingrat *adjectif*

Je vous ai sauvé la vie et voilà comment vous me remerciez ! Vous êtes bien **ingrat** !

Une personne **ingrate** ne reconnaît pas le bien qu'on lui a fait. *Mais qu'a fait le père de la Belle pour que la Bête lui parle ainsi ? Regarde page 425.*

261

un **ingrédient** *nom masculin*

C'est chacune des choses qu'on met dans un mélange. L'huile et le vinaigre sont les **ingrédients** de la vinaigrette.
Quels ingrédients faut-il pour faire des crêpes ? Pour le savoir, regarde page 132.

une **initiale** *nom féminin*

C'est la première lettre d'un mot, d'un prénom, d'un nom.

injuste *adjectif*

 juste

innocent *adjectif*

Je n'ai pas volé les tartes ! Je suis **innocent** ! Je n'ai rien fait de mal.

inoffensif *adjectif*

Mowgli sait que certains animaux sont dangereux et que d'autres sont **inoffensifs**. Les bêtes **inoffensives** ne lui feront pas de mal.

une **inondation** *nom féminin*

Il avait tellement plu que l'eau de la rivière avait recouvert les prés. Quelle **inondation** ! Tout était **inondé**.

inquiet *adjectif*

La maman de Boucle d'or est **inquiète** quand Boucle d'or part se promener. Elle a peur qu'il se passe quelque chose de dangereux. Elle **s'inquiète**. Elle est pleine d'**inquiétude**.

inscrire *verbe*

Gepetto **a inscrit** Pinocchio à l'école. Le directeur a noté, écrit son nom. Maintenant Pinocchio fait partie des élèves de l'école. Son **inscription** est faite.

Inscrire, c'est aussi écrire. Les Nains **ont inscrit** le nom de Blanche-Neige en lettres d'or sur son cercueil. Le Prince a lu cette **inscription**.

un **insecte** *nom masculin*

C'est un petit animal qui a six pattes et souvent des ailes. Les fourmis, les papillons, les abeilles, les guêpes, les grillons sont des **insectes**.

inséparable *adjectif*

Au Pays des Jouets, Pinocchio et son ami Lumignon étaient devenus **inséparables**. Ils étaient toujours ensemble.

un **insigne** *nom masculin*

C'est un petit objet, une marque, une plaque qui dit qu'on fait partie d'un groupe. Les policiers portent des **insignes** de policiers.

insister *verbe*

Surtout n'ouvre à personne !

Oui, surtout n'ouvre à personne !

Les Nains **insistent**, ils disent plusieurs fois la même chose parce que c'est important.

un **inspecteur**, une **inspectrice** *nom*

Les **inspecteurs** de police font des enquêtes, ils cherchent des indices.

installer *verbe*

Le Petit Cochon **installe** les étagères dans sa maison. Il les met en place. Quelle belle **installation** ! *Mais que va-t-il se passer ? Regarde page 143.*

un **instant** *nom masculin*

C'est un moment.
➤ À l'instant, c'est tout de suite.

l' **instinct** *nom masculin*

Mon **instinct** me dit que Shere Khan n'est pas loin ! Je le sens en moi-même.

➤ On ne prononce pas le *ct*.

un **instituteur**, une **institutrice** *nom*

À l'école, les **instituteurs** et les **institutrices** font la classe. Ce sont les maîtres et les maîtresses.

l' **instruction** *nom féminin*

« Sans **instruction**, tu ne seras rien dans la vie. » Voilà ce que dit le Grillon parlant à Pinocchio. L'**instruction**, c'est toutes les choses qu'on apprend, à l'école et dans les livres.
➤ Une personne très **instruite** sait beaucoup de choses.

un **instrument** *nom masculin*

C'est un objet qui sert à faire quelque chose. Le violon, la guitare, le piano sont des **instruments** de musique. La balance est un **instrument** de mesure.

insulter *verbe*

Tu n'es qu'un ver de terre !...

... un animal sans pattes et sans dents !

Sss ! Mais ils m'**insultent**

Les singes **insultent** Kaa, ils lui disent des **insultes**. Ce sont des mots qui vexent et qui sont méchants.

insupportable *adjectif*

Quand il était un petit garçon, Aladin était **insupportable**, il n'écoutait pas et il n'allait pas à l'école. Il n'était pas gentil.
➤ Une chaleur **insupportable**, c'est une trop grosse chaleur, qu'on a du mal à supporter.

intact *adjectif*

Au fond de la mer, la Petite Sirène a trouvé une statue **intacte**. Elle n'était ni cassée, ni abîmée.

intelligent *adjectif*

Mowgli est très **intelligent**. Il comprend vite, il n'est pas bête et Baloo le félicite pour son **intelligence**.

une intention *nom féminin*

La fermière a l'**intention** de me faire cuire ! Elle veut me faire cuire.

interdire *verbe*

Le Roi **interdit** qu'on file la laine au fuseau dans tout le royaume. On ne peut plus le faire, c'est **interdit**, défendu. Mais une vieille femme n'a pas entendu parler de cette **interdiction**.

Que va-t-il se passer ? Pour le savoir, regarde page 361.

intéresser *verbe*

Grand-mère, racontez-moi encore. Ça m'**intéresse**, c'est passionnant !

La Petite Sirène trouve que tout ce qui se passe à la surface de la terre est **intéressant**. Elle veut en savoir plus. Cela lui plaît et elle écoute avec beaucoup d'**intérêt**, d'attention.

l'intérieur *nom masculin*

⇒ extérieur

international *adjectif*

Une compétition **internationale**, c'est une compétition entre des équipes de plusieurs pays.

interpréter *verbe*

Interpréter une chanson, c'est la chanter. **Interpréter** un morceau de musique, c'est le jouer.

interroger *verbe*

Où as-tu caché tes pièces d'or ?

Le Renard et le Chat **interrogent** Pinocchio. Ils lui posent une question.

interrompre *verbe*

Lorsque l'Âne Pinocchio s'est blessé, on a **interrompu** le spectacle. On a arrêté le spectacle.

un **intervalle** *nom masculin*

Le Petit Cochon mesure l'**intervalle** entre les deux murs. C'est la distance entre les deux murs.

l' **intestin** *nom masculin*

Pendant la digestion, les aliments passent de l'estomac dans l'**intestin**. C'est une sorte de grand tube.

intimider *verbe*

Le Sultan **intimide** la mère d'Aladin. Elle n'est pas à l'aise. Elle a un peu peur. Elle est **intimidée**.

une **intrigue** *nom féminin*

L'**intrigue** d'un film, d'un livre, c'est l'histoire qu'ils racontent.

introduire *verbe*

Introduire une clé dans une serrure, c'est la mettre dans la serrure, la faire entrer dans la serrure.

introuvable *adjectif*

Mowgli a disparu ! Il est **introuvable** ! On ne le retrouve pas.

un **intrus** *nom masculin*

Il y a un **intrus** parmi les Nains ! Il y a quelqu'un qui ne devrait pas être là !

inusable *adjectif*

Un tissu **inusable** ne s'use presque pas.

inutile *adjectif*

> Personne ne pourra t'entendre. **Inutile** de crier ! Cela ne sert à rien !

> Au secours !

une invasion *nom féminin*

⟹ envahir

inventer *verbe*

C'est créer, fabriquer quelque chose qui n'existait pas avant. Gutenberg a **inventé** l'imprimerie. C'est une grande **invention** et Gutenberg était un grand **inventeur**.

Inventer, c'est aussi dire des choses qui ne sont pas vraies. Les histoires **inventées** n'existent pas.

inverse *adjectif*

Le sens **inverse**, c'est le sens opposé, le sens contraire.

invisible *adjectif*

Peu à peu, le Chat devenait **invisible**. On ne le voyait plus.

inviter *verbe*

> C'est une **invitation** pour la Duchesse.

La Reine de Cœur **invite** la Duchesse à venir jouer. Elle lui demande de venir jouer avec elle et ses autres **invités**.

irriter *verbe*

C'est mettre un peu en colère, énerver.
Irriter, c'est aussi piquer.
La fumée **irrite** les yeux et cela fait un peu mal.

isolé *adjectif*

La grand-mère du Petit Chaperon rouge habitait une maison **isolée**, à l'écart du village.
Se sentir **isolé**, c'est se sentir un peu seul.

une issue *nom féminin*

C'est une sortie. Aladin cherche une **issue** pour sortir du souterrain.

un itinéraire *nom masculin*

C'est un chemin pour aller d'un endroit à un autre.

l'ivoire *nom masculin*

C'est la matière dure et blanche des défenses d'éléphant et des dents.

ivre *adjectif*

Les soldats du Baron ont trop bu.
Ils sont **ivres**.

J j

K k

une jacinthe *nom féminin*

C'est une plante à fleurs blanches, roses ou bleues qui pousse sur une sorte de gros oignon, qu'on appelle le **bulbe**.

Boucle d'or fait pousser des **jacinthes**.

jadis

Il y avait des rois en France **jadis**, il y a très longtemps.

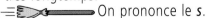 On prononce le **s**.

jaillir *verbe*

Mowgli regarde l'eau qui **jaillit** de la source. Elle sort avec force.

jaloux *adjectif*

La méchante Reine est **jalouse** de Blanche-Neige. Elle ne supporte pas qu'elle soit plus belle. Sa **jalousie** est terrible !

269

la **jambe** *nom féminin*

La Petite Sirène voudrait des **jambes** pour marcher, courir et danser !
On dit **jambe** pour tout le membre inférieur entre la hanche et le pied, mais en fait, la **jambe** va de la cheville au genou. Au-dessus, c'est la cuisse. ▶ Regarde <u>le corps</u>, page 125.

le **jambon** *nom masculin*

C'est de la viande de porc qu'on mange froide en tranches fines. Le charcutier prépare le **jambon** à partir de la cuisse du porc.

janvier

⇒ mois

un **jardin** *nom masculin*

Dans un **jardin**, il y a de l'herbe, des fleurs, des arbres. ▶ Regarde aussi **potager**.
Le **jardinier** entretient le jardin. Il fait du **jardinage**, il **jardine**.

un **jars** *nom masculin*

 oie

jaune *adjectif*

Les boutons-d'or, les jonquilles sont des fleurs **jaunes**. C'est la couleur d'un citron mûr.
Dans un œuf, il y a le blanc et le **jaune**, au milieu.
En automne, les feuilles se mettent à **jaunir**. Elles deviennent jaunes.

un **jean** *nom masculin*

C'est un pantalon de toile, le plus souvent de couleur bleue. C'est aussi le tissu lui-même.
On prononce *djinn*.

un **jet** *nom masculin*

Le jardinier a ouvert le robinet du tuyau d'arrosage, il y a un **jet** d'eau. C'est de l'eau qui jaillit et coule avec force. Il y a aussi un **jet** d'eau dans le bassin.

la **jetée** *nom féminin*

C'est une sorte de mur assez large qui avance dans la mer. ▶ Regarde **port**.

jeter *verbe*

Pinocchio voulait **jeter** le trognon de sa poire. Il voulait le mettre à la poubelle pour s'en débarrasser. *Regarde page 488 ce que va dire Gepetto.*

➤✦Jeter, c'est aussi lancer. Sur la plage, les enfants **jettent** en l'air les livres et les cahiers. Ils les lancent.

➤✦Les poissons croient que c'est de la nourriture. Ils **se jettent** sur les feuilles de papier pour les manger. Ils se précipitent pour les attraper.

un **jeu** *nom masculin*

C'est ce que l'on fait pour s'amuser, pour jouer.

➤✦Les cartes, les dominos sont des **jeux**. Ce sont des objets pour jouer.

le **jeudi** *nom masculin*

 jour

à **jeun**

Partir à l'école **à jeun**, c'est partir à l'école sans avoir mangé.

➤✦Jeûner, c'est rester un certain temps sans manger.

jeune *adjectif*

La Belle était la plus **jeune** des filles d'un riche marchand. C'était elle la moins âgée, la moins vieille.

➤✦Les **jeunes**, ce sont les enfants, les jeunes gens, les jeunes filles, tous ceux qui ne sont pas encore vieux.

➤✦Un livre pour la **jeunesse**, c'est un livre pour les jeunes.

la **joie** *nom féminin*

Quelle **joie** de te retrouver, mon enfant ! Que je suis heureux !

Le père de la Belle n'est plus triste, il est tout heureux, gai, content, **joyeux**. La Belle est toute **joyeuse** aussi.

j k

joindre _verbe_

Mowgli saute à pieds **joints** dans le ruisseau. Ses pieds se touchent, ils **se joignent**.

un **joker** _nom masculin_

C'est une carte ou un pion qui peut remplacer tous les autres à certains jeux.

joli _adjectif_

« Comme elle est **jolie**, comme elle est belle », dirent les Nains en voyant Blanche-Neige.

joncher _verbe_

La clairière est **jonchée** de petites fleurs. Il y en a beaucoup.

jongler _verbe_

Au cirque, les **jongleurs jonglent** avec des balles. Ils les lancent en l'air, ils les rattrapent et ils les relancent sans arrêt.
▶ Regarde page 106.

une **jonquille** _nom féminin_

C'est une fleur jaune qui pousse au printemps dans les bois.

la **joue** _nom féminin_

Aladin se frotte la **joue**. _Pour savoir pourquoi, regarde page 228._
━━━☆≺━Un bébé **joufflu** a des bonnes joues toutes rondes.

jouer _verbe_

Pinocchio aime beaucoup **jouer**. Il aime s'amuser, faire des jeux, c'est pour cela qu'il part au Pays des Jouets.
━━━☆≺━**Jouer** au football, au tennis, c'est faire du football, du tennis.
━━━☆≺━**Jouer** de l'accordéon, c'est faire de la musique avec son accordéon.
━━━☆≺━Au théâtre, au cinéma, les acteurs **jouent** des rôles.

un **jouet** *nom masculin*

Il y a toutes sortes de jeux et de **jouets** au Pays des Jouets. Regarde les poupées, les petites voitures, les jeux de construction.

un **joueur**, une **joueuse** *nom*

C'est une personne qui joue, à un jeu ou à un sport.

un **jour** *nom masculin*

Le matin, le soleil se lève. La nuit est finie, il fait **jour**, il fait clair. Et chaque matin, un nouveau **jour** commence. Il y a 7 **jours** dans une semaine : **lundi**, **mardi**, **mercredi**, **jeudi**, **vendredi**, **samedi** et **dimanche**. ▶ Regarde page suivante.

Le travail **quotidien**, c'est le travail de chaque jour.

un **journal** *nom masculin*

Dans le **journal**, on peut lire chaque jour ce qui se passe dans le monde. Dans les **journaux** pour enfants, il y a des histoires, des jeux et toutes sortes d'informations intéressantes.

Les **journalistes** donnent les informations dans les journaux, à la radio ou à la télévision.

la **journée** *nom féminin*

Quand il était petit, Aladin passait toute la **journée** à jouer dans la rue. Il jouait du matin au soir.

joyeux *adjectif*

La Belle était toute **joyeuse** à l'idée de retrouver son père. Elle était gaie, contente, heureuse. Elle était pleine de **joie**.

jucher *verbe*

Le Coq, **juché** sur la tête du Chat, **juché** sur le dos du Chien, **juché** sur le dos de l'Âne, regardent par la fenêtre. ▶ Regarde page 144.

le **judo** *nom masculin*

C'est un sport dans lequel deux personnes combattent en s'attrapant avec les mains, les bras ou les jambes. Ceux qui font du judo sont des **judokas**.

La sœur de Cendrillon met une robe différente
chaque jour de la semaine.

lundi   mardi   mercredi   jeudi   vendredi   samedi   dimanche

Aujourd'hui, jeudi, je mets ma robe rose.

Hier, mercredi,
elle a mis sa robe rouge.
Avant-hier, mardi,
elle avait mis sa robe
bleue.

Demain, vendredi,
elle mettra sa robe jaune.
Après-demain, samedi,
elle mettra sa robe verte.

Ce **jour-là**, jeudi, elle avait mis sa robe rose.
La **veille**, mercredi, elle avait mis sa robe rouge.
Le **lendemain**, vendredi, elle avait mis sa robe jaune.

juger *verbe*

C'est donner son opinion, dire si c'est bien ou mal. La Fée **a** bien **jugé** Pinocchio, elle sait qu'au fond c'est un bon garçon.

Juger, c'est aussi dire si un accusé est coupable ou innocent. Les **juges** dirigent les tribunaux. Le Roi de Cœur va **juger** le Valet de Cœur.

> C'est moi le **juge** ! C'est à moi de **juger** !

> Il est coupable !

> Je suis innocent !

juif *adjectif*

Le peuple **juif** vivait il y a plusieurs milliers d'années dans l'ancienne Palestine. Il a été le premier peuple à croire en un seul dieu. Dans la religion **juive**, on ne croit qu'en ce dieu unique. Les **juifs** n'ont pas cru en Jésus-Christ. C'est comme cela qu'il y a eu deux religions, la religion **juive** et la religion chrétienne, qui ont une partie d'histoire commune que la Bible raconte dans l'Ancien Testament.

juillet

 mois

juin

 mois

jumeau *adjectif*

Les frères **jumeaux** ou les sœurs **jumelles** sont des frères ou des sœurs qui ont grandi ensemble dans le ventre de leur maman et qui naissent le même jour.

des **jumelles** *nom féminin*

Les **jumelles** servent à regarder au loin. Regarde aussi **jumeau**.

une **jument** *nom féminin*

cheval

la **jungle** *nom féminin*

Mowgli a vécu dans la **jungle**. C'est un endroit où il fait chaud, humide, où il y a beaucoup d'arbres, des herbes très hautes, des broussailles et où vivent des animaux sauvages.

un **junior**, une **junior** *nom*

Les **juniors**, ce sont les jeunes.

une **jupe** *nom féminin*

C'est un vêtement de fille. Boucle d'or a déchiré sa **jupe**. ▶ Regarde page 140.

j
k

jurer *verbe*

Je vous **jure** que je reviendrai. Je vous le promets.

un **jury** *nom masculin*

Dans un concours, une compétition, le **jury** juge les concurrents. Dans les procès, le **jury** juge les accusés. Le jury est formé d'un groupe de personnes, les **jurés**.

le **jus** *nom masculin*

Quand on presse des fruits, on a du **jus** de fruits. Et quand les fruits sont très **juteux**, on a beaucoup de jus.

juste *adjectif*

Qu'est-ce qui est **juste** ?
– Un calcul quand on n'a pas fait d'erreur. 3 + 3 = 6, c'est **juste**, c'est exact, ce n'est pas faux.
– Blanche-Neige quand elle coupe le gâteau en 8 parts égales. Chacun aura la même part, elle ne fait pas de préférence. C'est **juste**, ce n'est pas **injuste**.
– Le maître de Pinocchio. Il récompense quand c'est bien, il punit quand c'est mal. Il aime la **justice**.
La **justice**, c'est aussi l'ensemble des personnes qui font respecter les lois.

Kk

kaki *adjectif*

Un tissu **kaki** est d'une couleur entre le vert et le marron. Les militaires ont souvent des uniformes **kaki**.

un **kaki** *nom masculin*

C'est un fruit qui ressemble un peu à une tomate et qui pousse dans les pays chauds.

un **kangourou** *nom masculin*

C'est un animal d'Australie qui avance en sautant. La femelle a une poche sur le ventre pour porter son bébé.

un **képi** *nom masculin*

Les gendarmes et les militaires portent souvent des **képis** sur la tête.

ne **kermesse** *nom féminin*

C'est une grande fête en plein air avec des jeux et des stands.

un **kilo** *nom masculin*

les mesures, page 309.

un **kilomètre** *nom masculin*

les mesures, page 308.

un **kiosque** *nom masculin*

C'est une petite boutique où on vend des journaux dans la rue.

un **kiwi** *nom masculin*

C'est un fruit des pays chauds, vert à l'intérieur et avec une peau marron.

klaxonner *verbe*

C'est faire du bruit avec le **Klaxon** pour avertir, quand on roule en voiture.

un **koala** *nom masculin*

C'est un petit animal d'Australie qui ressemble à un petit ours.

j
k

277

L l

un **laboratoire** *nom masculin*

Dans un **laboratoire**, on fait des recherches, des expériences.
La chambre secrète de la méchante Reine ressemblait à un **laboratoire**.
▶ Regarde page 102.

un **labyrinthe** *nom masculin*

Les couloirs des caves du château de Nottingham ressemblaient à un **labyrinthe**. On ne savait quel chemin prendre pour en sortir. ▶ Regarde page 127.

labourer *verbe*

Le paysan **laboure** la terre. Il la travaille, la retourne pour pouvoir semer et planter.

un **lac** *nom masculin*

C'est une étendue d'eau. Le **lac** est plus grand que l'étang.

un **lacet** *nom masculin*

Autrefois, on fermait les robes avec des **lacets**. Aujourd'hui, les **lacets** servent surtout à attacher les chaussures, à les **lacer**.

lâche *adjectif*

Une personne **lâche** n'a aucun courage.

lâcher *verbe*

Pinocchio **a lâché** le verre. Il l'a laissé tomber. *Qu'est-il arrivé ? Pour le savoir, regarde page 89.*

laid *adjectif*

Vous êtes belle, et moi, je sais que je suis **laide** !

Mais la Belle s'est habituée à la **laideur** de la Bête. Elle ne la trouve plus affreuse.

la **laine** *nom féminin*

C'est le poil chaud et doux de certains animaux. On tond les moutons pour avoir leur **laine**. On en fait du fil à tricoter ou des tissus. Un **lainage**, c'est un vêtement ou une étoffe en laine.

laïque *adjectif*

L'école **laïque** n'est pas religieuse.

une **laisse** *nom féminin*

C'est une corde ou une longue bande de cuir pour tenir un chien.

laisser *verbe*

Aladin **a laissé** sa lampe au palais. Il ne l'a pas prise avec lui. **Laisser** quelqu'un, c'est le quitter.

le **lait** *nom masculin*

On trait les vaches et les chèvres pour avoir leur **lait**. Les yaourts, les fromages sont des **laitages**. Ils sont faits à partir du lait, ce sont des produits **lactés**.

la **laitue** *nom féminin*

C'est une salade verte.

un **lambeau** *nom masculin*

Après la bataille, les vêtements de Petit Jean étaient tout déchirés, ils partaient en **lambeaux**, en morceaux.

une **lame** *nom féminin*

Le couteau a une **lame**. L'épée a une **lame**. Le rasoir a une **lame**. C'est la partie plate et fine qui coupe.

une **lamelle** *nom féminin*

C'est une tranche, un morceau très fin.

lamentable *adjectif*

Un temps **lamentable**, c'est un très mauvais temps.

se **lamenter** *verbe*

C'est se plaindre.

279

lam...

un **lampadaire** *nom masculin*

C'est une lampe fixée sur un grand pied.

une **lampe** *nom féminin*

Dans sa chambre, le Petit Cochon a une jolie **lampe** à côté de son lit pour avoir de la lumière, le soir. Le **pied** est en bois, l'**ampoule** en verre, et l'**abat-jour** dans un joli tissu jaune.

La **lampe** d'Aladin servait aussi à éclairer, mais c'était une lampe à huile.

une **lance** *nom féminin*

Un des brigands avait une **lance** à la main. C'est une arme très longue avec une pointe de fer au bout.

lancer *verbe*

Pinocchio **a lancé** le ballon à Lumignon. Il l'a envoyé. Lumignon va l'attraper.

la **lande** *nom féminin*

C'est une région plate où ne poussent que des herbes et des plantes sauvages.

le **langage** *nom masculin*

Tu viens jouer ?

Il n'a pas l'air de comprendre.

Mowgli a été élevé dans la jungle. Il ne comprend pas le **langage** des hommes. Il ne comprend pas ce qu'ils disent.

une **langouste** *nom féminin*

La **langouste** ressemble au homard, mais elle n'a pas de pinces. La **langoustine**, beaucoup plus petite, a des petites pinces. ▶ Regarde page 249.

la **langue** *nom féminin*

Tire ta **langue** !

La Sorcière va couper la **langue** de la Petite Sirène. Elle ne pourra plus parler. Une **langue**, c'est aussi l'ensemble des mots qui servent à parler. Le français, l'anglais sont des **langues**.

une **lanière** *nom féminin*

C'est une longue bande de cuir ou de tissu. Les chaussures de Robin étaient attachées par des **lanières**. ▶ Regarde page 72.

une **lanterne** *nom féminin*

Sur la façade de l'auberge, il y a deux **lanternes** allumées. ▶ Regarde page 199.

laper *verbe*

Les chats **lapent** leur lait. Ils le boivent à petits coups de langue.

un **lapin** *nom masculin*

« Quel drôle de **lapin** ! » se dit Alice. Les vrais **lapins** sont des petits animaux rongeurs. Ils ont de grandes oreilles, un poil tout doux, une toute petite queue et ils courent très vite.
Quand le lapin crie, on dit qu'il **glapit**. La femelle est une **lapine** et le petit un **lapereau**.

un **laquais** *nom masculin*

C'était un valet, un serviteur en habit. La Fée changea les lézards en **laquais**.

281

le **lard** *nom masculin*

C'est le gras entre la peau et la chair du porc.

Un **lardon**, c'est un petit morceau de lard avec un peu de chair.

large *adjectif*

La veste n'est pas assez **large**. Il faut plus de **largeur**.

Élargir, c'est rendre plus large.

le **large** *nom masculin*

Les sirènes nagent vers le **large**. Elles vont loin de la côte, vers la pleine mer.

une **larme** *nom féminin*

Quand on pleure, des **larmes** coulent de nos yeux. ▶ Regarde page 366.

un **laser** *nom masculin*

C'est un appareil qui envoie un rayon de lumière très fin. Grâce à cet appareil, on peut par exemple lire des disques ou découper du métal.

On prononce le *r*.

lasser *verbe*

Ne pas **se lasser** d'un film, c'est avoir toujours envie de le voir et de le revoir.

un **lavabo** *nom masculin*

On se lave les mains, le visage dans un **lavabo**.

la **lavande** *nom féminin*

C'est une plante aux petites fleurs bleues très parfumées. On en fait du parfum.

laver *verbe*

C'est nettoyer avec de l'eau, du savon, de la lessive ou un autre produit.

Le **lave-vaisselle**, le **lave-linge** sont des machines à laver la vaisselle ou le linge.

lécher *verbe*

Après le combat contre les singes, Baloo et Bagheera **lèchent** leurs blessures. Ils passent leur langue sur leurs blessures.

la **leçon** *nom féminin*

C'est ce qu'on doit apprendre.

la **lecture** *nom féminin*

La Belle aime la **lecture**. Elle aime lire.
➤Un **lecteur**, une **lectrice**,
c'est une personne qui lit.

la **légende** *nom féminin*

C'est une histoire inventée qu'on
raconte depuis très longtemps dans
un pays ou une région.
➤Dans les livres, les
légendes expliquent ce qu'il y a dans
les images.

léger *adjectif*

Ce qui est **léger** ne pèse pas beaucoup.
C'est facile à porter. Ce n'est pas lourd.
▶ Regarde page 290.
➤Un vent **léger**, c'est un
petit vent.

un **légume** *nom masculin*

Les poireaux, les carottes, les choux sont
des **légumes**. Ce sont des plantes que
l'on mange.

le **lendemain** *nom masculin*

 jour

lent *adjectif*

Ce que tu es **lent** !
Quelle **lenteur** !

Le Magicien trouve qu'Aladin marche
trop **lentement**. Il ne marche pas assez
vite.

une **lentille** *nom féminin*

C'est une plante qui donne des petites
graines rondes et plates que l'on
mange.

un **léopard** *nom masculin*

C'est une panthère d'Afrique avec des
taches jaunes et noires.

la **lessive** *nom féminin*

C'est un produit pour laver le linge.
➤Faire la **lessive**, c'est
laver le linge.

une **lettre** *nom féminin*

Les Nains écrivent le nom de Blanche-Neige en **lettres** d'or.
Les **lettres** servent à écrire les mots.
◆━━━━☆⟸Une **lettre**, c'est aussi un texte qu'on écrit à quelqu'un et qu'on lui envoie, dans une enveloppe.

lever *verbe*

Lever les yeux, c'est regarder vers le haut.
◆━━━━☆⟸**Se lever**, c'est se mettre debout ou sortir du lit.
◆━━━━☆⟸Quand le soleil **se lève**, c'est le matin, il va bientôt faire jour.

une **lèvre** *nom féminin*

On a deux **lèvres** autour de la bouche, la **lèvre** supérieure et la **lèvre** inférieure.

un **lézard** *nom masculin*

C'est un petit reptile. Il a quatre pattes et une longue queue. *En quoi la Fée de Cendrillon transforme-t-elle les lézards ? Pour le savoir, regarde page 281.*

une **liane** *nom féminin*

Les singes se balancent sur des **lianes**. Ce sont de très longues tiges souples de plantes qui s'accrochent aux arbres.
▶ Regarde page 54.

une **libellule** *nom féminin*

C'est un insecte qui vit au bord de l'eau. La **libellule** a quatre grandes aile transparentes.

libérer *verbe*

Hansel était enfermé dans une cabane. Gretel l'**a libéré**. Elle l'a délivré, il est dehors, il est libre.

une **librairie** *nom féminin*

C'est un magasin où on vend des livres. Le **libraire** et la **libraire** tiennent la librairie.

libre *adjectif*

Je suis libre ! Vive la liberté !

Hansel est **libre**. Il n'est plus prisonnier. Il peut aller où il veut.
◆━━━━☆⟸Une place **libre**, c'est une place qui n'est pas occupée, qui n'est pas prise.

un **libre-service** *nom masculin*

Dans un **libre-service**, on se sert soi-même et on paie à la caisse après.

une **licorne** *nom féminin*

Il y avait une **licorne** sur la tapisserie du château. C'est un animal avec un corps de cheval et une grande corne sur le front. Mais les **licornes** n'existent que dans les légendes.

lier *verbe*

Les brigands ont pris Pinocchio et ils lui **ont lié** les mains dans le dos. Ils lui ont attaché les mains avec un **lien**. La corde, la ficelle, les lacets sont des **liens**.
➤◆〰**Se lier** d'amitié avec quelqu'un, c'est devenir son ami.

le **lierre** *nom masculin*

C'est une plante qui pousse en s'accrochant aux murs.

le **lieu** *nom masculin*

La Petite Sirène est née dans la mer. C'est son **lieu** de naissance. C'est là où elle est née.

une **lieue** *nom féminin*

Autrefois, on comptait les distances en **lieues**, pas en kilomètres. On raconte que les bottes de sept **lieues** permettaient de faire sept **lieues** en une seule enjambée.

un **lièvre** *nom masculin*

C'est une sorte de gros lapin sauvage.

une **ligne** *nom féminin*

C'est un trait droit et fin. Sur son cahier, Pinocchio écrit sur les **lignes**.
➤◆〰C'est aussi une suite de mots écrits les uns à côté des autres.

ligoter *verbe*

Robin **a ligoté** son prisonnier. Il l'a attaché bien serré avec une corde.

le **lilas** *nom masculin*

C'est un petit arbre qui donne des fleurs blanches ou mauves qui sentent très bon.

lim...

une **limace** *nom féminin*

Les limaces ont un corps tout mou.
Elles avancent en rampant.

limer *verbe*

C'est frotter avec une lime pour
raccourcir ou rendre moins épais.

une **limite** *nom féminin*

La limite d'un champ, c'est là où le
champ se termine.
Sur la route, la vitesse
est limitée à 90 km/h. On ne peut pas
aller plus vite que 90 kilomètres à
l'heure.

limpide *adjectif*

Quand l'eau est limpide, elle est claire
et transparente.

le **linge** *nom masculin*

Le linge des Nains sèche au soleil. Il y a des serviettes
de toilette, des maillots, des chaussettes.

un **lion** *nom masculin*

C'est un grand animal sauvage
d'Afrique. C'est un fauve. On dit que
le lion est le roi des animaux. Quand il
crie, le lion rugit. Sa femelle, la lionne,
n'a pas de crinière. Les lionceaux sont
leurs petits.

une **liqueur** *nom féminin*

C'est une boisson sucrée, avec de
l'alcool.

liquide *adjectif*

Ce qui est liquide coule. L'eau est
liquide. Les larmes sont liquides.

286

lire *verbe*

C'est reconnaître et comprendre ce qui est écrit. La Belle aime **lire** des livres, elle aime la lecture.
Une écriture **lisible** est facile à lire. Une écriture **illisible** est impossible à lire.

la **lisière** *nom féminin*

La **lisière** de la forêt, c'est le bord, la limite de la forêt.

lisse *adjectif*

Une pierre **lisse** est toute douce à toucher. Rien n'accroche.

une **liste** *nom féminin*

Peux-tu faire la **liste** de tout ce que Blanche-Neige a lavé ? Peux-tu dire tout ce qu'elle a lavé ? *Regarde la page d'à côté.*

un **lit** *nom masculin*

Boucle d'or s'est endormie sur le **lit** de Petit Ours.
Le **lit** d'une rivière, c'est le creux dans le sol où l'eau coule.

une **litière** *nom féminin*

C'est la paille sur laquelle les animaux se couchent.
La **litière**, c'est aussi le sable qu'on met dans la caisse du chat.

un **litre** *nom masculin*

les mesures, page 309.

la **littérature** *nom féminin*

Les contes, les légendes, les romans font partie de la **littérature**. Ce sont des œuvres écrites.

un **livre** *nom masculin*

Il y a beaucoup de **livres** dans la bibliothèque du château : des gros avec beaucoup de pages et des petits avec moins de pages. La Belle aime les lire.
▶ Regarde page 283.

livrer *verbe*

On **livre** à la sœur de Cendrillon les sept robes qu'elle a commandées.
Que va-t-elle en faire ? Regarde page 274.

un **locataire**, une **locataire** *nom*

Les **locataires** louent l'appartement ou la maison qu'ils habitent. Ils sont en **location**. ▶ Regarde aussi **louer**.

une **locomotive** *nom féminin*

Les **locomotives** tirent les wagons des trains. ▶ Regarde page 483.

loger *verbe*

Les trois Petits Cochons **logeaient** à la ferme, ils y habitaient. Mais ils voulaient un **logis** bien à eux. C'est pour cela qu'ils sont partis construire leurs maisons.

Se loger, c'est trouver un endroit pour habiter, une maison, un appartement, un **logement**.

un **logiciel** *nom masculin*

C'est un programme pour les ordinateurs.

logique *adjectif*

Maman Ours est plus grande que Petit Ours. Papa Ours est plus grand que Maman Ours. Donc Papa Ours est plus grand que Petit Ours. C'est **logique** !

la **loi** *nom féminin*

La **loi** dit ce qu'on a le droit de faire et ce qu'on n'a pas le droit de faire. La justice est chargée de faire respecter la **loi**.

loin

où ? page 339.

un **loir** *nom masculin*

C'est un petit animal rongeur qui dort tout l'hiver. Il y a un **loir** dans l'histoire d'Alice. *Que fait le Chapelier pour le réveiller ? Regarde page 360.*

long *adjectif*

Boucle d'or porte une jupe courte. Sa maman porte une juge **longue**, qui descend jusqu'à la cheville. ▶ Regarde page 129.

Être long, c'est aussi durer longtemps. Un film **long** dure plus longtemps qu'un film court.

longer *verbe*

Une route qui **longe** la rivière suit le bord de la rivière.

longtemps

Ce qui dure **longtemps** dure beaucoup de temps.

la longueur *nom féminin*

Le Petit Cochon mesure la **longueur** de sa maison. Cela fait 4 mètres.
➤✹ La **longueur** d'un film, c'est le temps qu'il dure.

un losange *nom masculin*

➤ les formes et les figures, page 215.

un lot *nom masculin*

C'est ce que l'on gagne à un jeu, à une loterie, à une tombola.

la loterie *nom féminin*

C'est un jeu de hasard. On joue un numéro. Si ce numéro est tiré au sort, on gagne.

une louche *nom féminin*

Maman Ours sert la soupe avec une **louche**. ▶ Regarde page 452.

loucher *verbe*

Quand on **louche**, les deux yeux ne regardent pas dans la même direction.

louer *verbe*

Louer un vélo, c'est payer pour l'avoir un certain temps. **Louer** une maison, un appartement, c'est y habiter en payant chaque mois un **loyer**. Celui qui loue est **locataire**. Il n'est pas propriétaire.

un loup *nom masculin*

Mowgli fut élevé avec les **loups**. Les **loups** ressemblent à de grands chiens. La femelle est une **louve**, le petit est un **louveteau**. Quand il crie, on dit que le loup **hurle**.

une loupe *nom féminin*

Avec une **loupe**, on voit plus gros.

lourd *adjectif*

La paille est plus légère !

Ces briques sont **lourdes** !

Ce qui est **lourd** pèse plus que ce qui est léger.

le loyer *nom masculin*

 louer

une lueur *nom féminin*

C'est une lumière qui n'éclaire pas beaucoup. Autrefois, on lisait à la **lueur** des bougies.

une luge *nom féminin*

L'hiver, les enfants font de la **luge**. Ils glissent sur la neige en riant.

lugubre *adjectif*

La nuit, le château du Baron était **lugubre**. Il était triste et inquiétant, il était sinistre.

luire *verbe*

C'est briller. Quand le soleil **luit**, il fait très beau.

la lumière *nom féminin*

Le soleil, les lampes électriques, les bougies, les flammes donnent de la **lumière**. On peut voir clair. Ce qui est **lumineux** donne de la lumière. La nuit, on voit les enseignes **lumineuses** des magasins.

le lundi *nom masculin*

jour

la lune *nom féminin*

C'est un astre qui tourne autour de la Terre. On la voit la nuit dans le ciel.

Les loups se réunissaient à la pleine **lune**.

Être dans la lune, c'est penser à autre chose.

es **lunettes** *nom féminin*

Le Roi de Cœur met ses **lunettes** pour mieux voir.

un **lustre** *nom masculin*

Il y avait un énorme **lustre** avec mille lumières dans la salle de bal du château.

un **lutin** *nom masculin*

Dans les récits, les **lutins** font des farces. Ce sont des petits êtres imaginaires.

lutter *verbe*

Bagheera, Baloo et Kaa **luttent** contre les singes pour délivrer Mowgli. Ils se battent, ils combattent. Et la **lutte** est difficile. Une **lutte**, c'est un combat.

le **luxe** *nom masculin*

Les sœurs de la Belle aiment le **luxe**. Elles aiment les choses qui coûtent cher. Elles aiment les choses **luxueuses**.

un **lycée** *nom masculin*

C'est une école. En France, les enfants vont au **lycée** après le collège, vers 15 ans.

Mm

mâcher *verbe*

C'est écraser entre les dents. On **mâche** les aliments avant de les avaler.

une **machine** *nom féminin*

La **machine** à laver sert à laver le linge. La **machine** à coudre sert à coudre. Les **machines** agricoles servent à travailler la terre. Les **machines** sont des appareils.

une **mâchoire** *nom féminin*

On a deux **mâchoires**, la **mâchoire** supérieure où sont plantées les dents du haut et la **mâchoire** inférieure où sont plantées les dents du bas.
Le Requin a vraiment des **mâchoires** effrayantes !

un **maçon** *nom masculin*

Le Petit Cochon construit sa maison de briques comme s'il était un vrai **maçon**.

madame

« Bonjour **mesdames**, bonjour **mesdemoiselles**, bonjour **messieurs** », dit le Roi à la cour.
On dit **madame** à une femme, **mademoiselle** à une jeune fille et **monsieur** à un homme.

un **magasin** *nom masculin*

Dans un **magasin** de vêtements, on vend des vêtements. Dans un **grand magasin**, on vend toutes sortes de choses.

un **magazine** *nom masculin*

C'est un journal, une revue avec des images, des photos, des reportages et toutes sortes d'informations.

la **magie** *nom féminin*

Au cirque, les **magiciens** font des tours de **magie**.

On raconte que les fées et les sorcières ont des pouvoirs **magiques**. Elles font des choses extraordinaires.

un **magnétophone** *nom masculin*

Avec un **magnétophone**, on peut enregistrer des voix, de la musique, pour les écouter après.

un **magnétoscope** *nom masculin*

Avec un **magnétoscope**, on peut enregistrer des films, des émissions de télévision, pour les voir après.

magnifique *adjectif*

Ce château est **magnifique** !

Oui, il est vraiment très beau. Il est splendide, merveilleux !

mai

mois

maigre *adjectif*

Tu n'as que la peau sur les os !

La Sorcière trouve Hansel trop **maigre**. Elle veut qu'il grossisse avant de le manger.

Maigrir, c'est perdre du poids et de la graisse.

m

une **maille** nom féminin

Quand on tricote, on fait des **mailles** avec le fil de laine.

un **maillot** nom masculin

Pour nager, on met un **maillot** de bain.
➤ Un **maillot**, c'est aussi un vêtement léger qu'on porte sur le haut du corps.

la **main** nom féminin

Avec la **main**, on peut toucher, prendre, manipuler. *Connais-tu le nom des doigts de la main ? Regarde page 159.*

maintenant

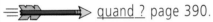 quand ? page 390.

la **mairie** nom féminin

C'est la maison, le bâtiment où il y a les bureaux du **maire**, qui dirige la commune.

le **maïs** nom masculin

C'est une céréale aux gros grains jaunes très serrés. Avec les grains du **maïs**, on fait du **pop-corn**.

une **maison** nom féminin

Le Prince s'arrête devant la **maison** des Nains. C'est là qu'ils habitent.

le **maître**, la **maîtresse** nom

À l'école, le **maître** fait la classe, c'est l'instituteur, le professeur.
➤ Le **maître**, c'est aussi celui qui dirige, commande. Les chiens obéissent à leur **maître**.

majesté

On dit « Votre **Majesté** » à un roi ou à une reine.

mal

Ce qui est **mal** n'est pas bien, pas correct, pas juste.
➤ Avoir **mal** au ventre, c'est souffrir du ventre.

malade adjectif

Pinocchio a de la fièvre, il se sent mal, il est **malade**. Mais il n'a pas de **maladie** grave. *Que va faire la Fée ? Pour le savoir, regarde page 170.*

maladroit *adjectif*

Pinocchio a fait tomber son verre. Qu'il est **maladroit** ! Quelle **maladresse** !

un mâle *nom masculin*

Père Loup est un **mâle**. Mère Louve est une **femelle**.

un malfaiteur *nom masculin*

Les brigands, les voleurs sont des **malfaiteurs**.

le malheur *nom masculin*

Blanche-Neige est morte !

Quel **malheur** ! Quel drame ! Quelle tristesse !

Les Nains sont **malheureux**, ils sont tristes, ils pleurent.

malheureusement

Gepetto est tombé dans l'eau. **Malheureusement**, il ne sait pas nager. Ce n'est pas de chance.

malhonnête *adjectif*

Les voleurs sont **malhonnêtes**. Ils ne sont pas honnêtes.

malin *adjectif*

Hansel a pensé à jeter des cailloux blancs pour retrouver son chemin. Il a été **malin**, astucieux, débrouillard. Gretel aussi est **maligne**, elle a réussi à faire entrer la Sorcière dans le four !

une malle *nom féminin*

La Belle trouva une **malle** pleine de robes dans sa chambre.

malpoli *adjectif*

 poli

maltraiter *verbe*

Mangefeu, le directeur du Théâtre des Marionnettes, est très sévère mais il ne **maltraite** pas sa troupe. Il ne fait de mal à personne.

la maman *nom féminin*

C'est la mère.

une mamelle *nom féminin*

Les bébés loups tétaient les **mamelles** de leur mère. ▶ Regarde page 476.

un mammifère *nom masculin*

Le chien, le cheval, la baleine sont des **mammifères**. Les femelles ont des mamelles pour nourrir leurs petits.

le **manche** *nom masculin*

On tient le couteau, le marteau ou le balai par le **manche**.

la **manche** *nom féminin*

C'est la partie du vêtement qui couvre le bras.

une **mandarine** *nom féminin*

Les **mandarines** sont plus petites et plus douces que les oranges. Les **clémentines** sont des sortes de mandarines avec une peau toute fine.

un **manège** *nom masculin*

Quel beau manège !

manger *verbe*

Le Loup veut **manger** le Petit Chaperon rouge. La Sorcière veut **manger** Hansel et Gretel. L'Ogresse veut **manger** la petite Aurore. Le Pêcheur veut **manger** Pinocchio. Mais les gens normaux **mangent** de la viande, des légumes, des fruits, des céréales pour se nourrir !

une **manie** *nom féminin*

Le Lapin Blanc regardait tout le temps sa montre. Quelle drôle de **manie** ! Il le faisait très souvent, et sans s'en rendre compte.

une **manière** *nom féminin*

Sais-tu de quelle **manière** Hansel et Gretel ont pu retrouver leur chemin ? Sais-tu comment ? Sais-tu de quelle façon ? *Pour le savoir, regarde page 81.*

manquer *verbe*

Tout le monde n'est pas là. Il **manque** quelqu'un ici ! **Manquer** l'école, c'est ne pas y aller. **Manquer** le bus, c'est le rater.

un **manteau** *nom masculin*

Il fait froid. Les hommes et les femmes portent des **manteaux** par-dessus leurs autres vêtements.

une **maquette** *nom féminin*

Lumignon construit une **maquette** d'hélicoptère.

maquiller *verbe*

Les sœurs de Cendrillon **se maquillent** pour aller au bal. Elles mettent du noir sur leurs yeux, du rouge sur leurs lèvres. Elles ont beaucoup de produits de **maquillage**.

un **marais** *nom masculin*

Ce sont des terres couvertes d'eau peu profonde. Il y a souvent des roseaux au bord des **marais**.

le **marbre** *nom masculin*

C'est une belle pierre dure et chère. On en fait des statues, des escaliers, des sols.

un **marchand**, une **marchande** *nom*

Les **marchands** vendent leurs produits au marché. Aladin achète des oranges à la **marchande** de fruits.

une **marchandise** *nom féminin*

Toutes les choses qu'on achète ou qu'on vend sont des **marchandises**.

une **marche** *nom féminin*

Pour monter ou descendre un escalier, on pose les pieds sur les **marches**.
Qu'est-ce qui est resté sur une marche de l'escalier du château du Prince ? Pour le savoir, regarde page 152.

le **marché** *nom masculin*

Aladin est au **marché**. Il va acheter toutes sortes de choses aux marchands.

Voyez mes belles oranges !

Regardez mes beaux paniers !

Achetez mes beaux légumes !

297

marcher *verbe*

Tu n'as qu'à mettre un pied devant l'autre !

Gepetto apprend à **marcher** à Pinocchio.

 Marcher, c'est aussi fonctionner. Quand le moteur **marche**, il tourne. Quand la lampe **marche**, elle est allumée.

le **mardi** *nom masculin*

⟹ jour

une **mare** *nom féminin*

C'est une petite étendue d'eau. Les canards nagent dans la **mare**.

la **marée** *nom féminin*

C'est le mouvement de la mer. À **marée** basse, on ramasse des coquillages sur la plage qui est grande. À **marée** haute, l'eau recouvre une grande partie de la plage.

une **marguerite** *nom féminin*

C'est une fleur aux pétales blancs et au cœur jaune.

un **mari** *nom masculin*

Le Prince va épouser Blanche-Neige. Il sera son **mari**. Elle sera sa femme.

marier *verbe*

Vive les mariés !

Le Prince et Blanche-Neige **se marient**. Ils deviennent mari et femme. Quel beau **mariage** ! Tout le monde est heureux !

un **marin** *nom masculin*

Les **marins** travaillent sur les bateaux.
Ils naviguent en mer.

une **marionnette** *nom féminin*

On fait bouger les **marionnettes** avec
les mains ou en tirant des ficelles.
▶ Regarde page 138.

une **marmite** *nom féminin*

Le Loup tombe dans la **marmite** de
soupe.

une **marmotte** *nom féminin*

Les **marmottes** vivent
dans la montagne.
Elles ont
une belle
fourrure.

une **marque** *nom féminin*

Robin a fait une **marque** sur ses flèches
pour les reconnaître. Il les **a marquées**
de deux traits.
Une **marque**, c'est aussi
une trace. Si on met ses doigts sales sur
le mur, cela fait des **marques**.
La **marque** d'une
voiture, d'un vêtement, d'une boisson,
c'est le nom de la société qui les
fabrique.

marquer *verbe*

C'est écrire, noter quelque chose, ou
laisser une marque, une trace.

une **marraine** *nom féminin*

La Belle au bois dormant a eu sept fées
pour **marraines**.
Dans la religion chrétienne, la **marraine**
et le **parrain** présentent l'enfant au
baptême. L'enfant est leur **filleul** ou
leur **filleule**.

marron *adjectif*

La couleur **marron**, c'est la couleur
brun foncé des fruits du marronnier.

un **marronnier** *nom masculin*

C'est un grand arbre qui donne
des **marrons**.

m

mars

⟹ mois

un **marteau** *nom masculin*

C'est un outil pour enfoncer les clous.
▶ Regarde page 109.

masculin *adjectif*

Hansel est un prénom **masculin**, c'est un prénom de garçon, d'homme.
Gretel est un prénom **féminin**, c'est un prénom de fille, de femme.

un **masque** *nom masculin*

Lumignon porte un **masque**.
Il est **masqué** pour qu'on ne le reconnaisse pas.

une **masse** *nom féminin*

C'est une grosse quantité de matière, de choses ou de personnes.

un **mât** *nom masculin*

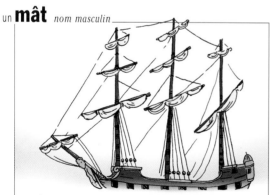

Le bateau du Prince a trois mâts, ce sont les hautes barres qui portent les voiles.
⟹ On ne prononce pas le *t*.

un **match** *nom masculin*

Dans un **match** de football, une équipe joue contre une autre équipe.
Dans un **match** de tennis, un joueur joue contre un autre, ou deux joueurs jouent contre deux autres.

un **matelas** *nom masculin*

Blanche-Neige va mettre des draps sur son **matelas**. Le **matelas** est sur le **sommier** du lit.

un **matelot** *nom masculin*

C'est un marin.

le **matériel** *nom masculin*

C'est tout ce qui est utile pour faire quelque chose. Pour bricoler, il faut du bon **matériel** : marteau, clous, scie, tournevis, vis.

maternel *adjectif*

L'école **maternelle**, c'est la première école, pour les petits, avant l'école élémentaire.
⟹ La langue **maternelle**, c'est la langue que l'on parle quand on est tout petit avec ses parents.
⟹ Regarde aussi **mère**.

les **mathématiques** *nom féminin*

À l'école, Alice était très bonne en **mathématiques**. Elle était bonne en **calcul** et en **géométrie**. Elle savait compter et elle connaissait toutes les figures : le carré, le rond, le rectangle.

la **matière** *nom féminin*

Le bois, la pierre, le métal, le verre, le tissu, le papier sont des **matières**. On en fait des objets.

Dans un livre, la **table des matières** donne les pages de toutes les parties du livre.

le **matin** *nom masculin*

C'est le début du jour, quand le soleil se lève, et la première partie de la journée, avant midi. *À quelle heure les Nains se lèvent-ils le matin ? Pour le savoir, regarde page 246.*

la **matinée** *nom féminin*

C'est tout le matin. Blanche-Neige passait la **matinée** à ranger la maison.

mauvais *adjectif*

Pouah ! Que c'est **mauvais** ! Ce n'est pas bon du tout !

Boucle d'or trouve la soupe très mauvaise. Elle n'a pas bon goût.
Être **mauvais**, c'est aussi être méchant.

mauve *adjectif*

Une fleur **mauve** est violet pâle.

le **maximum** *nom masculin*

Aladin emporte le **maximum** de pierres dans ses poches. Il en emporte le plus possible.

la **mayonnaise** *nom féminin*

C'est une sauce froide épaisse et jaune clair que l'on fait avec des œufs, de la moutarde et de l'huile.

la **mécanique** *nom féminin*

Pour réparer les machines, il faut connaître la **mécanique**, il faut savoir comment les machines marchent. Les **mécaniciens** le savent.

méchant *adjectif*

La Reine est **méchante**, elle veut faire du mal à Blanche-Neige. Quelle **méchanceté** !

une **mèche** *nom féminin*

Cendrillon brosse les cheveux de sa sœur **mèche** par **mèche**.

une **médaille** *nom féminin*

Le Prince porte des **médailles**. Ce sont des récompenses pour ses victoires à la guerre.

—Une **médaille**, c'est aussi un petit bijou plat qu'on porte accroché à un collier ou à un bracelet.

un **médecin** *nom masculin*

Les **médecins** soignent les malades. Ils ont fait des études de **médecine**. On les appelle **docteurs**.

un **médicament** *nom masculin*

Pinocchio doit prendre son **médicament** pour guérir. Les **sirops**, les **cachets**, les **comprimés**, les **ampoules**, les **gouttes** sont des formes de médicaments.

une **méduse** *nom féminin*

Attention, il y a des **méduses** ! Elles peuvent te piquer.

se **méfier** *verbe*

Méfie-toi de Shere Khan. Il te veut du mal !

Mowgli ne doit pas faire confiance à Shere Khan, il doit rester **méfiant**.

meilleur *adjectif*

Le Petit Chaperon rouge trouve que sa tartine est bonne, mais elle serait encore **meilleure** avec de la confiture.

mélanger *verbe*

La Sorcière de la mer **a mélangé** toutes sortes de choses dans son chaudron. Elle les a mises ensemble, et elle remue le tout. À quoi va servir ce **mélange** ?
Pour le savoir, regarde page 376.

une **mélodie** *nom féminin*

La Petite Sirène chante une jolie **mélodie**. C'est un air de musique. Sa voix est **mélodieuse**. Elle est agréable à entendre.

un **melon** *nom masculin*

C'est un gros fruit rond. Sa chair est orange.

un **membre** *nom masculin*

Les **membres** d'un groupe, ce sont les personnes qui font partie de ce groupe.
➤★ Les **membres** du corps, ce sont les bras et les jambes pour l'homme, les pattes pour les animaux.

la **mémoire** *nom féminin*

Si on a de la **mémoire**, on se souvient de beaucoup de choses. Si on n'a pas de **mémoire**, on oublie tout.
➤★ La **mémoire** d'un ordinateur permet de conserver beaucoup d'informations.

menacer *verbe*

Si tu ne fais pas tout ce qu'on te demande, tu seras privée de dîner !

Les sœurs de Cendrillon la **menacent**. Mais Cendrillon n'est pas effrayée par ces **menaces**.

le **ménage** *nom masculin*

Cendrillon faisait le **ménage**. Elle nettoyait la maison.

m

303

men...

mendier *verbe*

> Je n'ai rien à manger, donne-moi quelques os !

Tabaqui, le chacal, **mendie** quelques os à Père Loup.

Dans les rues, les **mendiants** demandent de l'argent aux passants. Ils **mendient**.

mener *verbe*

Les animaux ont pris la route qui **mène** à Brême. Cette route va à Brême, elle conduit à Brême.

Dans un match, celui qui **mène** est en train de gagner.

un **mensonge** *nom masculin*

≡➤ mentir

mensuel *adjectif*

≡➤ mois

mental *adjectif*

Alice était forte en calcul **mental**. Elle savait calculer dans sa tête.

la **menthe** *nom féminin*

C'est une plante qui a un goût et un parfum très frais et très forts. On utilise ses feuilles et ses fleurs pour parfumer les bonbons, les boissons, les plats.

mentir *verbe*

> J'ai perdu mes pièces d'or !

> Tu **mens**, Pinocchio !

Pinocchio ne dit pas la vérité. Il dit un **mensonge** et son nez s'allonge !
Un **menteur**, une **menteuse**, c'est une personne qui ment souvent.

le **menton** *nom masculin*

C'est le bas du visage, sous la bouche.

le **menu** *nom masculin*

C'est la liste des plats d'un repas.

un **menuisier** *nom masculin*

Le père La Cerise était **menuisier**.
Il travaillait le bois pour en faire des meubles, des portes, des étagères.
Il faisait de la **menuiserie**.

mépriser *verbe*

> Vous m'avez oubliée ! Quel **mépris** ! Pour qui me prenez-vous ?

La vieille Fée pense qu'on la **méprise**, qu'on n'a aucun respect pour elle. Que va-t-elle faire pour se venger ? *Pour le savoir, regarde page 449.*

la **mer** *nom féminin*

C'est une immense étendue d'eau salée.

Trouve deux mots qui se prononcent de la même façon. L'un est sur cette page, l'autre au mot mairie.

merci

> Quels beaux habits ! **Merci** beaucoup !

Le Magicien a offert de magnifiques habits à Aladin et Aladin lui dit **merci**, il le **remercie**.

le **mercredi** *nom masculin*

 jour

la **mère** *nom féminin*

C'est la femme qui donne naissance à un enfant.

L'amour **maternel**, c'est l'amour d'une **mère** pour ses enfants.

Trouve deux mots qui se prononcent de la même façon. L'un est sur cette page, l'autre au mot mairie.

mériter *verbe*

« Cendrillon travaille dur. Elle **mérite** bien d'aller au bal ! Elle y a droit ! » Voilà ce que pense la Fée.

un **merle** *nom masculin*

C'est un oiseau noir au bec jaune qui siffle très bien.

une **merveille** *nom féminin*

Le château du Roi de la mer est une vraie **merveille**. Il est très beau, il est **merveilleux**, splendide.

Aladin a une lampe **merveilleuse**, c'est une lampe magique. Dans les histoires **merveilleuses**, il se passe toutes sortes de choses extraordinaires.

m

305

un **message** *nom masculin*

As-tu vu Robin ? T'a-t-il donné un **message** pour moi ? T'a-t-il dit quelque chose pour moi ?

Autrefois, les **messagers** portaient les **messages**. Aujourd'hui, on peut laisser des **messages** sur les répondeurs des téléphones.

mesurer *verbe*

Petit Ours **mesure** moins que Papa Ours. Il est plus petit.

Mesurer, c'est aussi prendre les **mesures**, les dimensions de quelque chose. Pour construire sa maison, le Petit Cochon **mesure** tout.
▶ Regarde page 308.

le **métal** *nom masculin*

C'est une matière. Le fer, l'acier, l'argent et l'or sont des **métaux**.

la **météo** *nom féminin*

À la radio ou à la télévision, la **météo** nous dit le temps qu'il va faire.
C'est un mot plus court que le mot exact : *météorologie*.

une **méthode** *nom féminin*

C'est une manière de faire quelque chose. Le maître de Pinocchio avait une bonne **méthode** pour apprendre à lire à ses élèves.

un **métier** *nom masculin*

C'est le travail que l'on fait pour gagner sa vie. Le père La Cerise était menuisier. Le père d'Aladin était tailleur. Menuisier, tailleur, électricien, plombier, ingénieur, informaticien sont des noms de **métiers**. On dit aussi **profession**.

un **mètre** *nom masculin*

les mesures, page 308.

le **métro** *nom masculin*

Dans les grandes villes, on peut prendre le **métro** pour aller d'un endroit à un autre. C'est un train qui roule en général dans des souterrains.

un **mets** *nom masculin*

La Bête a fait servir à la Belle les **mets** les plus délicieux et les vins les plus fins. Le dîner était délicieux.
Il y a toujours un *s* à la fin du mot.

mettre *verbe*

Où **as**-tu **mis** mon collier ? Où l'**as**-tu posé ?

Attends ! Je **mets** ma robe ! Je m'habille.

Attention, le verbe **mettre** change très souvent de forme.

Autrefois	Hier	Aujourd'hui	Demain	Il faut que
je mettais	j'ai mis	je mets	je mettrai	je mette
tu mettais	tu as mis	tu mets	tu mettras	tu mettes
il, elle mettait	il, elle a mis	il, elle met	il, elle mettra	il, elle mette
nous mettions	nous avons mis	nous mettons	nous mettrons	nous mettions
vous mettiez	vous avez mis	vous mettez	vous mettrez	vous mettiez
ils, elles mettaient	ils, elles ont mis	ils, elles mettent	ils, elles mettront	ils, elles mettent

m

un **meuble** *nom masculin*

Il y a de très beaux **meubles** dans le château de la Bête. Les tables, les chaises, les fauteuils, les lits, les armoires sont très beaux.
Meubler une maison, c'est y mettre des meubles.

un **meunier** *nom masculin*

L'Âne portait le blé au **meunier** pour qu'il en fasse de la farine dans son moulin.

un **meurtre** *nom masculin*

Le Chasseur ne voulait pas tuer Blanche-Neige, il ne voulait pas commettre un **meurtre** et devenir un **meurtrier**, un assassin.

miauler *verbe*

 chat

un **micro** *nom masculin*

Les **micros** servent à enregistrer les voix, les sons ou à se faire entendre de loin.

les mesures

les longueurs

Le Petit Cochon dessine le plan
de sa nouvelle maison.

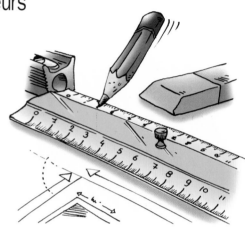

Avec son **double décimètre**, il mesure
les **millimètres** et les **centimètres**.

Avec son **mètre**, le Petit Cochon mesure
la hauteur de la porte.

Il va au village chercher des clous.
Le village est à 1 **kilomètre**.

Pour mesurer la longueur :

il y a 10 millimètres dans 1 centimètre
il y a 10 centimètres dans 1 décimètre
(et 20 centimètres dans un double décimètre)
il y a 100 centimètres dans 1 mètre
il y a 1 000 mètres dans 1 kilomètre

On écrit aussi :
1 millimètre = 1 mm
1 centimètre = 1 cm
1 décimètre = 1 dm
1 mètre = 1 m
1 kilomètre = 1 km

les poids

Pour faire son gâteau, Maman Ours pèse 1 **kilo** de pommes sur sa **balance**.

Il lui faut 500 **grammes** de farine, et 250 **grammes** de beurre.

Pour mesurer le poids :

il y a 250 grammes dans 1 demi-livre
il y a 500 grammes dans 1 livre
il y a 1 000 grammes dans 1 kilogramme
il y a 1 000 kilos dans 1 tonne

On écrit aussi :
1 gramme = 1 g
1 kilo ou 1 kilogramme = 1 kg
1 tonne = 1 t

les liquides

Elle mesure 1 **litre** de lait.

Il lui faut aussi 20 **décilitres** de crème fraîche.

Pour mesurer les liquides :

il y a 10 centilitres dans 1 décilitre
il y a 10 décilitres dans 1 litre

On écrit aussi :
1 centilitre = 1 cl
1 décilitre = 1 dl
1 litre = 1 l

▶ Regarde aussi <u>le temps</u>, page 472.

un **microbe** *nom masculin*

Les **microbes** sont minuscules, on ne les voit pas, mais ils sont vivants et ils peuvent donner des maladies.

un **microscope** *nom masculin*

Pour voir un microbe, il faut un **microscope**. C'est un appareil pour regarder ce qui est minuscule, ce qui est **microscopique**.

midi

C'est le milieu du jour, c'est le moment où l'on passe du matin à l'après-midi. Que font les Nains à **midi** ? *Pour le savoir, regarde page 246.*
—Le **Midi**, c'est aussi le Sud de la France.

la **mie** *nom féminin*

C'est la partie tendre du pain. Tout autour, il y a la croûte.

le **miel** *nom masculin*

Les abeilles fabriquent le **miel** après avoir butiné les fleurs. C'est très sucré. Baloo adore le **miel**.

une **miette** *nom féminin*

C'est un tout petit bout de pain, de gâteau, de nourriture. Hansel a jeté des **miettes** de pain derrière lui pour retrouver son chemin. *Mais qu'est-il arrivé ? Pour le savoir, regarde page 244.*

mieux

Les sirènes chantent toutes bien. Mais la Petite Sirène chante **mieux** encore, c'est elle qui a la plus jolie voix !

mignon *adjectif*

Qu'il est **mignon** ce petit garçon ! Et qu'elle est **mignonne** cette petite fille ! Quels jolis petits enfants !

Approchez mes **mignons** !

le **milieu** *nom masculin*

où ? page 339.

un **militaire** *nom masculin*

Les soldats sont des **militaires**. Ils font partie de l'armée.

mimer *verbe*

C'est raconter une histoire ou décrire quelque chose seulement avec des gestes. C'est faire du **mime**.

le **mimosa** *nom masculin*

C'est un tout petit arbre qui donne des fleurs jaunes très parfumées en forme de boules.

mince *adjectif*

La Belle est **mince**. Elle n'est pas grosse, pas épaisse. Elle a la taille fine.

une **mine** *nom féminin*

Hansel et Gretel ont **mauvaise mine**. Ils ont le visage pâle et fatigué. Mais dès qu'ils auront bien mangé et bien dormi, ils auront **bonne mine**.

une **mine** *nom féminin*

Dans les **mines**, on peut trouver du fer, de l'or, du charbon, des diamants, en creusant la roche.

Les Nains travaillaient à la **mine**. Les Nains étaient des **mineurs**.
La **mine** d'un crayon, c'est la partie tendre qui écrit.

le **minimum** *nom masculin*

C'est le moins possible.

un **ministre** *nom masculin*

Les **ministres** font partie du gouvernement.

minuit

C'est le milieu de la nuit, c'est le moment où on change de jour. Que doit faire Cendrillon à **minuit** ?
Regarde page 153.

minuscule *adjectif*

J'en ai assez d'être **minuscule** ! J'en ai assez d'être si petite !

Alice est vraiment devenue toute petite !

une **minute** *nom féminin*

Il y a 60 **minutes** dans 1 heure et chaque **minute** dure soixante secondes.
▶ Regarde <u>le temps</u>, page 472.

une **mirabelle** *nom féminin*

C'est une petite prune jaune. ▶ Regarde page 386.

m

un **miracle** *nom masculin*

Ici, c'est le Champ des **Miracles** ! Si tu sèmes tes pièces d'or, un arbre d'or poussera !

C'est **miraculeux** !

Un **miracle**, c'est une chose extraordinaire et merveilleuse qu'on ne peut pas expliquer.

un **miroir** *nom masculin*

Miroir magique, dis-moi qui est la plus belle ?

Normalement, un **miroir**, c'est une simple glace pour se regarder. *Regarde page 414 ce que le miroir magique répond à la méchante Reine.*

la **misère** *nom féminin*

Les parents d'Hansel et Gretel vivaient dans la **misère**. Ils étaient très pauvres.

une **mission** *nom féminin*

Robin a chargé Petit Jean d'une **mission**. Que lui a-t-il demandé de faire ? *Pour le savoir, regarde page 117.*

mixte *adjectif*

Dans une école **mixte**, il y a des garçons et des filles.

la **mode** *nom féminin*

Les jeux vidéo sont très **à la mode** en ce moment. Tout le monde aime y jouer et presque tout le monde en a.

un **mode d'emploi** *nom masculin*

Pour savoir comment marche un appareil, il faut lire le **mode d'emploi**.

un **modèle** *nom masculin*

C'est ce qu'on doit imiter, copier, suivre. Pour apprendre à écrire, Pinocchio recopiait des **modèles** d'écriture.

modeler *verbe*

Lumignon fait un arbre avec de la **pâte à modeler**. Il fait du **modelage**.

moderne *adjectif*

L'informatique est une technique **moderne**. C'est une technique d'aujourd'hui.

modeste *adjectif*

Aladin et sa mère habitaient une maison **modeste**. Ce n'était pas une riche demeure.

➤—Être **modeste**, c'est aussi ne pas se vanter de tout ce qu'on a ou de tout ce qu'on réussit. Les sœurs de la Belle ne sont pas **modestes** du tout !

un moineau *nom masculin*

C'est un petit oiseau des villes et des champs. Les **moineaux** picorent des graines.

un mois *nom masculin*

Il y a 12 mois dans une année : **janvier, février, mars, avril, mai, juin, juillet, août, septembre, octobre, novembre** et **décembre** !

➤—Un journal **mensuel** paraît tous les mois. *Combien y en a-t-il en une année ?*

moisir *verbe*

Si on laisse longtemps de la confiture dehors, elle **moisit** : cela devient blanc et bleu dessus et on ne peut plus la manger.

la moisson *nom féminin*

C'est la récolte des céréales. À la fin de l'été, les agriculteurs **moissonnent** leurs champs.

une moitié *nom féminin*

J'ai coupé la pomme en deux. Tu mangeras la **moitié** rouge et moi la **moitié** blanche.

une molaire *nom féminin*

➤ dent

molle *adjectif*

➤ mou

le mollet *nom masculin*

➤ le corps, page 125.

un mollusque *nom masculin*

C'est un animal au corps mou, avec ou sans coquille. Les limaces, les escargots, les huîtres, les moules, les pieuvres sont des **mollusques**.

m

un **moment** *nom masculin*

Robin et Petit Jean ont sauté au même **moment** ! Ils ont sauté en même temps, au même instant.

le **monde** *nom masculin*

C'est la terre entière. Le Magicien raconte qu'il a fait le tour du **monde**.
▶ Regarde aussi **univers**.
Le **monde**, c'est aussi les gens, les personnes. Il y avait beaucoup de **monde** au bal.

un **moniteur**, une **monitrice** *nom*

Un **moniteur** de ski apprend à faire du ski à ses élèves. Les **moniteurs** de colonie de vacances s'occupent des enfants pendant les vacances.

la **monnaie** *nom féminin*

C'est l'argent : les pièces et les billets. La **monnaie** française se compte en **francs** et en **centimes**. La monnaie européenne se compte en **euros** et en **cents**.

monsieur

On dit « **monsieur** » à un homme.
▶ Regarde aussi **madame**.

un **monstre** *nom masculin*

La Bête est un **monstre**, elle fait peur, elle est horrible. Elle a un visage **monstrueux**.

une **montagne** *nom féminin*

Aladin et la princesse Badroulboudour volent au-dessus des **montagnes**.
Dans une région **montagneuse**, il y a beaucoup de montagnes, de hauts sommets.

monter *verbe*

Les Nains **montent** dans la montagne. La **montée** est plus difficile que la descente ! **Monter**, c'est aller vers le haut.

ne **montre** *nom féminin*

Le Lapin Blanc regarde l'heure à sa montre. ▶ Regarde page 80.

montrer *verbe*

Aladin **montre** son plat d'argent au marchand. Il lui fait voir.

se **moquer** *verbe*

Hi ! Hi !
Elle veut essayer
la pantoufle !

Les deux sœurs **se moquent** de Cendrillon.

une **moquette** *nom féminin*

 tapis

la **morale** *nom féminin*

La **morale** d'une histoire, c'est la leçon qu'on en tire, qui nous dit ce qui est bien et ce qui est mal.

un **morceau** *nom masculin*

Le verre s'est cassé en mille **morceaux** ! Il y a des bouts de verre partout.

mordre *verbe*

Le Chien **mord** le voleur à la jambe. Il plante ses dents dans sa jambe. La **morsure** est terrible !

mort *adjectif*

À chaque fois, la méchante Reine croit que Blanche-Neige est **morte**. Mais elle n'est pas **morte**, elle est toujours vivante ! ▶ Regarde aussi **mourir**.

une **mosquée** *nom féminin*

C'est le bâtiment où les musulmans se réunissent pour prier.

mot...

un **mot** *nom masculin*

Quand on parle, on dit des **mots**. Les lettres servent à écrire les **mots**.

➤⭐ Un **mot**, c'est aussi une petite lettre, un petit message qu'on écrit vite.

un **moteur** *nom masculin*

Les **moteurs** électriques font fonctionner les machines électriques.

un **motif** *nom masculin*

C'est une forme, un dessin qui sert à décorer quelque chose.

une **moto** *nom féminin*

Les **motos** ont deux roues et un moteur pour rouler.

mou *adjectif*

La pâte à modeler est **molle**. Cela fait un creux quand on appuie dessus. Mais quand elle devient dure, on ne peut plus la travailler.

une **mouche** *nom féminin*

C'est un insecte noir.

moucher *verbe*

Gepetto a un rhume. Il **mouche** son nez avec un **mouchoir**.

moudre *verbe*

Moudre du café, c'est en écraser les grains avec un moulin pour en faire de la poudre, du café **moulu**.

une **mouette** *nom féminin*

C'est un oiseau de mer, plus petit que le goéland.

mouiller *verbe*

Mowgli sort de l'eau tout **mouillé** ! Mais avec le soleil, il sera vite sec.

un **moule** *nom masculin*

La maman du Petit Chaperon rouge fait cuire sa galette dans un **moule**. La galette aura la forme du **moule**.

une **moule** *nom féminin*

C'est un coquillage, un mollusque.

un **moulin** *nom masculin*

Le meunier fait de la farine dans son **moulin**. Il moud les grains de blé.

—⭐—À la maison, on a des petits **moulins** électriques pour moudre le café.

mourir *verbe*

Blanche-Neige doit **mourir**. Elle doit cesser de vivre.

La méchante Reine demande au Chasseur de tuer Blanche-Neige. Elle veut la **mort** de Blanche-Neige.

la **mousse** *nom féminin*

Petit Ours se lave avec de l'eau et du savon. Cela fait de la **mousse**, des petites bulles légères. En se frottant, il fait **mousser** le savon.

—⭐—La **mousse**, c'est aussi une sorte de petite herbe serrée et toute douce qu'on trouve au pied des arbres.

une **moustache** *nom féminin*

Ce sont les poils du visage au-dessus de la bouche. Le cocher de Cendrillon a une superbe **moustache**. ▶ Regarde page 109.

un **moustique** *nom masculin*

C'est un petit insecte qui pique.

la **moutarde** *nom féminin*

C'est une sorte de sauce jaune épaisse et très piquante, qu'on fabrique à partir des graines d'une plante qui s'appelle aussi **moutarde**.

m

mou...

un **mouton** *nom masculin*

Les **moutons** donnent de la laine.
Quand ils crient, on dit qu'ils **bêlent**. Le
bélier est le mâle, la **brebis** la femelle,
et l'**agneau** leur petit.

un **mouvement** *nom masculin*

Quand Mowgli fait de la gymnastique,
il fait des **mouvements**, il bouge.
▶ Regarde page 239.

moyen *adjectif*

Boucle d'or a vu trois tables : une
grande, une **moyenne** et une petite,
et trois bols : un grand, un **moyen** et
un petit. Elle goûte le bol du milieu,
c'est le **moyen**.

un **moyen** *nom masculin*

Gretel a trouvé un **moyen** pour se
débarrasser de la Sorcière. Comment
a-t-elle fait ? *Pour le savoir, regarde page 216.*

muet *adjectif*

La Petite Sirène est devenue **muette**.
Elle ne peut plus parler ni chanter.

le **muguet** *nom masculin*

C'est une
petite fleur
qui pousse
dans les bois.

multiplier *verbe*

Viens au Champ
des Miracles et on **multipliera**
ta fortune par dix ! Tu seras
dix fois plus riche.

municipal *adjectif*

Les animaux veulent faire partie de
l'orchestre **municipal**. C'est l'orchestre
de la ville.

un **mur** *nom masculin*

Robin escalade le **mur** du château.
━━━━✦≍Une **muraille**, c'est un très grand mur. Un **muret**, c'est un petit mur.

mûr *adjectif*

Les fruits sont plus sucrés quand ils sont **mûrs**. C'est pour cela qu'il faut les laisser **mûrir**.

une **mûre** *nom féminin*

C'est un petit fruit noir qui pousse sur un **mûrier**.

murmurer *verbe*

C'est parler tout bas, dans un **murmure**.

un **muscle** *nom masculin*

Grâce à nos **muscles**, nous pouvons faire des mouvements, porter des choses, faire des efforts. Mowgli fait de la gymnastique pour être plus **musclé**.

le **museau** *nom masculin*

Comme le Loir s'était rendormi, le Chapelier lui versa du thé sur le **museau**.

un **musée** *nom masculin*

Dans un **musée**, on garde des tableaux, des sculptures, des objets pour les montrer au public.

la **musique** *nom féminin*

Les animaux veulent faire de la **musique** et devenir **musiciens**. Chacun va jouer d'un instrument de musique et chanter. La guitare, le violon, l'accordéon sont des instruments de musique.

m

319

musulman *adjectif*

Dans la religion **musulmane**, l'islam, on croit en Mahomet, envoyé par Dieu, Allah, et on suit ce qui est écrit dans son livre, le Coran.

le **myosotis** *nom masculin*

C'est une plante avec de toutes petites fleurs bleues.

une **myrtille** *nom féminin*

C'est un petit fruit bleu-noir qui pousse sur des arbustes dans la montagne.

un **mystère** *nom masculin*

Qui sont les vrais parents de Robin ? C'est un **mystère**. Personne ne le sait. C'est une histoire **mystérieuse**.

Nn

n

la **nacre** *nom féminin*

C'est la matière qui brille, à l'intérieur d'une coquille d'huître.

nager *verbe*

Je ne sais pas **nager** !

Moi, je **nage** comme un poisson ! Je viens !

Pinocchio sait se déplacer dans l'eau. Il sait **nager**, c'est un bon **nageur**. Les poissons ont des **nageoires** pour nager, comme les oiseaux ont des ailes pour voler.

naïf *adjectif*

Blanche-Neige est **naïve**. Elle croit tout ce que lui dit la méchante Reine déguisée en vieille femme.

un **nain**, une **naine** *nom*

Blanche-Neige danse avec les Nains. Les **nains** sont des personnes de très petite taille. *Comment s'appellent les personnes de très grande taille ? Regarde page 225.*

naître *verbe*

Viens voir, Aurore ! Ton petit frère est **né** !

Le petit Jour vient de **naître**. C'est le fils de la Belle au bois dormant. Sa grande sœur, Aurore, est très heureuse de cette **naissance**.

une nappe *nom féminin*

C'est un grand tissu qu'on met sur la table.

une narine *nom féminin*

C'est chacun des deux petits trous qu'on a dans le nez.

natal *adjectif*

Le pays **natal**, c'est le pays où on est né.

la natation *nom féminin*

C'est le sport de ceux qui nagent.

national *adjectif*

Le drapeau **national**, c'est le drapeau d'un pays, d'une nation.

une natte *nom féminin*

Gretel est coiffée avec des **nattes**. Ses cheveux sont **nattés**, tressés.

la nature *nom féminin*

Que la **nature** est belle ! Regardez cette mer, cette campagne, ces arbres, ces montagnes !

La **nature**, c'est tout ce qui existe dans le monde et qui n'est pas fabriqué par l'homme. Les produits **naturels** viennent de la nature. Ils ne sont pas artificiels.

un naufrage *nom masculin*

Dans la tempête, le bateau du Prince a fait **naufrage**. Il a coulé.

un **navet** *nom masculin*

C'est une plante dont on mange la racine ronde et blanche.

naviguer *verbe*

C'est voyager sur l'eau, en bateau. Les bons **navigateurs** font beaucoup de **navigation**. Ils **naviguent** beaucoup.

un **navire** *nom masculin*

C'est un grand bateau.

né

══════▷ naître

nécessaire *adjectif*

Sans eau, on ne peut pas vivre. L'eau est **nécessaire** à la vie. On en a besoin.

la **neige** *nom féminin*

Je voudrais une petite fille à la peau aussi blanche que la **neige**. Je l'appellerais Blanche-Neige.

Ce jour-là, la **neige** tombait en gros **flocons**. Il faisait froid, il **neigeait**.
▶ Regarde aussi le temps, page 473.

un **nénuphar** *nom masculin*

C'est une fleur qui pousse dans l'eau.

De beaux **nénuphars** poussaient dans le bassin.

un **nerf** *nom masculin*

Les **nerfs** sont comme des fils qui vont du cerveau à toutes les parties du corps. Ils nous permettent de reconnaître une sensation, une douleur ou de faire bouger nos muscles.
══════ On ne prononce pas le *f*.

nerveux *adjectif*

Le Magicien s'énerve facilement, il est **nerveux**, il n'est pas calme ni tranquille.

net *adjectif*

Sur une photo **nette**, on voit tous les détails. Elle n'est pas floue.
══════ Quand tout est propre et **net**, rien ne traîne.

nettoyer *verbe*

C'est enlever la poussière, la saleté, les taches.

neuf *adjectif*

Ce qui est **neuf** n'a jamais servi. Les sœurs de la Belle voulaient des robes **neuves** et des chapeaux **neufs**.

n

neutre *adjectif*

Quand ses sœurs se disputent, Cendrillon reste **neutre**. Elle n'est ni pour l'une ni pour l'autre.

un **neveu**, une **nièce** *nom*

Le Magicien dit à Aladin qu'il est son oncle. Donc Aladin est son **neveu**. On dit **neveu** pour un garçon et **nièce** pour une fille.

le **nez** *nom masculin*

Quand il ment, le **nez** de Pinocchio s'allonge. Avec le **nez**, on respire l'air et les odeurs.

une **niche** *nom féminin*

Va te coucher dans la **niche** du chien.

un **nid** *nom masculin*

L'hirondelle construit son **nid** pour ses petits.

une **nièce** *nom féminin*

neveu

nier *verbe*

C'est toi qui as prévenu le Baron Avoue-le !

Non, je le **nie** ! Je vous dis que ce n'est pas vrai.

un **niveau** *nom masculin*

Le Chien est monté sur le dos de l'Âne pour arriver au **niveau** de la fenêtre, à la hauteur de la fenêtre. ▶ Regarde page 160.

un **noble**, une **noble** *nom*

Les rois et les reines, les princes et les princesses, les comtes et les comtesses, les ducs et les duchesses, les marquis et les marquises, les barons et les baronnes sont des **nobles**, ils font partie de la **noblesse** d'un pays.

les **noces** *nom féminin*

On fête les **noces** de Blanche-Neige et du Prince. Quel beau mariage !

nocturne *adjectif*

 nuit

un **nœud** *nom masculin*

Boucle d'or fait un **nœud** à son foulard pour l'attacher. Elle le **noue** autour de son cou.

noir *adjectif*

L'orage se prépare. Le ciel devient **noir**, il **noircit**. La couleur **noire**, c'est la couleur la plus foncée.

Quand il n'y a pas d'étoiles ni de lune la nuit, il fait **noir** et on ne voit rien.

une **noisette** *nom féminin*

Les écureuils aiment les **noisettes**. Ce sont les petits fruits ronds du **noisetier**. Les **noisettes** sont dans une coquille.
▶ Regarde page 32.

une **noix** *nom féminin*

C'est le fruit d'un arbre, le **noyer**. Les **noix** sont dans une coquille.

une **noix de coco** *nom féminin*

C'est le très gros fruit du **cocotier**. Il y a un liquide blanc à l'intérieur qu'on appelle du **lait**.

un **nom** *nom masculin*

Comment t'appelles-tu ?

Je m'appelle Mowgli, c'est mon **nom**.

Mowgli n'a qu'un seul **nom**. Normalement, les personnes ont un prénom et un **nom** de famille.

Rose, tulipe, marguerite sont des **noms** de fleurs. Toutes les choses ont un **nom**.

n

nom...

le **nombre** *nom masculin*

Combien y a-t-il de soldats ? Dis-moi leur **nombre** !

Oh ! Ils sont **nombreux**, Robin, il y en a beaucoup !

▶ Regarde aussi <u>les nombres</u>, page 328.

le **nombril** *nom masculin*

 <u>le corps</u>, page 125.

le **nord** *nom masculin*

Nous allons vers le **nord**.

L'**est** est par là !

Le **sud** est derrière !

L'**ouest** est par là !

L'aiguille de la boussole indique toujours le **nord**. Le Soleil se lève à l'**est** et se couche à l'**ouest**.

normal *adjectif*

J'ai peur, Hansel !

C'est **normal**, tout le monde aurait peur la nuit, tout seul dans la forêt !

Ce qui est **normal**, c'est ce qui arrive d'habitude.

une **note** *nom féminin*

On écrit la musique avec des **notes**. Il y a sept notes dans la gamme : **do**, **ré**, **mi**, **fa**, **sol**, **la**, **si**.
Une **note**, c'est aussi une lettre ou un nombre qui dit si un travail est très bon, bon, assez bon ou pas bon du tout.

noter *verbe*

C'est écrire pour se souvenir.
➤Noter, c'est aussi donner une note à un travail.

nouer *verbe*

➡ **nœud**

le **nougat** *nom masculin*

C'est une friandise au miel, au sucre et aux amandes.

les **nouilles** *nom féminin*

⟹ pâte

une **nourrice** *nom féminin*

C'est une femme qui garde un bébé, un enfant.

nourrir *verbe*

La fermière **nourrit** les poules avec du grain. Elle leur donne à manger du grain. C'est leur **nourriture**.

un **nourrisson** *nom masculin*

C'est un tout petit bébé.

nouveau *adjectif*

Qu'est-ce qui est **nouveau** ?
– Un jouet qu'on vient d'avoir, c'est un **nouveau** jouet.
– Une petite fille qui arrive à l'école pour la première fois, c'est une **nouvelle** élève.
– Un avion qui n'existait pas avant, c'est un **nouvel** avion. C'est une **nouveauté**.

une **nouvelle** *nom féminin*

Va prendre des **nouvelles** de ta grand-mère. Je veux savoir comment elle va, et ce qu'elle fait.

Regarde aussi **nouveau**.

novembre

⟹ mois

un **noyau** *nom masculin*

C'est la petite boule dure qui contient la graine d'un fruit. La cerise, la pêche, l'abricot, l'avocat ont des **noyaux** plus ou moins gros.

noyer *verbe*

Se **noyer**, c'est mourir dans l'eau.

nu *adjectif*

Mowgli était tout **nu** quand Père Loup l'a trouvé. Il ne portait pas de vêtements.

⟹Marcher **pieds nus**, c'est marcher sans chaussures ni chaussons.

n

les nombres

Les nombres servent à compter.

Il y a **1** méchant Loup et **3** Petits Cochons.

Les Nains sont **7**.

Les **10** fées sont venues.

Aladin a **40** esclaves.

Le Baron a **100** soldats...

... et au moins **1 000** pièces d'or !

Pinocchio apprend à écrire et à lire les nombres.

On écrit les nombres avec des chiffres ou des lettres :

0	zéro	10	dix	20	vingt	100	cent
1	un	11	onze	21	vingt et un	101	cent un
2	deux	12	douze	30	trente	200	deux cents
3	trois	13	treize	40	quarante	300	trois cents
4	quatre	14	quatorze	50	cinquante	400	quatre cents
5	cinq	15	quinze	60	soixante	500	cinq cents
6	six	16	seize	70	soixante-dix	600	six cents
7	sept	17	dix-sept	71	soixante et onze	700	sept cents
8	huit	18	dix-huit	80	quatre-vingts	800	huit cents
9	neuf	19	dix-neuf	90	quatre-vingt-dix	900	neuf cents

Sais-tu lire ces nombres ?

1 000	mille
1 999	mille neuf cent quatre-vingt-dix-neuf
2 000	deux mille
2 001	deux mille un
10 000	dix mille
100 000	cent mille
1 000 000	un million
1 000 000 000	un milliard

Avec certains mots, on peut aussi indiquer la quantité :

une **dizaine**, c'est 10 ou à peu près 10
une **douzaine**, c'est 12 ou à peu près 12
une **quinzaine**, c'est 15 ou à peu près 15
une **vingtaine**, c'est 20 ou à peu près 20
une **centaine**, c'est 100 ou à peu près 100
un **millier**, c'est 1 000 ou à peu près 1 000

un **nuage** *nom masculin*

Quels beaux **nuages** blancs et roses, au soleil couchant !
Les **nuages** sont faits de toutes petites gouttes d'eau qui flottent ensemble dans le ciel.

la **nuit** *nom féminin*

La **nuit**, il n'y a plus la lumière du soleil. Tout est sombre, mais souvent on voit la lune et les étoiles dans le ciel.
◆━━━━✦✧━La chouette vit la nuit, c'est un oiseau **nocturne**.

nul *adjectif*

Personne n'a gagné, personne n'a perdu !

Les deux équipes ont fait match **nul**.
◆━━━━✦✧━Être **nul**, c'est aussi être très mauvais. Une personne **nulle** en calcul ne sait pas compter.

un **numéro** *nom masculin*

Pour téléphoner à quelqu'un, il faut connaître son **numéro** de téléphone. C'est une série de chiffres.
◆━━━━✦✧━Un **numéro**, c'est aussi chaque petite partie d'un spectacle de cirque, de variétés. Au cirque, les acrobates, les clowns font des **numéros**.

la **nuque** *nom féminin*

➤ <u>le corps</u>, page 125.

Oo

obéir *verbe*

Les sirènes doivent m'**obéir**, elles doivent faire ce que je leur demande.

Oui, vous devez être **obéissantes**.

un **objet** *nom masculin*

C'est n'importe quelle chose que l'on peut toucher. Dans l'histoire d'Alice, la Cuisinière se met à jeter sur la Duchesse toutes sortes d'**objets**. *Sais-tu lesquels ? Pour t'aider, regarde page 493.*

obliger *verbe*

Tu es **obligé** d'aller à l'école. Tu dois aller à l'école.

Gepetto **oblige** Pinocchio à aller à l'école. C'est **obligatoire**.

l'**obscurité** *nom féminin*

Il faisait noir dans le souterrain et Aladin avait du mal à trouver son chemin dans l'**obscurité**. Tout était **obscur**, très sombre.

observer *verbe*

C'est regarder avec beaucoup d'attention. Les astronomes **observent** les étoiles dans le ciel.

un **obstacle** *nom masculin*

C'est quelque chose qui empêche d'avancer.

Mais le cheval de Robin, lui, saute tous les **obstacles** !

obtenir *verbe*

C'est réussir à avoir.

une **occasion** *nom féminin*

C'est quelque chose qui arrive au bon moment. La Sorcière s'était approchée du four et Gretel profita de l'**occasion** pour la pousser dedans.
➤✦ Acheter un vélo d'**occasion**, c'est acheter un vélo qui a déjà servi, qui n'est pas neuf.

occuper *verbe*

À quoi **occupez**-vous vos journées si vous n'allez pas à l'école ?

Mais on joue ! On a toutes sortes d'**occupations** !

S'**occuper**, c'est faire quelque chose.
➤✦ **Occuper** une place, un endroit, c'est y être.

Qui **occupe** cette maison ? Qui l'habite ?

l'**océan** *nom masculin*

Gepetto croyait qu'il pourrait traverser l'**océan** avec sa barque. Mais un **océan**, c'est immense, encore plus grand qu'une mer.

octobre

 mois

une **odeur** *nom féminin*

Mmm ! Ce que cela sent bon ! Quelle bonne **odeur** !

On sent les odeurs avec le nez, grâce à notre **odorat**.

odieux *adjectif*

Les sœurs de Cendrillon sont méchantes, jalouses, capricieuses, insupportables. Elles sont **odieuses** !

un **œil** *nom masculin*

À qui sont ces **yeux**-là, qui brillent dans la nuit ? Qui regarde comme ça ?

On dit *un œil* et *des yeux*.

un **œillet** *nom masculin*

C'est une fleur qui sent très bon.

un **œuf** *nom masculin*

Un poussin s'est échappé de l'œuf. Pinocchio devra trouver d'autres **œufs** pour les manger.

On dit *un œuf* en prononçant le *f* et *des œufs* sans prononcer le *f*.

une **œuvre** *nom féminin*

Gepetto a terminé son pantin. C'est son **œuvre**. C'est son travail.

Les dessins, les peintures, les sculptures sont des **œuvres d'art**.

offrir *verbe*

C'est donner en cadeau.

O

333

ogr...

un **ogre**, une **ogresse** *nom*

La Belle au bois dormant doit faire attention à Jour et à Aurore car leur grand-mère est une **ogresse**. Elle mange les petits enfants.
La Sorcière qui veut manger Hansel et Gretel est aussi une **ogresse**.
Heureusement, les **ogres** et les **ogresses** n'existent que dans les histoires !

une **oie** *nom féminin*

C'est un grand oiseau au long cou. Le mâle de l'**oie** est le **jars**.

un **oignon** *nom masculin*

C'est une plante. On met de l'**oignon** dans la cuisine pour donner du goût. Quand on épluche les **oignons**, cela pique les yeux.
➞ On ne prononce pas le *i*.

un **oiseau** *nom masculin*

Les **oiseaux** ont des plumes et des ailes pour voler. *Cherche dans ton livre cinq dessins d'oiseaux.*

un **olivier** *nom masculin*

C'est un bel arbre des régions chaudes qui donne des petits fruits ronds, les **olives**, dont on peut faire de l'huile.

une **ombre** *nom féminin*

Le soldat croit qu'il est bien caché mais Robin voit son **ombre**.

une **omelette** *nom féminin*

Pour faire une **omelette**, il faut casser les œufs, les battre ensemble et les faire cuire dans une poêle.

un **oncle** *nom masculin*

Je suis le frère de ton père, je suis ton **oncle**.

Alors, je suis votre neveu ? Avez-vous une femme ou une sœur ? Ai-je une **tante** ?

Hansel et Gretel, eux, n'avaient ni **oncle** ni **tante** car leurs parents n'avaient ni frère ni sœur.

un **ongle** *nom masculin*

Nos **ongles** poussent au bout de nos doigts. Ils nous permettent de gratter, de griffer.

opérer *verbe*

À l'hôpital, les chirurgiens font des **opérations** chirurgicales. Ils soignent et réparent l'intérieur du corps en **opérant** les malades, les blessés. Une **opération**, c'est aussi ce qui permet de calculer. L'addition est une **opération mathématique**.

une **opinion** *nom féminin*

C'est un avis. C'est ce qu'on pense sur quelque chose ou sur quelqu'un.

opposé *adjectif*

Le sens **opposé**, c'est le sens contraire, inverse. ▶ Regarde contraire.

optimiste *adjectif*

Quand on est **optimiste**, on pense que tout ira bien. Quand on est **pessimiste**, on pense que tout ira mal.

l' **or** *nom masculin*

C'est un métal jaune, très cher, qui sert surtout à faire des bijoux.

o

un **orage** *nom masculin*

Ce jour-là, il y eut un terrible **orage**. Un **éclair** déchira le ciel noir. On entendit le **tonnerre** et la pluie se mit à tomber très fort.

BADABROUM

une **orange** *nom féminin*

Les singes mangent des **oranges**.
Ce sont les fruits ronds et pleins de jus
de l'**oranger**.

orange *adjectif*

La couleur **orange** est entre le jaune
et le rouge.

un **orchestre** *nom masculin*

C'est un groupe de musiciens qui jouent
ensemble.

ordinaire *adjectif*

La méchante Reine a mis des vêtements
très **ordinaires** pour qu'on ne la
reconnaisse pas. Ils ressemblent à ceux
de tout le monde, ils n'ont rien de
spécial.

un **ordinateur** *nom masculin*

C'est un appareil informatique qui
calcule très vite et qui a une grosse
mémoire. On peut travailler, jouer ou
communiquer avec le monde entier à
partir d'un **ordinateur**.

un **ordre** *nom masculin*

« Emmenez Blanche-Neige dans la forêt
et tuez-la ! C'est un **ordre** ! Je vous
l'**ordonne** ! Obéissez ! » Voilà ce que
dit la méchante Reine au Chasseur.
L'**ordre**, c'est aussi
la manière dont les choses sont
rangées. Une personne **ordonnée** a
ses affaires bien rangées parce qu'elle
aime l'ordre.

les **ordures** *nom féminin*

C'est tout ce qu'on a jeté à la poubelle,
ce qui ne servait plus à rien.

une **oreille** *nom féminin*

un **oreiller** *nom masculin*

C'est un petit coussin qu'on met sous
la tête pour dormir.

un **organe** _nom masculin_

C'est une partie du corps qui joue un rôle précis : l'œil est l'**organe** de la vue, les poumons sont les **organes** de la respiration.

organiser _verbe_

Le Roi **a** tout **organisé** pour le baptême de sa fille. Il a tout préparé. Il s'est occupé de l'**organisation** de la fête.

l'**orge** _nom féminin_

C'est une céréale.

orgueilleux _adjectif_

Les sœurs de la Belle sont très **orgueilleuses**. Elles croient qu'elles valent plus que tout le monde. Elles ont trop d'**orgueil**.

original _adjectif_

Quelle drôle de maison ! Elle est **originale** ! Elle ne ressemble à aucune autre maison !

orner _verbe_

C'est décorer, rendre plus joli avec des **ornements**.

un **orphelin**, une **orpheline** _nom_

C'est un enfant qui n'a plus ses parents.

un **orteil** _nom masculin_

C'est un doigt de pied.

l'**orthographe** _nom féminin_

Pour écrire un mot, il faut connaître son **orthographe**. C'est la manière dont il s'écrit.

une **ortie** _nom féminin_

C'est une mauvaise herbe qui pique.

un **os** _nom masculin_

Tabaqui, le chacal, a trouvé un gros **os**. L'ensemble des **os** du corps forme le **squelette**.
On dit _un os_ en prononçant le _s_, mais _des os_ sans prononcer le _s_.

ose...

oser *verbe*

Personne n'**ose** s'attaquer à Shere Khan.
Personne n'en a le courage, personne
ne prend ce risque.

l'**osier** *nom masculin*

C'est la branche souple d'un arbre, le
saule. On en fait des paniers. Le panier
du Petit Chaperon rouge était en **osier**.

une **otarie** *nom féminin*

C'est un animal qui ressemble au
phoque, mais l'**otarie** marche mieux
que le phoque. ▶ Regarde page 358.

ôter *verbe*

C'est enlever.

oublier *verbe*

Aladin est parti en **oubliant** de prendre
sa lampe. Il l'a laissée. Quel malheureux
oubli !

━━━✦≡─Oublier, c'est aussi ne
plus se souvenir. Alice **a oublié** tout
ce qu'elle a appris à l'école. Elle ne s'en
souvient plus. Elle ne le sait plus.

l'**ouest** *nom masculin*

≡▣▣▣⟹ nord

un **ouistiti** *nom masculin*

C'est un petit singe.

un **ouragan** *nom masculin*

C'est une très forte tempête.

un **ours** *nom masculin*

Les **ours** sont des animaux sauvages.
Quand ils crient, on dit qu'ils **grognent**.
La femelle est l'**ourse** et leur petit
l'**ourson**.
Baloo est un **ours** brun. Mais il y a aussi
des **ours** blancs dans les régions froides.

un **oursin** *nom masculin*

C'est
un petit
animal de
la mer au corps
en boule couvert
de piquants.

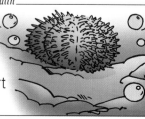

un **outil** *nom masculin*

Le Petit Cochon range tous ses **outils**. Ce sont tous les objets qui lui ont servi à construire sa maison. Dehors, il a encore tous ses **outils** de jardinage à ranger.

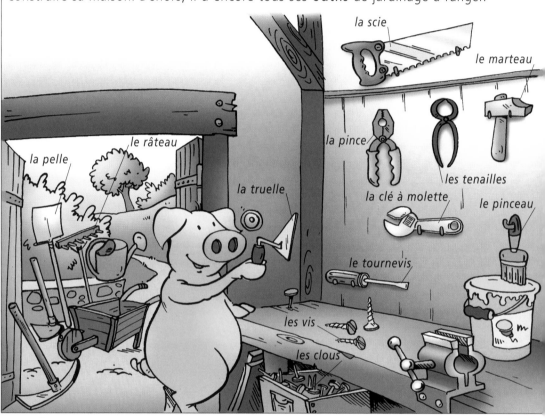

la scie

le marteau

le râteau

la pince

la pelle

les tenailles

la truelle

la clé à molette

le pinceau

le tournevis

les vis

les clous

ouvrir *verbe*

On **ouvre** une porte pour entrer ou sortir.

 Les magasins **ouvrent** à 9 heures. Ils sont **ouverts** à 9 heures. C'est l'heure de l'**ouverture**, on peut entrer.

ovale *adjectif*

les formes, page 215.

l'**oxygène** *nom féminin*

C'est un gaz qu'il y a dans l'air que l'on respire.

Pp

une **page** *nom féminin*

C'est une feuille d'un cahier ou d'un livre.

➤C'est aussi chaque côté de la feuille.

la **paille** *nom féminin*

Le premier Petit Cochon construit sa maison avec de la **paille**. Ce sont les tiges séchées des céréales.

➤Une **paille**, c'est aussi un long tube fin pour boire en aspirant.

le **pain** *nom masculin*

Ils n'avaient plus qu'un morceau de **pain** sec à manger. La **croûte** était dure et la **mie** n'était plus tendre du tout.

une **paire** *nom féminin*

Il y a 2 gants dans une **paire** de gants, 2 verres dans une **paire** de lunettes, 2 chaussures dans une **paire** de chaussures.

paître *verbe*

C'est manger l'herbe des prés.

la **paix** *nom féminin*

La guerre est finie, nous avons fait la **paix**.

Le jeune Roi voudrait que tous les pays vivent en **paix** et qu'il n'y ait plus de guerre nulle part dans le monde.
➤★ Laisser quelqu'un en **paix**, c'est le laisser tranquille.

un **palais** *nom masculin*

C'est une très grande et très riche maison. Jamais on n'avait vu de plus beau **palais** que le **palais** d'Aladin.
➤★ Dans la bouche, le **palais**, c'est en haut, là où la langue claque quand on veut imiter le pas du cheval.

pâle *adjectif*

Une couleur **pâle** est très claire.
➤★ Pâlir, c'est devenir pâle.

le **palier** *nom masculin*

C'est l'endroit où on s'arrête, à chaque étage, dans un escalier.

un **palmier** *nom masculin*

C'est un grand arbre des pays chauds.
Ses feuilles s'appellent des **palmes**.

un **pamplemousse** *nom masculin*

C'est un gros fruit rond et jaune qui ressemble à une grosse orange et qui a beaucoup de jus.

une **pancarte** *nom féminin*

Sur la porte de sa chambre secrète, la méchante Reine avait accroché une **pancarte**. On pouvait y lire : « Défense d'entrer ».

un **panda** *nom masculin*

C'est une sorte d'ours qui vit en Asie.

un **panier** *nom masculin*

Le Petit Chaperon rouge va mettre le petit pot de beurre et la galette dans son **panier** pour les porter à sa grand-mère.

la **panique** *nom féminin*

C'est une très grande peur qui fait faire un peu n'importe quoi.

une **panne** *nom féminin*

Quand une voiture tombe en **panne**, elle ne peut plus rouler. Il faut appeler le garagiste, le **dépanneur**. Il vient la **dépanner** avec sa **dépanneuse**.

un **panneau** *nom masculin*

C'est une sorte de pancarte. Au bord des routes, il y a des **panneaux** pour guider ou avertir les automobilistes.

une **panoplie** *nom féminin*

Avec une **panoplie** de docteur, on a tout ce qu'il faut pour jouer au docteur : les vêtements et les accessoires.

un **pansement** *nom masculin*

On met des **pansements** sur les blessures pour qu'elles ne se salissent pas et qu'elles guérissent plus vite.

un **pantalon** *nom masculin*

Le Lapin Blanc porte un **pantalon** à carreaux.

une **panthère** *nom féminin*

C'est un animal sauvage d'Asie et d'Afrique. Les **panthères** ont des taches jaunes et noires. Il y a aussi des **panthères** noires. Bagheera est une **panthère** noire.

p

343

un **pantin** *nom masculin*

Gepetto a fabriqué un **pantin**. C'est un personnage en bois, une marionnette. Mais son **pantin** va se mettre à vivre. Il s'appelle Pinocchio.

une **pantoufle** *nom féminin*

D'un coup de baguette magique, la Fée mit aux pieds de Cendrillon une paire de magnifiques **pantoufles** de verre. Aujourd'hui, les **pantoufles**, ce sont des chaussons.

un **paon** *nom masculin*

Mowgli rencontra un **paon** qui faisait la roue.

Quel bel oiseau !

le **papa** *nom masculin*

C'est le père.

le **papier** *nom masculin*

Les livres, les journaux, les cahiers sont en **papier**.

un **papillon** *nom masculin*

C'est un insecte. Il y en a de toutes les couleurs. Les chenilles se transforment en **papillons**.

344

un **paquebot** *nom masculin*

C'est un très grand bateau pour transporter beaucoup de passagers.

une **pâquerette** *nom féminin*

C'est une petite fleur qui ressemble à une marguerite.

un **paquet** *nom masculin*

Aladin a enveloppé son plat d'argent dans un papier. Il a fait un **paquet**.

un **parachute** *nom masculin*

Les **parachutistes** sautent des avions en **parachute**. Les grandes toiles du **parachute** les empêchent de descendre trop vite.

la **parade** *nom féminin*

Au cirque, à la fin du spectacle, il y a une grande **parade** des animaux et des artistes. Ils défilent tous !

le **paradis** *nom masculin*

Dans certaines religions et dans la religion chrétienne, les personnes qui ont été justes, bonnes et honnêtes vont au **paradis** après leur mort. Là, elles sont heureuses pour toujours. Le **paradis**, c'est le contraire de l'enfer.

paraître *verbe*

Comme vous **paraissez** triste. Comme vous avez l'air triste !

parallèle *adjectif*

Les rails d'un train sont toujours **parallèles**. Il y a toujours la même distance entre les deux rails.

paralysé *adjectif*

Une personne **paralysée** des jambes ne peut plus marcher.

un **parapet** *nom masculin*

C'est un petit mur assez bas, construit sur un pont, une terrasse, pour empêcher les gens de tomber.

p

345

par...

un **parapluie** *nom masculin*

Il pleut, le Petit Cochon est à l'abri sous son **parapluie**.

un **parasol** *nom masculin*

Il y a beaucoup de soleil. Le Petit Cochon est à l'abri sous son **parasol**.

un **parc** *nom masculin*

C'est un très grand jardin, avec des allées pour se promener.

parcourir *verbe*

Parcourir des kilomètres, c'est marcher, rouler, voler, nager pendant tous ces kilomètres.

un **parcours** *nom masculin*

L'Âne rencontre le Chien, puis le Chat, puis le Coq sur son **parcours**. C'est son trajet, sa route.

pardonner *verbe*

Cendrillon **pardonne** à ses sœurs. Elle ne leur en veut pas.

On dit aussi **pardon** à quelqu'un pour s'excuser, si on l'a dérangé, bousculé.

pareil *adjectif*

Boucle d'or ne sait pas quelle route prendre. Elles sont toutes **pareilles**, elles se ressemblent toutes.

un **parent** *nom masculin*

Papa Ours et Maman Ours sont les **parents** de Petit Ours.

Un **parent**, c'est aussi n'importe quel membre de la famille : un oncle, une tante, un cousin, un neveu.

paresseux *adjectif*

Lumignon est un enfant **paresseux**. Il n'aime pas travailler. Il est fainéant. Cendrillon, elle, n'est pas **paresseuse**. On dit que la **paresse** est un vilain défaut.

parfait *adjectif*

Ce qui est **parfait** n'a aucun défaut.

parfois

C'est quelquefois, de temps en temps.

un **parfum** *nom masculin*

La Belle aime le **parfum** des fleurs. Elle aime leur bonne odeur.

➤⭐ Un **parfum**, c'est aussi un produit qui sent bon, qu'on se met sur le corps pour **se parfumer**.

➤⭐ Un **parfum**, c'est aussi un goût. Quel **parfum** de glace préfères-tu ? Vanille ou chocolat ?

parier *verbe*

Je te **parie** que j'arriverai le premier ! J'en suis sûr !

Je tiens le **pari** ! Si tu perds, tu me donnes ta part de miel.

un **parking** *nom masculin*

C'est un endroit pour garer les voitures.

parler *verbe*

Aïe ! Ne tape pas si fort !

Le père La Cerise est très étonné ! Le bout de bois **a parlé**. Il a dit des mots !

la **parole** *nom féminin*

Adresser la **parole** à quelqu'un, c'est lui parler.

➤⭐ Les **paroles** d'une chanson, ce sont les mots que l'on dit sur la musique.

➤⭐ Donner sa **parole**, c'est promettre. Tenir sa **parole**, c'est faire ce qu'on a promis.

le **parquet** *nom masculin*

C'est un plancher en bois.

p

le **parrain** *nom masculin*

➤ marraine

une **part** *nom féminin*

En combien de **parts** Blanche-Neige découpe-t-elle le gâteau ? *Pour le savoir, regarde page 170.*

partager *verbe*

La vieille femme **a partagé** la pomme en deux. Elle l'a coupée en deux parties. Elle va donner la moitié rouge à Blanche-Neige.

➤ Les Ours **partagent** la même chambre. Ils sont tous les trois dans la même chambre.

un **partenaire**, une **partenaire** *nom*

Dans un jeu ou dans un sport, le **partenaire**, c'est celui avec lequel on joue, contre l'adversaire.

le **parti** *nom masculin*

Mère Louve prend toujours le **parti** de Mowgli. Elle le défend, elle est de son côté.

participer *verbe*

Participer à un jeu, c'est jouer à ce jeu, avec les autres.

une **partie** *nom féminin*

La tête, les bras, les jambes sont des **parties** du corps. Le matin, l'après-midi et le soir sont des **parties** de la journée.

➤ Une **partie**, c'est aussi un jeu et le temps qu'il dure.

Quel mot, sur cette page, se prononce de la même façon ?

partir *verbe*

À quelle heure les Nains **partent**-ils travailler ? À quelle heure quittent-ils leur maison ? *Pour le savoir, regarde page 246.*

➤ **Partir**, c'est aussi s'en aller, disparaître. Avec de l'eau et du savon, on fait **partir** les taches.

un **pas** *nom masculin*

Gepetto apprend à Pinocchio à mettre un pied devant l'autre, et Pinocchio fait ses premiers **pas**. Il commence à marcher. ▶ Regarde page 298.

un **passage** *nom masculin*

J'ai trouvé le **passage** pour aller dans le jardin merveilleux ! Je vais passer par là !

➤ Un **passage** d'un film, d'un livre, d'une chanson, c'est une partie du film, du livre, de la chanson.

un **passager**, une **passagère** *nom*

Les passagers d'un avion, ce sont ceux qui voyagent dans l'avion. Les passagers d'un train, ce sont ceux qui voyagent dans le train.

un **passant**, une **passante** *nom*

C'est n'importe quelle personne qui marche dans la rue.

le **passé** *nom masculin*

Alice ne se souvenait plus très bien de son passé. Elle ne savait plus très bien ce qu'elle était et ce qu'elle faisait avant.

passer *verbe*

Le Petit Chaperon rouge doit passer par la forêt pour aller chez sa grand-mère. C'est le seul chemin possible.
➤ Passer son temps à lire, c'est lire tout le temps.

la **passion** *nom féminin*

La Belle peut passer des heures à lire. C'est sa passion. Elle aime beaucoup lire. Elle trouve ça passionnant.

une **passoire** *nom féminin*

La passoire est percée de petits trous pour que l'eau des pâtes, du thé, des légumes passe. ▶ Regarde cuisine.

une **pastèque** *nom féminin*

C'est un énorme fruit, vert à l'extérieur et rouge à l'intérieur.

patauger *verbe*

C'est marcher, sauter, jouer dans l'eau.
➤ À côté des piscines, il y a souvent des pataugeoires pour les petits qui ne savent pas nager.

une **pâte** *nom féminin*

Avec de la farine et de l'eau, on fait de la pâte à pain. *Comment fait-on la pâte à crêpes ? Pour le savoir, regarde page 132.*
➤ Les macaronis, les nouilles, les spaghettis, les coquillettes sont des pâtes.

un **pâté** *nom masculin*

Les petits enfants font des pâtés de sable sur la plage.
➤ Un pâté, c'est aussi un mélange de viandes, de légumes ou de poissons hachés et cuits ensemble.
➤ Un pâté de maisons, c'est un groupe de maisons entre deux rues.

paternel *adjectif*

⟹ père

p

pat...

la **patience** *nom féminin*

> Encore un peu de **patience** ! Le Sultan va vous recevoir.

La mère d'Aladin doit encore attendre, sans s'énerver.

un **patin** *nom masculin*

Pinocchio apprend à faire du **patin** à **roulettes**, il apprend à **patiner**. Avec des **patins à glace**, on glisse, on **patine** sur la glace. Les **patineurs** et les **patineuses** vont souvent à la **patinoire**.

une **pâtisserie** *nom féminin*

C'est un gâteau. C'est aussi la boutique du **pâtissier** qui vend ses gâteaux, ses **pâtisseries**.

le **patron**, la **patronne** *nom*

C'est la personne qui dirige les employés.

une **patte** *nom féminin*

Les oiseaux ont deux **pattes**, le chat et le chien en ont quatre. Le serpent n'en a pas et nous, nous avons des bras et des jambes, mais nous pouvons aussi nous mettre à quatre **pattes** !
▶ Regarde page 374.

un **pâturage** *nom masculin*

C'est un pré, une prairie où les animaux vont **paître**, manger de l'herbe.

la **paume** *nom féminin*

C'est le creux de la main.

Mowgli boit de l'eau dans la **paume** de ses mains.

une **paupière** *nom féminin*

On a deux **paupières** à chaque œil, la **paupière** supérieure au-dessus, et la **paupière** inférieure au-dessous.

une **pause** *nom féminin*

Faire une **pause**, c'est s'arrêter un peu.

pauvre *adjectif*

Les parents d'Hansel et Gretel étaient très **pauvres**. Ils n'avaient pas assez d'argent pour vivre.

un **pavé** *nom masculin*

Les roues du carrosse font du bruit sur les **pavés** de la route. Ce sont de gros morceaux de pierre.

un **pavillon** *nom masculin*

C'est une petite maison à la campagne ou dans les villes.

payer *verbe*

Le Magicien **a payé** les vêtements d'Aladin. Il a donné de l'argent au tailleur pour avoir les vêtements.

un **pays** *nom masculin*

Les enfants arrivent au Pays des Jouets. Un vrai **pays**, c'est un territoire limité par des frontières. Chaque **pays** a sa langue et son gouvernement. La France, l'Italie, l'Espagne sont des **pays**.

un **paysage** *nom masculin*

C'est ce qu'on voit partout autour de soi quand on est dehors. Mowgli, Robin ou la Petite Sirène voient des **paysages** différents. Mowgli voit la jungle. Robin voit des forêts et des châteaux forts. La Petite Sirène voit la mer et la campagne.

un **paysan**, une **paysanne** *nom*

C'était une personne qui vivait à la campagne, cultivait la terre et élevait des animaux. Aujourd'hui, on dit plutôt **agriculteur** et **agricultrice**.

p

la **peau** *nom féminin*

C'est ce qui recouvre tout le corps. Quand on touche les joues de quelqu'un, on touche sa **peau**. ➽☆←Les fruits aussi ont une **peau**.

une **pêche** *nom féminin*

C'est un fruit qui a une peau toute douce et un gros noyau. Les **pêches** poussent sur les **pêchers**.

la **pêche** *nom féminin*

Aller à la **pêche**, c'est aller **pêcher**, attraper des poissons. Les **pêcheurs pêchent** avec des filets, des harpons, des cannes à pêche.

pédaler *verbe*

Pour rouler à bicyclette, il faut **pédaler**. Il faut appuyer avec les pieds sur les **pédales**.

peigner *verbe*

Laisse-moi **peigner** tes cheveux avec ce joli **peigne** ! Laisse-moi te coiffer !

peindre *verbe*

Alice vit trois jardiniers qui **peignaient** en rouge les roses blanches ! Ils avaient de la **peinture** rouge et des **pinceaux**. ➽☆←Peindre, c'est aussi faire un tableau. Quand la Belle **peint**, elle mélange les couleurs sur sa **palette**. Elle travaille comme un vrai **peintre**. C'est une artiste.

la **peine** *nom féminin*

Mowgli a beaucoup de **peine**. Il pleure. Il a du chagrin. *Pour savoir pourquoi, regarde page 431.*

➽☆←Will, l'ami de Robin, a de la **peine** à marcher. Il n'y arrive pas bien, c'est difficile pour lui. *Pour savoir pourquoi, regarde page 56.*

un **peintre** *nom masculin*

 peindre

la **peinture** *nom féminin*

peindre

le **pelage** *nom masculin*

Les tigres ont un beau **pelage**. Ils ont un beau poil.

peler *verbe*

Quand on a attrapé un coup de soleil, la peau **pèle**. Elle se détache par petits bouts.

Peler un fruit, c'est l'éplucher, enlever sa peau.

un **pélican** *nom masculin*

C'est un grand oiseau qui pêche des poissons. Il les garde dans son grand bec pour nourrir ses petits.

ne **pelle** *nom féminin*

Le Petit Cochon a une **pelle** pour creuser et ramasser la terre de son jardin. ▶ Regarde **outil**.

ne **pelote** *nom féminin*

Une **pelote** de laine, c'est du fil de laine enroulé sur lui-même.

la **pelouse** *nom féminin*

Le Petit Cochon arrose sa **pelouse** pour que l'herbe reste bien verte.

la **peluche** *nom féminin*

C'est un tissu qui ressemble à de la fourrure. Au Pays des Jouets, il y a des ours en **peluche**.

pencher *verbe*

La Petite Sirène **se penche** sur le Prince évanoui pour l'embrasser. Elle se baisse.

une **penderie** *nom féminin*

C'est un grand placard pour accrocher, suspendre les vêtements.

p

pen...

pendre *verbe*

Les brigands **pendent** Pinocchio à la branche d'un chêne. Pinocchio est **pendu** par le cou.

une **pendule** *nom féminin*

C'est une petite horloge.

pénétrer *verbe*

C'est entrer.

une **péniche** *nom féminin*

C'est un bateau plat qui transporte des marchandises sur les fleuves.

penser *verbe*

« Je vais partir et je deviendrai musicien. » Voilà ce que **pense** l'Âne, voilà ce qu'il se dit dans sa tête. Ce sont ses **pensées**, ses idées.
🖊️⟵Penser à quelque chose, c'est aussi ne pas l'oublier.

une **pension** *nom féminin*

C'est une école où on reste dormir. Les élèves sont **pensionnaires**.

une **pente** *nom féminin*

C'est un terrain, une route, un sol qui descend, qui n'est pas plat.

un **pépin** *nom masculin*

Les citrons, les oranges, les raisins ont des **pépins**. Ce sont des petites graines dans le fruit.

percer *verbe*

C'est faire un trou.
🖊️⟵Des cris **perçants** font mal aux oreilles.

une **perche** *nom féminin*

C'est un très long bâton.

percher *verbe*

Le Coq est **perché** en haut du mur.
🖊️⟵Certains oiseaux aiment s'installer en hauteur. C'est pour cela qu'on leur fabrique des **perchoirs**.

perdre *verbe*

Pinocchio **a perdu** la partie de dominos. Il n'a pas gagné, c'est lui le **perdant**.

➤✦═Cendrillon **a perdu** une pantoufle en courant. Elle ne l'a plus.

➤✦═Boucle d'or **s'est perdue** dans la forêt. Elle ne sait plus où elle est, elle ne trouve plus son chemin.

le **père** *nom masculin*

La Petite Sirène est une des filles du Roi de la mer. Le Roi de la mer est son **père**.

➤✦═L'amour **paternel**, c'est l'amour d'un père pour son enfant.

Comment appelle-t-on l'amour d'une mère pour son enfant ? Cherche page 305.

une **période** *nom féminin*

La Belle et tous les habitants du château dormirent pendant cent ans ! Les choses avaient bien changé pendant cette **période**, pendant ce temps.

périr *verbe*

C'est mourir.

une **perle** *nom féminin*

C'est une petite boule, percée d'un trou, qu'on enfile pour faire des colliers, des bracelets.

➤✦═Dans les huîtres, on trouve quelquefois des **perles**. Ce sont des petites boules de nacre qui servent à faire des bijoux. ▶ Regarde page 251.

permettre *verbe*

Est-ce que je peux monter à la surface de la mer ? Est-ce que vous me le **permettez** ? Est-ce que c'est **permis** ?

La Petite Sirène demande la **permission**, l'autorisation de monter à la surface de la mer.

un **perron** *nom masculin*

Ce sont les quelques marches devant l'entrée d'une maison, d'un pavillon, d'un château.

un **perroquet** *nom masculin*

C'est un oiseau aux belles couleurs vives. Certains **perroquets** peuvent répéter quelques mots.

p

une **perruque** *nom féminin*

Pinocchio a attrapé la **perruque** de Gepetto. Ce sont ses faux cheveux.

le **persil** *nom masculin*

Les feuilles du **persil** donnent du goût aux aliments.

un **personnage** *nom masculin*

Pinocchio, le Requin, le Pêcheur et Gepetto sont des **personnages** de l'histoire de Pinocchio. Ce sont leurs aventures que l'on raconte.

une **personne** *nom féminin*

C'est un être humain, un homme, une femme, un garçon, une fille.
➤Les **grandes personnes**, ce sont les parents, les maîtres. Ce ne sont plus des enfants, ce sont des adultes.

personnel *adjectif*

La Belle emporte ses affaires **personnelles** chez la Bête. Elle emporte les affaires qui sont à elle.

peser *verbe*

Le marchand **pèse** le plat d'argent sur sa balance pour savoir son **poids**.
▶ Regarde aussi <u>les mesures</u>, page 309.
➤Petit Ours **pèse** moins que Papa Ours. Il est moins lourd.

pessimiste *adjectif*
➤optimiste

un **pétale** *nom masculin*

Une fleur rouge a des **pétales** rouges. Une fleur jaune a des **pétales** jaunes.

pétiller *verbe*

L'eau gazeuse **pétille**. Il y a des petites bulles qui éclatent à la surface. C'est de l'eau **pétillante**.

petit *adjectif*

Petit Ours est plus **petit** que Maman Ours et Maman Ours est plus **petite** que Papa Ours. C'est Papa Ours le plus grand. ▶ Regarde page 201.
━━━━☆≶━Hansel a une **petite** sœur, Gretel. Elle est plus jeune que lui.

un **petit** *nom masculin*

C'est le bébé d'un animal.

Il n'est pas comme nos **petits** à nous ! C'est un **petit** d'homme !

les **petits-enfants** *nom*

Il ne faut pas que ma mère les voie !

L'Ogresse voudrait bien manger ses **petits-enfants**, sa **petite-fille** Aurore et son **petit-fils** Jour. Aurore et Jour ont vraiment une étrange grand-mère !

le **pétrole** *nom masculin*

C'est une sorte d'huile noire qu'on trouve sous la terre et qui sert surtout à fabriquer l'essence.

le **peuple** *nom masculin*

Le Prince sera un bon roi et tout son **peuple** l'aime déjà. Ce sont tous ceux qui vivent dans son pays.

un **peuplier** *nom masculin*

C'est un grand arbre qui pousse dans les régions humides, près des rivières, des étangs, des lacs.

la **peur** *nom féminin*

Blanche-Neige a **peur**, toute seule dans la forêt, la nuit. Elle est effrayée.
━━━━☆≶━Une personne **peureuse** a peur de tout.

un **phare** *nom masculin*

Les bateaux sont guidés par les lumières des **phares**. ▶ Regarde **port**.
━━━━☆≶━Les **phares** d'une voiture, ce sont les lumières qui éclairent la route, la nuit.

p

une **pharmacie** *nom féminin*

On achète les médicaments à la **pharmacie** et c'est le **pharmacien** et la **pharmacienne** qui les vendent.

un **phoque** *nom masculin*

Les **phoques** et les **otaries** vivent dans les mers très froides. Les **otaries** marchent mieux que les **phoques**.

une **photo** *nom féminin*

C'est une image qu'on prend avec un appareil spécial. Les **photographes** font des **photos**.

C'est un mot plus court que le mot exact, *photographie*.

une **phrase** *nom féminin*

Je crois que...

Finis ta **phrase**, sinon je ne comprends rien !

physique *adjectif*

Quand on soulève une pierre très lourde, on fait un effort **physique**. C'est un effort du corps.

un **piano** *nom masculin*

Dans la salle du bal, un **pianiste** jouait du **piano**. C'est un instrument de musique avec un clavier et des cordes.

un **pic** *nom masculin*

C'est une haute montagne au sommet pointu et aux pentes très raides.

Un bateau qui coule à **pic** tombe tout droit au fond de l'eau.

picorer *verbe*

C'est manger tout petit bout par tout petit bout, comme la poule qui **picore** les grains.

une **pie** *nom féminin*

C'est un oiseau noir et blanc. Quand elle chante, la **pie jacasse**.

une **pièce** *nom féminin*

Robin donnait des **pièces** d'or aux pauvres. Aujourd'hui, les **pièces de monnaie** ne sont plus en or.
➤Les **pièces** d'un puzzle, ce sont les morceaux qu'il faut assembler.
➤Dans la maison de Gepetto, il y a trois **pièces** : la grande cuisine, la chambre de Gepetto et la chambre de Pinocchio.

le **pied** *nom masculin*

La Petite Sirène voulait des jambes et des **pieds** pour marcher comme les êtres humains.
➤Les chaises, les tables aussi ont des **pieds** pour tenir debout.
➤Le **pied** d'un arbre, c'est le bas de l'arbre.

un **piège** *nom masculin*

On tend des **pièges** pour attraper les animaux.

la **pierre** *nom féminin*

C'est une matière très dure qu'on trouve dans le sol. Les rochers sont en **pierre**. Les cailloux sont des petites **pierres**.
➤On trouve aussi, dans le sol, des pierres extraordinaires de toutes les couleurs. Ce sont des **pierres précieuses**.

Ce n'était pas des fruits qui brillaient sur les arbres. C'était des **pierres précieuses** : des **diamants** transparents, des **rubis** rouges, des **émeraudes** vertes, des **saphirs** bleus.

un **piéton**, une **piétonne** *nom*

C'est une personne qui marche à pied.
➤Dans les rues **piétonnes**, aucune voiture ne roule.

une **pieuvre** *nom féminin*

C'est un animal de la mer avec huit bras, qu'on appelle des **tentacules**.

p

un **pigeon** *nom masculin*

C'est un oiseau. Quand il chante, le **pigeon roucoule**.

Certains **pigeons** sont dressés pour porter des messages, ce sont des **pigeons voyageurs**. Ils reviennent toujours dans leur **pigeonnier**.

une **pile** *nom féminin*

Pour faire une **pile** d'assiettes, on met toutes les assiettes les unes sur les autres. On les **empile**.
◆ Certains jouets marchent avec des **piles** électriques.

piller *verbe*

Les voleurs **ont pillé** la maison. Ils ont tout pris.

un **pilote** *nom masculin*

Les **pilotes** conduisent les avions, les voitures de course. Ils les **pilotent**.

un **pin** *nom masculin*

C'est un arbre aux feuilles toujours vertes, les **aiguilles**. Les pins et les sapins donnent des **pommes de pin**.

une **pince** *nom féminin*

Avec sa **pince**, le Petit Cochon peut arracher les clous.
◆ Les crabes aussi ont des **pinces** pour attraper, **pincer**.

un **pinceau** *nom masculin*

➔ peindre

pincer *verbe*

Le Loir dormait toujours. Alors, pour le réveiller, le Chapelier le **pince** ! Il serre très fort sa peau entre ses doigts.

un **pingouin** *nom masculin*

C'est un gros oiseau des mers froides qui mange des poissons.

le **ping-pong** *nom masculin*

Au ping-pong, il faut envoyer et rattraper la balle avec une raquette sur une table traversée par un filet.

ne **pintade** *nom féminin*

C'est un oiseau de la basse-cour. Son petit est le pintadeau.

piocher *verbe*

Dans la mine, les Nains piochent la terre et la roche pour trouver du fer et de l'or. Ils creusent la terre avec leur pioche. ▶ Regarde page 311.
Piocher, c'est aussi prendre un pion ou une carte au hasard dans un tas de pions ou de cartes qu'on appelle la pioche, à certains jeux.

un **pion** *nom masculin*

On joue aux dames avec des pions blancs et noirs. ▶ Regarde page 137.

ne **pipe** *nom féminin*

Gepetto fumait la pipe de temps en temps.

un **pique-nique** *nom masculin*

C'est un repas qu'on prend en plein air.

piquer *verbe*

Qu'est-ce qui pique ?
– Les guêpes et les moustiques. Quand ils nous piquent, on a un petit bouton à l'endroit de la piqûre.
– La moutarde forte. Ça brûle un peu la langue, c'est piquant sur la langue.
– L'infirmière ou le docteur quand ils nous font des piqûres.
– Le bout pointu, piquant du fuseau, qui pique comme une aiguille.

La Belle au bois dormant se pique le doigt avec le fuseau. Mais au lieu de mourir, elle va dormir cent ans.

un **pirate** *nom masculin*

Autrefois, les pirates attaquaient les bateaux pour les voler. C'était des voleurs des mers. Aujourd'hui, les pirates de l'air détournent les avions.

p

pire

Le devoir de Pinocchio est mauvais, mais celui de Lumignon est **pire** encore. Il est encore plus mauvais.

une **pirouette** *nom féminin*

Faire une **pirouette**, c'est tourner très vite sur soi-même.

une **piscine** *nom féminin*

C'est un grand bassin pour nager. Dans le **petit bain**, on a pied. Dans le **grand bain**, on n'a plus pied et il faut savoir nager ou avoir des bouées pour y aller.

une **piste** *nom féminin*

Je vais suivre la **piste** de l'éléphant. C'est par là, on voit la trace de ses pas.

Mowgli va suivre la **piste**, le chemin de l'éléphant.
Une **piste**, c'est aussi un terrain ou une sorte de route préparés spécialement pour skier, patiner, rouler. Les skieurs descendent les **pistes** de la montagne. Les avions atterrissent sur les **pistes** de l'aéroport.

la **pitié** *nom féminin*

Le Chasseur a eu **pitié** de mo Il m'a laissée part

Le Chasseur a eu **pitié** de Blanche-Neige, il a été ému, touché par elle.

un **pitre** *nom masculin*

Faire le **pitre**, c'est faire le clown, c'est faire l'idiot.

une **pivoine** *nom féminin*

C'est une grosse fleur rouge, rose ou blanche.

un **placard** *nom masculin*

La maman du Petit Chaperon rouge range les confitures dans le **placard**.

la **place** *nom féminin*

À table, Blanche-Neige et les Nains s'asseyaient toujours à la même **place**, au même endroit, et chacun savait où il devait **se placer**.

━━★≼═Le lit de Papa Ours prend plus de **place** que le lit de Petit Ours. Il prend plus d'espace.

━━★≼═Le cirque est installé sur la **place**. C'est un grand espace d'où partent plusieurs rues.

le **plafond** *nom masculin*

Alice est devenue si grande que sa tête touche le **plafond** de la chambre !

la **plage** *nom féminin*

La Petite Sirène a déposé le Prince sur la **plage**, au bord de la mer.

plaindre *verbe*

Tu vas partir chez la Bête. Comme on te **plaint** ! Nous sommes tristes pour toi.

Mais la Belle avait du courage. Même si elle souffrait, elle ne disait rien. Elle ne **se plaignait** pas.

p

363

la **plaine** *nom féminin*

C'est une région à peu près plate. Pour aller à Brême, les animaux traversent toute la **plaine**.

plaire *verbe*

Des livres avec des images, voilà ce qui **plaît** à Alice. Voilà ce qu'elle aime.

plaisanter *verbe*

C'est dire des choses pour rire, sans être sérieux.

le **plaisir** *nom masculin*

La marraine de Cendrillon veut lui faire **plaisir**, elle veut qu'elle soit contente.

un **plan** *nom masculin*

Le Magicien a un **plan** pour récupérer la lampe d'Aladin. Voilà ce qu'il a imaginé de faire : il va acheter des lampes neuves et les donner en échange des vieilles.

➤ Un **plan**, c'est aussi un dessin qui montre comment est fait quelque chose. Sur le **plan** d'une ville, on voit toutes les rues. Sur le **plan** d'une maison, on voit toutes les pièces.

une **planche** *nom féminin*

C'est un grand morceau de bois plat. Le Petit Cochon a découpé des **planches** pour faire des étagères.

➤ Une **planche**, c'est aussi une page ou une grande feuille avec toute une série de dessins, d'images.

le **plancher** *nom masculin*

C'est le sol d'une maison.

planer *verbe*

Les vautours **planent** au-dessus des singes. Ils volent sans bouger les ailes.

une **planète** *nom féminin*

Les **planètes** tournent autour du Soleil. La Terre est une **planète**, Mars aussi.

une **plante** *nom féminin*

Les **plantes** poussent avec des racines dans la terre. Les arbres, les légumes, les fleurs sont des **plantes**.

planter *verbe*

Les jardiniers **plantent** des rosiers. Ils les mettent dans la terre.

➤ **Planter** un clou dans un mur, c'est l'enfoncer dans le mur.

une **plaque** *nom féminin*

C'est un morceau plat de quelque chose. Une **plaque** de chocolat, c'est une tablette de chocolat.

le **plastique** *nom masculin*

C'est une matière qu'on fabrique dans des usines. On peut lui donner toutes les formes.

plat *adjectif*

Sur un terrain **plat**, il n'y a pas de pente. ➤⭐◀ Boucle d'or porte des chaussures **plates**. Elles n'ont pas de talons hauts.

un **plat** *nom masculin*

On servit à la Princesse et au Magicien des **plats** chargés des mets les plus variés. Chaque **plat** était délicieux. Un **plat**, c'est à la fois la grande assiette sur laquelle il y a la nourriture et la nourriture qui est sur cette grande assiette.

un **platane** *nom masculin*

C'est un grand arbre. Il y a souvent des **platanes** le long des routes.

un **plateau** *nom masculin*

Puis, on leur apporta le vin et les verres sur un **plateau**. ➤⭐◀ Sur un **plateau** de cinéma ou de télévision, il y a toutes les personnes que l'on va voir à l'écran.

le **plâtre** *nom masculin*

C'est une poudre blanche qu'on mélange avec de l'eau. Et quand il sèche, le mélange devient dur. On peut faire des moulages, construire des murs ou réparer les jambes cassées avec du **plâtre**.

plein *adjectif*

Le verre de la princesse Badroulboudour est **plein**. Elle n'a rien bu. Celui du Magicien est **vide**. Il a tout bu. *Que va-t-il lui arriver ? Pour le savoir, regarde page 479.*

p

ple...

en **plein air**

Jouer **en plein air**, c'est jouer dehors.

pleurer *verbe*

Alice **a** tellement **pleuré** qu'une mare s'est formée à ses pieds. C'est une mare de **larmes**.

pleuvoir *verbe*

Il **pleut**. La **pluie** tombe. ▶ Regarde le temps, page 473.

le **plomb** *nom masculin*

C'est un métal très lourd. On en fait des tuyaux, des poids.

le **plombier** *nom masculin*

C'est la personne qui installe et répare les tuyaux, les robinets, les baignoires. Il fait de la **plomberie**.

plonger *verbe*

La Petite Sirène **plonge** pour rattraper le Prince en train de se noyer. Quel beau **plongeon** !

À la piscine, on peut plonger du haut du **plongeoir**.

plier *verbe*

La carte de Robin est **pliée**.

Il la **déplie** pour la regarder.

Puis il la **replie** pour la ranger, en suivant les **plis**.

la **pluie** *nom féminin*

Quand il pleut, la **pluie** tombe en gouttes. C'est de l'eau qui tombe des nuages. ▶ Regarde <u>le temps</u>, page 473.

une **plume** *nom féminin*

Blanche-Neige a trouvé une **plume**, l'oiseau n'est peut-être pas très loin. Tous les oiseaux ont des **plumes**. C'est leur **plumage**.
Autrefois, on écrivait avec le bout taillé d'une **plume** qu'on trempait dans l'encre. C'est pour cela qu'on appelle aussi **plume** le bout pointu des stylos à encre.

un **pneu** *nom masculin*

Il y a des **pneus** en caoutchouc autour des roues des voitures et des vélos.

une **poche** *nom féminin*

Hansel met des cailloux dans sa **poche**.

un **poêle** *nom masculin*

Va donc attraper des souris au lieu de rester près du **poêle** !

Le Chat est devenu vieux. Il aime la chaleur du bon **poêle**. C'est un appareil de chauffage.
On prononce comme *poil*.

une **poêle** *nom féminin*

Le Pêcheur a une **poêle** à la main. Que veut-il faire cuire dedans ? *Regarde page 219.*
On prononce comme *poil*.

p

poe...

une **poésie** *nom féminin*

> Oh ! mon Prince, regarde-moi !
> Nuit et jour je pense à toi.
> Tu es mon Prince, tu es mon roi !
> Je veux rester près de toi.

La Petite Sirène récite une **poésie** pour le Prince. C'est un **poème**, une petite histoire qui chante quand on la dit.

Les **poètes** écrivent des poèmes. Ils font de la poésie.

le **poids** *nom masculin*

C'est ce que pèse quelque chose.
▶ Regarde <u>les mesures</u>, page 309.

un **poignard** *nom masculin*

C'est une sorte de couteau.
Le Chasseur a un **poignard** sous sa cape. Il veut s'en servir pour tuer Blanche-Neige. ▶ Regarde page 85.

une **poignée** *nom féminin*

Une **poignée** de porte sert à ouvrir ou à fermer une porte. La **poignée** d'une valise sert à la porter.

le **poignet** *nom masculin*

Grâce au **poignet**, on peut tourner la main. ▶ Regarde <u>le corps</u>, page 125.

un **poil** *nom masculin*

Les cheveux, les cils, les sourcils, la barbe sont des **poils**.

Quels mots, page 367, se prononcent de la même façon ?

le **poing** *nom masculin*

Quand il est en colère, Mangefeu tape des **poings** sur la table. Le **poing**, c'est la main fermée en boule.

Quel mot, page 369, se prononce de la même façon ?

un **point** *nom masculin*

Il y a un **point** sur la lettre *i*.
━━━✦─Un **pointillé**, c'est une
série de points ......

ne **pointe** *nom féminin*

L'aiguille a une **pointe** à un bout. Elle
a un bout **pointu**. ▶ Regarde aussi
les formes, page 215.
━━━✦─Hansel sort sans faire
de bruit, en marchant sur la **pointe** des
pieds. ▶ Regarde page 161.

ne **poire** *nom féminin*

C'est un fruit
qui pousse
sur un arbre,
le **poirier**.

un **poireau** *nom masculin*

C'est un légume avec de
longues feuilles, blanc
et vert. Cendrillon
prépare une soupe
de **poireaux**.

un **pois** *nom masculin*

C'est un petit rond.
━━━✦─Les **petits pois**, ce sont
des graines toutes rondes,
que l'on cuisine après
les avoir sorties
de leurs **cosses**.
C'est un légume.

le **poison** *nom masculin*

La Sorcière prépare du **poison** pour
empoisonner la pomme et faire mourir
Blanche-Neige.

un **poisson** *nom masculin*

Les sardines, les requins, les truites, les
saumons sont des **poissons**. Ce sont
des animaux qui vivent et qui respirent
dans l'eau.

la **poitrine** *nom féminin*
═══⟩ le corps, page 125.

le **poivre** *nom masculin*

C'est une graine très piquante pour la
cuisine. Alice a respiré du **poivre**.
Sais-tu ce que cela lui a fait ? Pour le savoir,
regarde page 193.

p

pol...

un **pôle** *nom masculin*

Sur la Terre, il y a le **pôle** Nord en haut et le **pôle** Sud en bas. Dans les régions **polaires**, il fait très froid et presque personne n'y vit.

poli *adjectif*

> Ce n'est pas très **poli** de t'asseoir sans qu'on te l'ait proposé ! C'est même **malpoli** !

Quand on est **poli**, on se conduit bien. On dit bonjour, merci, par **politesse**.

la **police** *nom féminin*

La **police** s'occupe de la sécurité des gens, elle est chargée de faire respecter les lois. Les **policiers** font aussi des enquêtes pour retrouver ceux qui n'ont pas respecté les lois.

la **politique** *nom féminin*

Faire de la **politique**, c'est s'occuper de la manière dont un pays, une région, une ville sont gouvernés.

polluer *verbe*

Un air **pollué**, une eau **polluée** ne sont pas bons pour la santé. Les gaz des voitures et des usines **polluent** l'air des grandes villes.

la **pommade** *nom féminin*

C'est une sorte de crème qu'on met sur la peau pour se soigner.

une **pomme** *nom féminin*

C'est un fruit qui pousse sur un arbre, le **pommier**.

La Sorcière a préparé une **pomme** empoisonnée pour faire mourir Blanche-Neige.

une **pomme de terre** *nom féminin*

Les **pommes de terre** poussent dans la terre. On les mange cuites, en purée, en frites, en salade et de beaucoup d'autres façons.

une **pompe** *nom féminin*

Avec une **pompe**, on peut gonfler des pneus.
On prend de l'essence à la **pompe** à essence, dans les stations-service.

un **pompier** *nom masculin*

Les **pompiers** luttent contre les incendies, contre le feu.

pondre *verbe*

Les poules et tous les oiseaux femelles **pondent** des œufs.

un **poney** *nom masculin*

C'est un cheval de petite taille.

un **pont** *nom masculin*

Pour passer de l'autre côté de la rivière, Robin marche sur le **pont**.

un **pont-levis** *nom masculin*
château fort

le **pop-corn** *nom masculin*
maïs

la **population** *nom féminin*

La **population** d'une ville, d'un pays ou de la terre entière, c'est l'ensemble des habitants de cette ville, de ce pays ou de la terre entière.

un **porc** *nom masculin*

C'est un cochon. La femelle s'appelle la **truie** et le petit le **porcelet**.
On ne prononce pas le **c**.
Quel mot, page 372, se prononce de la même façon ?

la **porcelaine** *nom féminin*

Alice boit son thé dans une tasse de **porcelaine**. C'est une matière très fine.

un **porc-épic** *nom masculin*

C'est un petit animal qui a le corps couvert de piquants.
On prononce les deux **c**.

p

371

por...

un **port** *nom masculin*

Le bateau du Prince entre dans le **port**.

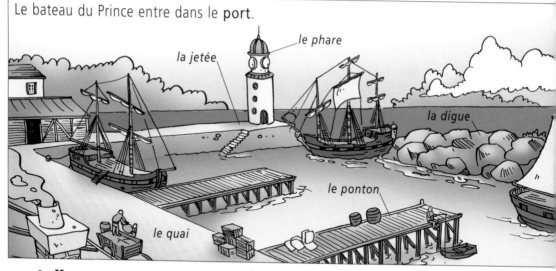

le phare

la jetée

la digue

le ponton

le quai

un **portail** *nom masculin*

C'est la grande porte d'entrée d'un jardin ou d'un palais, d'une église.

un **porte-monnaie** *nom masculin*

On garde son argent dans un **porte-monnaie**.

une **porte** *nom féminin*

Laisse-nous entrer ! Ouvre-nous ta **porte** !

un **portemanteau** *nom masculin*

On accroche ses vêtements au **portemanteau**.

porter *verbe*

Le Prince **porte** Blanche-Neige dans ses bras.

◄★◄ **Porter** un vêtement, c'est l'avoir sur soi.

une **portière** *nom féminin*

C'est une porte de voiture ou de train.

une **portion** *nom féminin*

Papa Ours mange plus que Petit Ours. Il a des **portions**, des parts plus grandes.

un **portique** *nom masculin*

Les enfants de la Belle au bois dormant jouent sur le **portique** du jardin. La petite Aurore fait de la balançoire et son frère fait des acrobaties aux anneaux.

un **portrait** *nom masculin*

Robin regardait souvent le **portrait** de Marianne.

poser *verbe*

Pose la galette sur la table et viens te coucher.

Le Petit Chaperon rouge va **poser**, mettre la galette sur la table.

—Quand un avion atterrit, il **se pose** sur le sol.

—Quand on demande quelque chose à quelqu'un, on lui **pose** une question.

une **position** *nom féminin*

Pinocchio est un pantin articulé. Il peut se mettre dans toutes les **positions** : la tête en haut, la tête en bas, à quatre pattes ou debout. ▶ Regarde page suivante.

posséder *verbe*

Le père de la Belle au bois dormant **possédait** un très beau château. Le château était à lui.

les positions

Aussitôt qu'il a su marcher, Pinocchio s'est amusé
à se mettre dans toutes les positions.

à plat ventre

sur le dos

sur le côté

à genoux

assis

accroupi

à quatre pattes

en tailleur

debout
de face

debout
de profil

debout
de dos

et bien sûr,
les pieds au mur

possible *adjectif*

Alice est à nouveau petite. Elle peut passer par la porte. C'est **possible**. Ce qui est **possible**, on peut le faire. *Comment dit-on quand on ne peut pas faire quelque chose ? Pour le savoir, regarde page 256.*

un **poste** *nom masculin*

Un **poste** de radio, c'est une radio. Un **poste** de télévision, c'est une télévision.

la **poste** *nom féminin*

La **poste** s'occupe d'envoyer le courrier, les lettres. Les **postiers** travaillent à la poste. **Poster** une lettre, c'est l'envoyer par la poste.

un **pot** *nom masculin*

La maman du Petit Chaperon rouge a toutes sortes de **pots**. Elle a des **pots** pour mettre le beurre, des **pots** à confiture, des **pots** à eau et des **pots** de fleurs. ▶ Regarde aussi **poterie**.

potable *adjectif*

De l'eau **potable**, c'est de l'eau que l'on peut boire.

un **potage** *nom masculin*

C'est une soupe de légumes.

un **potager** *nom masculin*

C'est un jardin où on fait pousser des légumes.

Cendrillon va chercher une citrouille dans son **potager**. *Sais-tu ce que va en faire sa marraine ? Regarde page 88.*

un **poteau** *nom masculin*

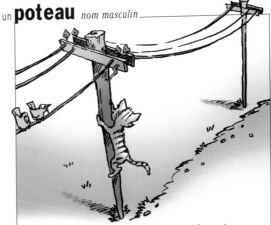

Le Chat grimpe au **poteau** électrique.

375

pot...

la **poterie** *nom féminin*

Le **potier** fabrique des **pots** en terre. Il fait de la **poterie**.

une **potion** *nom féminin*

Bois et tu auras des jambes !

La Sorcière a mélangé toutes sortes de choses pour faire sa **potion** magique.

un **potiron** *nom masculin*

Le **potiron** ressemble à une petite citrouille.

un **pou** *nom masculin*

C'est une toute petite bête qui s'accroche aux cheveux. Il y a des shampooings qui font partir les **poux**.

une **poubelle** *nom féminin*

On jette tout ce qui ne sert plus à rien dans une **poubelle**.

le **pouce** *nom masculin*

 doigt

la **poudre** *nom féminin*

Si on écrase du sucre en morceaux, on a du sucre en **poudre**. Ce sont de tout petits grains.

un **poulain** *nom masculin*

⟹ cheval

une **poule** *nom féminin*

La **poule** pond des œufs. Son mâle est le **coq** et ses petits les **poussins**. Quand elle crie, la poule **glousse** ou **caquette**. À la ferme, les poules, les coqs et les poussins dorment dans le **poulailler**.

un **poulet** *nom masculin*
C'est une jeune poule ou un jeune coq.

les **poumons** *nom masculin*
On respire grâce à nos **poumons**.

une **poupée** *nom féminin*
Aurore, la petite fille de la Belle au bois dormant, joue avec une jolie **poupée**.

pourrir *verbe*
Si on laisse trop longtemps les fruits dehors, ils **pourrissent**. Ils s'abîment tellement qu'il faut les jeter.

une **poursuite** *nom féminin*
Alice se lance à la **poursuite** du Lapin Blanc. Elle court derrière lui pour le rattraper. Elle le **poursuit**.

pousser *verbe*

Les hommes **poussent** le chariot pendant que le cheval tire.
Pousser, c'est aussi grandir. Quand on les arrose, les fleurs **poussent**.

la **poussière** *nom féminin*
Sur leur passage, les chevaux soulevaient des nuages de **poussière** !

un **poussin** *nom masculin*
poule

une **poutre** *nom féminin*
C'est un long et gros morceau de bois ou de métal qui soutient les murs et les plafonds.

p

pouvoir *verbe*

> Et est-ce que je **pourrai** jouer avec les singes ?

> Non, tu n'as pas le droit.

> Maintenant tu sais nager. Tu **peux** traverser la rivière. Tu en es capable.

Attention, le verbe **pouvoir** change très souvent de forme.

Autrefois	Hier	Aujourd'hui	Demain	Il faut que
je pouvais	j'ai pu	je peux	je pourrai	je puisse
tu pouvais	tu as pu	tu peux	tu pourras	tu puisses
il, elle pouvait	il, elle a pu	il, elle peut	il, elle pourra	il, elle puisse
nous pouvions	nous avons pu	nous pouvons	nous pourrons	nous puissions
vous pouviez	vous avez pu	vous pouvez	vous pourrez	vous puissiez
ils, elles pouvaient	ils, elles ont pu	ils, elles peuvent	ils, elles pourront	ils, elles puissent

un **pouvoir** *nom masculin*

Les fées, les sorcières et les magiciens ont des **pouvoirs** extraordinaires. Ils peuvent faire des choses extraordinaires.

une **prairie** *nom féminin*

Mowgli conduit les bêtes dans les **prairies**, là où l'herbe est délicieuse.

pratique *adjectif*

Le Petit Chaperon rouge met son pot de beurre et sa galette dans un panier. C'est plus **pratique** pour les porter. C'est plus facile, plus commode.

un **pré** *nom masculin*

C'est une petite prairie, un terrain couvert d'herbe.

une **précaution** *nom féminin*

Le Petit Cochon a pris toutes les **précautions** pour que le Loup ne puisse pas entrer. Il a fait tout ce qu'il fallait pour que le Loup n'entre pas.

un **précipice** *nom masculin*

Les animaux marchaient le long d'un **précipice**. C'est un grand trou, une pente à pic.

se **précipiter** *verbe*

Robin **se précipite** à la poursuite du Baron. Il court après lui.

précis *adjectif*

Quand il est 8 heures **précises**, il est exactement 8 heures.

prédire *verbe*

C'est dire ce qui va se passer dans l'avenir.

Elle ne mourra pas. Elle dormira cent ans et un prince la réveillera.

Voilà ce que la jeune Fée **prédit**. Voilà sa **prédiction**. *Cela va-t-il se réaliser ?* *Pour le savoir, regarde page 420.*

préférer *verbe*

Ce que Baloo **préfère**, c'est le miel. C'est ce qu'il aime le plus.

préhistorique *adjectif*

Les hommes **préhistoriques** vivaient dans des cavernes. Ils s'habillaient de peaux de bête. Ils n'avaient pas encore inventé l'écriture mais ils faisaient des dessins. C'était la **préhistoire**, il y a très, très longtemps.

premier *adjectif*

Le *a* est la **première** lettre de l'alphabet. Il n'y en a pas d'autre avant.

p

379

prendre *verbe*

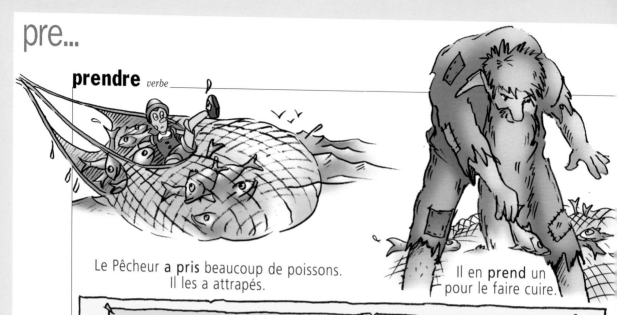

Le Pêcheur **a pris** beaucoup de poissons.
Il les a attrapés.

Il en **prend** un
pour le faire cuire.

> Attention, le verbe **prendre** change très souvent de forme.

Autrefois	Hier	Aujourd'hui	Demain	Il faut que
je prenais	j'ai pris	je prends	je prendrai	je prenne
tu prenais	tu as pris	tu prends	tu prendras	tu prennes
il, elle prenait	il, elle a pris	il, elle prend	il, elle prendra	il, elle prenne
nous prenions	nous avons pris	nous prenons	nous prendrons	nous prenions
vous preniez	vous avez pris	vous prenez	vous prendrez	vous preniez
ils, elles prenaient	ils, elles ont pris	ils, elles prennent	ils, elles prendront	ils, elles prennent

un **prénom** *nom masculin*

Le Petit Chaperon rouge a été écrit par Charles Perrault. Charles, c'est le **prénom**, et Perrault le nom de famille.

préparer *verbe*

C'est Maman Ours qui **préparait** le repas de la famille. Elle faisait tout ce qu'il y avait à faire pour que le repas soit prêt.

près

➤ où ? page 339.

présent *adjectif*

Toutes les fées étaient **présentes** au baptême de la Princesse. Elles étaient toutes là et le Roi était heureux de leur **présence**.

le **présent** *nom masculin*

Le **présent**, c'est tout ce qui se passe maintenant. Avant, c'est le passé, et après, c'est le futur, l'avenir.

➤ Un **présent**, c'est aussi un cadeau. Aladin a fait porter des **présents** au Sultan.

présenter *verbe*

Mes amis, voici Robin. Robin, voici mes amis.

Petit Jean **présente** Robin à ses amis. Il leur fait faire connaissance.

➤ À la télévision, les **présentateurs présentent** les émissions. Ils parlent, donnent les informations et accueillent les invités.

un **président**, une **présidente** *nom*

Le **président** de la République, c'est celui qui dirige le pays, avec son gouvernement.

une **presqu'île** *nom féminin*

 île

presser *verbe*

C'est appuyer sur quelque chose. **Presser** une orange, un citron, c'est en faire sortir le jus pour faire une orange **pressée** ou un citron **pressé**.

➤ **Se presser**, c'est aussi se dépêcher, aller vite.

prêt *adjectif*

Maman Ours a fini de préparer le repas. Le repas est **prêt**. La soupe est **prête**.

prétendre *verbe*

Le Magicien **prétend** qu'il est l'oncle d'Aladin. Il le dit, mais ce n'est pas vrai.

prétentieux *adjectif*

Les sœurs de la Belle sont très **prétentieuses**. Elles croient qu'elles sont mieux que toutes les autres jeunes filles de la ville.

prêter *verbe*

Tu me **prêtes** ta robe jaune ? Je te la rendrai après le bal.

Certainement pas ! Elle est à moi et je la garde !

un **prétexte** *nom masculin*

Lumignon a dit qu'il était malade, mais c'était un **prétexte** pour ne pas aller à l'école.

p

381

une **preuve** *nom féminin*

Je suis l'inconnue du bal ! J'en ai la **preuve**.

Cendrillon sort l'autre pantoufle de sa poche. Cela **prouve** que c'est elle l'inconnue du bal. Cela le montre.

prévenir *verbe*

C'est avertir.

prévoir *verbe*

Moi, j'ai tout **prévu** pour que le Loup n'entre pas. J'ai pensé à tout à l'avance !

prier *verbe*

Venez toutes près de moi et chantez pour moi. Je vous en **prie**. Je vous le demande.

Prier, c'est aussi parler à Dieu, dans une **prière**.

un **prince**, une **princesse** *nom*

C'est le fils ou la fille d'un roi.

principal *adjectif*

Mowgli est le personnage **principal** du *Livre de la jungle*. C'est le personnage le plus important.

un **principe** *nom masculin*

Le père de la Belle avait donné de bons **principes** à ses enfants. Ils devaient être francs, honnêtes et généreux.

le **printemps** *nom masculin*

C'est la saison après l'hiver. Les feuilles et les fleurs poussent. On entend les oiseaux chanter.

prison *nom féminin*

Le malheureux Pinocchio a été condamné à quatre mois de **prison**. Il doit rester enfermé en **prison** pendant quatre mois. Il est **emprisonné**.
➤✦ Un **prisonnier** ou une **prisonnière**, c'est une personne qui est enfermée, en prison ou ailleurs. Hansel est **prisonnier** de la Sorcière.

privé *adjectif*

PROPRIÉTÉ PRIVÉE

Le Petit Cochon ne veut pas que n'importe qui entre chez lui. C'est sa maison et son jardin. C'est une propriété **privée**. ▶ Regarde aussi **public**.

priver *verbe*

Hansel et Gretel étaient souvent **privés** de dîner. Ils ne pouvaient pas dîner.

le prix *nom masculin*

C'est ce que coûte quelque chose. C'est la somme d'argent qu'il faut donner pour l'acheter.

un problème *nom masculin*

Il n'y a pas de pont. Comment faire pour traverser la rivière ?

Hansel et Gretel ont un vrai **problème**. Heureusement, ils vont trouver une solution. *Regarde page 486 pour savoir laquelle.*

un procès *nom masculin*

Le Valet de Cœur n'a pas eu droit à un vrai **procès**. Dans un vrai **procès**, au tribunal, il y a le juge, les jurés, et les avocats de la défense et de l'accusation.

prochain *adjectif*

La Petite Sirène a juste 15 ans. L'année **prochaine**, elle aura 16 ans. L'année **dernière**, elle avait 14 ans.

p

proche *adjectif*

Le château du Prince était tout **proche** de la mer. Il était tout près, tout à côté. La Petite Sirène et ses sœurs étaient très **proches**, elles se racontaient tout.

un **produit** *nom masculin*

L'eau de Javel, la lessive sont des **produits** d'entretien. Le rouge à lèvres, les crèmes sont des **produits** de beauté. On les a fabriqués.

un **professeur** *nom masculin*

Les **professeurs** apprennent des choses à leurs élèves.

une **profession** *nom féminin*

C'est un métier.

le **profil** *nom masculin*

les positions, page 374.

profiter *verbe*

Le Prince est parti à la guerre. L'Ogresse veut en **profiter** pour manger les petits enfants de la Belle au bois dormant.

profond *adjectif*

Le Roi de la mer vit au fond de l'eau, là où la mer est très **profonde**. ▶ Regarde aussi **dimension**.

un **programme** *nom masculin*

Il y a des journaux qui donnent les **programmes** de la télévision et de la radio. Ils disent tout ce qu'on peut voir, quel jour et à quelle heure.

le **progrès** *nom masculin*

Autrefois, on voyageait à cheval. Maintenant, on a des voitures, des trains et des avions : c'est le **progrès**, c'est de mieux en mieux.

une **proie** *nom féminin*

Akela ne manquait jamais sa **proie**. Il attrapait toujours l'animal qu'il voulait dévorer.

un **projet** *nom masculin*

C'est ce qu'on décide de faire, ce qu'on veut faire.

promener *verbe*

Les Ours **se promènent** dans les bois. Ils marchent dans les bois. Ils font une petite **promenade** en attendant que leur soupe refroidisse.

promettre *verbe*

« Je vous **promets** d'être sage. Vous pouvez en être sûre. »

Pinocchio fait une **promesse** à la Fée : il sera sage, il ne fera plus de bêtises.

prononcer *verbe*

C'est dire les mots. Les personnes qui zozotent disent *ze* au lieu de *je*. Elles ont un défaut de **prononciation**.

proposer *verbe*

« Veux-tu venir avec moi ? Nous serons musiciens. »

L'Âne **propose** au Chien de venir avec lui. Il lui fait une **proposition**. Le Chien peut accepter ou refuser.

propre *adjectif*

La maison des Nains n'est jamais sale, elle est toujours **propre** car Blanche-Neige nettoie tout, elle aime la **propreté**.

un **propriétaire**, une **propriétaire** *nom*

« Je suis le **propriétaire** du château et du jardin. Ils sont à moi. Vous êtes sur ma **propriété**. »

protéger *verbe*

Baloo et Bagheera **protègent** Mowgli. Ils le défendent contre tous les dangers de la jungle. Mowgli est leur **protégé**.

protestant *adjectif*

 chrétien

protester *verbe*

« Qu'on leur coupe la tête ! » dit la Reine. « Je ne veux pas qu'on leur coupe la tête ! » **proteste** Alice. Alice dit qu'elle n'est pas d'accord.

pro...

une prouesse *nom féminin*

C'est un exploit.

prouver *verbe*

 preuve

une province *nom féminin*

C'est une des régions d'un pays.
En France, on dit qu'on habite en **province** quand on n'habite pas à Paris.

une provision *nom féminin*

Les écureuils ont amassé des noisettes. Ils ont leurs **provisions** de noisettes pour l'hiver.

prudent *adjectif*

Sois **prudente** dans la forêt. Fais attention à tout, et ne parle à personne !

Mais le Petit Chaperon rouge n'a pas écouté les conseils de **prudence** de sa maman. Elle a été **imprudente**.

une prune *nom féminin*

C'est le fruit d'un arbre, le **prunier**. Les petites **mirabelles** jaunes, les **reines-claudes** vertes et les **quetsches** violettes sont des **prunes**.

Un **pruneau**, c'est une prune qu'on a fait sécher.

public *adjectif*

Un jardin **public** est ouvert à tout le monde. Il n'est pas privé.

le public *nom masculin*

Au cirque, les clowns sont sur la piste et le **public** est sur les gradins. Ce sont toutes les personnes qui regardent.

la publicité *nom féminin*

À la télévision, on voit des **publicités** pour donner envie d'acheter des choses. On dit aussi la **pub**.

une puce *nom féminin*

C'est un tout petit insecte qui saute. Les **puces** piquent pour sucer le sang.

puer *verbe*

C'est sentir très mauvais.

puissant *adjectif*

Le lion est un animal **puissant**. Il a beaucoup de force, de **puissance**.

un **puits** *nom masculin*

Blanche-Neige prend de l'eau au **puits**.

un **pull** *nom masculin*

Il fait froid dans la mine. Les Nains mettent des gros **pulls** en laine.

punir *verbe*

Tu n'aurais pas dû jouer avec les singes. Tu seras **puni**.

Comme **punition**, Mowgli reçoit une bonne fessée !

pur *adjectif*

L'eau de la source est **pure**. L'air de la montagne est **pur**. Ils ne sont pas pollués, ils ne sont mélangés à rien d'autre.

la **purée** *nom féminin*

Pour faire de la **purée** de pommes de terre, il faut faire cuire les pommes de terre et les écraser.

p

387

un **puzzle** *nom masculin*

Aurore a presque fini son **puzzle**, il lui reste quelques pièces à placer pour que l'image soit complète.

un **pyjama** *nom masculin*

C'est une veste et un pantalon pour dormir.

une **pyramide** *nom féminin*

 <u>les formes et les figures</u>, page 215.

un **python** *nom masculin*

C'est un grand serpent qui tue sa proie en l'étouffant. Kaa est un énorme **python**.

Qq

quadrillé *adjectif*

Sur du papier **quadrillé**, il y a des lignes qui se croisent. Cela fait des carreaux.

le **quai** *nom masculin*

On attend le train sur le **quai**. Il y a aussi des **quais** au bord de l'eau pour descendre d'un bateau ou y monter. ▶ Regarde **port**.

une **qualité** *nom féminin*

Elle chantera comme un oiseau.

Elle sera bonne et généreuse.

Elle dansera à merveille.

Elle sera intelligente.

La Princesse aura toutes les **qualités**, elle n'aura aucun défaut.

Un jouet de bonne **qualité** ne s'abîme pas vite.

q

389

quand ?

Ce mot sert à poser des questions sur le temps, la date, le moment.

Le Petit Chaperon rouge a l'habitude d'aller chez sa grand-mère. Elle y va **souvent**.

Le Loup et le Petit Chaperon rouge se rencontrent au carrefour. Ils y arrivent **en même temps**.

Mais le Loup a pris un raccourci. Il va arriver **avant** le Petit Chaperon rouge. Il va arriver plus **tôt**.

Et le Petit Chaperon rouge arrive **après** le Loup. Elle arrive plus **tard**. Hélas ! Le Loup a **déjà** mangé la grand-mère !

« **Maintenant**, je vais pouvoir manger le Petit Chaperon rouge. Je vais la manger **tout de suite** », se dit le Loup.

Et le Loup a mangé le Petit Chaperon rouge. Le Petit Chaperon rouge n'aurait **jamais** dû parler au Loup !

390

la **quantité** *nom féminin*

Les écureuils ont une grosse **quantité** de noisettes pour l'hiver. Ils en ont beaucoup.

un **quart d'heure** *nom masculin*

Un **quart d'heure**, c'est 15 minutes.

un **quartier** *nom masculin*

Pinocchio et Lumignon habitent le même **quartier**. Ils habitent dans la même partie de la ville, pas très loin l'un de l'autre.

une **quenouille** *nom féminin*

Autrefois, on filait la laine avec une **quenouille** et un fuseau.

une **question** *nom féminin*

Qui as-tu vu ?
Que faisais-tu ?
Où étais-tu ?
Oh ! Vous me posez trop de **questions** ! Je ne peux pas vous répondre à tous en même temps !

Questionner quelqu'un, c'est lui poser des questions, lui demander des choses.

une **queue** *nom féminin*

La **queue** du Loup apparaît dans la cheminée. *Que vont faire les trois Petits Cochons ?* *Regarde page 47.*

Les cerises, les casseroles, les avions ont aussi une **queue**.

Une **queue**, c'est aussi beaucoup de personnes qui attendent, les unes derrière les autres.

La mère d'Aladin fait la **queue** pour voir le Sultan.

qui...

une **quille** *nom féminin*

Les enfants jouent aux **quilles**. Ils les font tomber avec une boule.

quitter *verbe*

Tu dois **quitter** la jungle tu dois partir.

Mowgli doit partir et **quitter** ses amis.

quotidien *adjectif*

 jour

Rr

rabâcher *verbe*

C'est répéter plusieurs fois la même chose.

rabattre *verbe*

Il pleut, Robin **rabat** le bord de son chapeau, il le baisse.

raboter *verbe*

Le deuxième Petit Cochon **rabote** sa planche avec un **rabot**.

raccommoder *verbe*

C'est réparer un tissu troué ou déchiré avec du fil et une aiguille.

r

rac...

raccompagner *verbe*

Raccompagner un ami chez lui, c'est le ramener chez lui.

un **raccourci** *nom masculin*

Le Loup a pris un **raccourci** pour arriver plus vite chez la grand-mère du Petit Chaperon rouge. C'est un chemin plus court.
━━━━☆◁**Raccourcir** une jupe, c'est la faire plus courte.

une **race** *nom féminin*

Il y a différentes **races** de chiens comme les caniches, les dalmatiens, les cockers, les teckels. Ce sont tous des chiens, mais ils ne se ressemblent pas complètement.

une **racine** *nom féminin*

Les **racines** des plantes, des arbres, ce sont les parties des plantes et des arbres qui sont enfoncées dans la terre.

raconter *verbe*

Alors le Prince est venu vers moi...

Cendrillon **raconte** le bal à sa marraine. Elle lui dit tout ce qui s'est passé.

un **radeau** *nom masculin*

Robin, Petit Jean et Marianne descendent la rivière sur un **radeau**. Les **radeaux** sont des bateaux tout simples, faits de troncs d'arbres.

un **radiateur** *nom masculin*

Autrefois, on se chauffait avec des cheminées ou des poêles. Aujourd'hui, il y a des **radiateurs** dans toutes les pièces de la maison.

radieux *adjectif*

Un soleil **radieux**, c'est un soleil qui brille beaucoup.
━━━━☆◁Quand Cendrillon épouse le Prince, elle est **radieuse**. Ses yeux brillent de bonheur et de joie.

la **radio** *nom féminin*

On écoute des émissions, de la musique et les informations à la **radio**.
━━━━☆◁Une **radio**, c'est aussi une image de l'intérieur de notre corps.

un **radis** *nom masculin*

On mange la petite racine ronde rose et blanc du radis.

radoter *verbe*

Tu me l'as déjà dit cent fois !

Tu dois aller à l'école !

Pinocchio trouve que le Grillon parlant **radote**. Il dit toujours la même chose.

une **rafale** *nom féminin*

Quand le vent souffle par **rafales**, il se met à souffler tout à coup et très fort.

raffoler *verbe*

Mmm ! Du miel ! J'en **raffole**, j'adore ça !

rafistoler *verbe*

C'est réparer tant bien que mal, comme on peut.

rafraîchir *verbe*

On met les boissons à **rafraîchir** au réfrigérateur, pour qu'elles soient plus fraîches.

la **rage** *nom féminin*

Être en **rage**, c'est être très en colère. ➤ Avoir une **rage de dents**, c'est avoir très mal aux dents.

raide *adjectif*

Mowgli a les cheveux **raides**. Ils sont tout droits. Boucle d'or a les cheveux souples et bouclés. ➤ Une pente **raide** monte ou descend beaucoup. ➤ Si on a une jambe **raide**, on a du mal à la plier.

une **raie** *nom féminin*

La Belle se coiffe avec une **raie** au milieu. ➤ Une **raie**, c'est aussi une rayure.

r

un **rail** *nom masculin*

Les trains roulent sur les **rails** de la voie ferrée.

le **raisin** *nom masculin*

Cendrillon goûte un grain de **raisin**. C'est le fruit de la vigne, qui pousse en grappes.

la **raison** *nom féminin*

Dis-moi pour quelle **raison** je ne peux pas épouser la Princesse ?

Parce que nous sommes trop pauvres. Voilà la **raison**, voilà pourquoi.

Avoir raison, c'est ne pas se tromper. Quand on se trompe, on a tort.

raisonnable *adjectif*

Une personne **raisonnable** ne fait pas de choses dangereuses ou interdites.

rajouter *verbe*

C'est mettre en plus. C'est ajouter encore.

ralentir *verbe*

C'est aller moins vite. Les voitures **ralentissent** dans les virages.

rallonger *verbe*

Rallonger une jupe, c'est la faire plus longue.

ramasser *verbe*

C'est prendre ce qu'il y a par terre ou ce qui traîne quelque part.

ramener *verbe*

Aladin a promis au Sultan de lui **ramener** sa fille. Il reviendra avec elle.

ramer *verbe*

Gepetto doit **ramer** pour faire avancer sa barque. Mais la mer est forte et il est fatigué de tirer sur les **rames**.

Que va-t-il se passer ? Pour le savoir, regarde *page 495.*

ramoner *verbe*

Ramoner une cheminée, c'est la nettoyer.

une **rampe** *nom féminin*

Il y a souvent une **rampe** le long d'un escalier, pour se tenir.

ramper *verbe*

C'est avancer en se traînant sur le ventre, comme le font les serpents.

rancunier *adjectif*

Une personne **rancunière** ne pardonne pas à ceux qui lui ont fait du mal. Elle leur garde de la **rancune**.

une **randonnée** *nom féminin*

C'est une grande promenade.

un **rang** *nom masculin*

Les soldats avancent en **rangs** les uns à côté des autres. Au premier **rang**, il y a le Baron.

Une **rangée**, c'est un rang de personnes ou de choses.

ranger *verbe*

Cendrillon **range** les affaires de ses sœurs. Elle met chaque chose à sa place.

un **rapace** *nom masculin*

L'aigle, le hibou, le vautour sont des **rapaces**. Ce sont des oiseaux qui mangent d'autres animaux.

râper *verbe*

La maman de Boucle d'or **a râpé** du fromage avec sa **râpe**.

r

rap...

rapetisser *verbe*

Alice **a** tellement **rapetissé** qu'elle a la tête juste au-dessus de ses pieds ! Elle est devenue toute petite !

rapide *adjectif*

Le Lapin Blanc court très vite, il est **rapide**, il n'est pas lent.

rappeler *verbe*

Ces arbres me **rappellent** le jardin de mon père. Ils m'y font penser.

➡✦←Se **rappeler** quelque chose, c'est s'en souvenir.

rapporter *verbe*

Si on emprunte un livre à la bibliothèque, il faut le **rapporter**. Il faut revenir avec pour le rendre.

rapprocher *verbe*

Dès que le Prince est passé, les arbres **se rapprochent** jusqu'à se toucher.

une **raquette** *nom féminin*

On joue au tennis et au ping-pong avec des **raquettes** pour envoyer et rattraper les balles.

rare *adjectif*

Ce qui est **rare** n'arrive presque jamais.

raser *verbe*

Les Nains ne **se rasent** pas. Ils laissent pousser leur barbe. Ils ne la coupent pas.

rassasié *adjectif*

Les animaux ont tellement mangé qu'ils sont **rassasiés**, ils n'ont plus faim du tout.

rassembler *verbe*

Mowgli doit **rassembler** le troupeau avant de rentrer au village. Toutes les bêtes doivent être ensemble.

rassis *adjectif*

Du pain **rassis**, c'est du pain qui n'est plus frais. Il est devenu dur.

rassurer *verbe*

Dans la forêt, Gretel n'est pas **rassurée** du tout. Elle est inquiète et elle a peur. Mais Hansel la **rassure**. Il lui dit de ne pas s'inquiéter.

un rat *nom masculin*

C'est un petit animal rongeur, plus gros qu'une souris. La femelle est la **rate** et le petit le **raton**. *En quoi la marraine de Cendrillon transforma-t-elle le gros rat ? Pour le savoir, regarde page 109.*

un râteau *nom masculin*

Le jardinier ramasse les feuilles mortes avec son **râteau**. C'est un outil avec des dents et un long manche.

rater *verbe*

Raté !

Le jeune homme **a raté** la cible, il ne l'a pas atteinte, il l'a manquée. Robin, lui, ne **rate** jamais, il réussit toujours.

r

rat...

une **ration** *nom féminin*

Le fermier donne à chaque cheval sa **ration** d'avoine. C'est la quantité de nourriture à laquelle il a droit.

rattraper *verbe*

Attends-moi !

Le Petit Cochon court pour **rattraper** son frère. Il veut le rejoindre. *Où courent-ils comme ça ? Regarde page 406.*

Robin n'est pas tombé, il **s'est rattrapé** à la branche.

une **rature** *nom féminin*

Quand on barre un mot d'un trait, on fait une **rature**.

rauque *adjectif*

Quand on a trop crié, on a la voix **rauque**, comme enrouée.

un **ravage** *nom masculin*

La tempête a fait des **ravages** dans les campagnes. Tout est abîmé, détruit, cassé.

ravi *adjectif*

Cendrillon est **ravie** de sa soirée au bal. Elle est très contente, très heureuse.

un **ravin** *nom masculin*

Mowgli et les enfants descendent dans le **ravin** pour aller au bord de la rivière.

ravissant *adjectif*

Le Prince trouvait Cendrillon **ravissante** ! Il la trouvait très jolie !

un **ravisseur**, une **ravisseuse** *nom*

Qui a enlevé la princesse Badroulboudour ? C'est le Magicien. C'est lui le **ravisseur**.

rayer *verbe*

Rayer un mot, c'est le barrer, faire une **rature**.
➤Ce jour-là, Petit Ours portait un maillot **rayé**. Le maillot a des **raies**, des **rayures** bleues.

un **rayon** *nom masculin*

Les **rayons** du soleil, ce sont les traits de lumière qui partent du soleil.
➤Les **rayons** d'une roue de bicyclette, ce sont les tiges de métal qui partent du milieu de la roue.
➤Les **rayons** d'un magasin, ce sont les endroits où on vend les mêmes sortes de choses : on achète des chaussures au **rayon** des chaussures, des aliments au **rayon** alimentation.

réagir *verbe*

Si on touche quelque chose qui pique, on **réagit** en retirant très vite sa main. C'est une **réaction** normale.

réaliser *verbe*

Gepetto **a réalisé** un pantin. Il l'a fait.
➤Une des fées avait dit que la Princesse se piquerait avec un fuseau et cela **s'est réalisé**. La Princesse s'est piquée avec un fuseau.

la **réalité** *nom féminin*

C'est tout ce qui existe pour de vrai, tout ce qui est **réel**.

rebondir *verbe*

Le ballon **rebondit**. Il touche le sol avant de faire un autre bond.

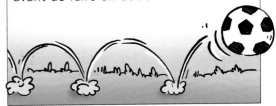

le **rebord** *nom masculin*

Il y a un oiseau sur le **rebord** de la fenêtre.

r

à **rebrousse-poil**

Les chats n'aiment pas qu'on les caresse à **rebrousse-poil**, dans le sens contraire des poils.

rebrousser *verbe*

Rebrousser chemin, c'est retourner là d'où l'on vient.

un **rébus** *nom masculin*

C'est une devinette faite avec des lettres, des chiffres et des dessins. Trouve la solution de ce **rébus** :

Réponse : C'est un chat qui sourit !

une **recette** *nom féminin*

Blanche-Neige connaît la **recette** pour faire les crêpes. Elle sait comment les faire.

➤ La **recette**, c'est aussi l'argent qu'on a gagné.

recevoir *verbe*

Robin a envoyé un message à Marianne et Marianne l'**a reçu**. Elle l'a eu. C'est Petit Jean qui le lui a donné.

➤ **Recevoir** des amis, c'est les accueillir chez soi.

un **réchaud** *nom masculin*

Pinocchio s'est brûlé les pieds sur le **réchaud**. C'est un appareil pour faire cuire les aliments. *Que va faire Gepetto pour les réparer ? Pour le savoir, regarde page 111.*

réchauffer *verbe*

La soupe était froide. Blanche-Neige l'a remise sur le feu pour la faire **réchauffer**.

rêche *adjectif*

Une serviette de bain **rêche** gratte un peu. Elle n'est pas douce.

rechercher *verbe*

Mowgli a disparu ! Baloo et Bagheera le **recherchent**, ils le cherchent partout. Ils sont partis à sa **recherche**.

une **rechute** *nom féminin*

Faire une **rechute**, c'est retomber malade, juste après avoir été guéri.

un **récif** *nom masculin*

Le bateau s'est fracassé sur les récifs. Ce sont des rochers dans l'eau.

un **récipient** *nom masculin*

On met le sucre dans un sucrier, le sel dans une salière, le thé dans une théière, les fleurs dans un vase.
Le sucrier, la salière, la théière, le vase sont des **récipients**.

réciproque *adjectif*

Je t'aime.

Je t'aime.

Robin et Marianne s'aiment. Leur amour est **réciproque**.

un **récit** *nom masculin*

Pinocchio fait le **récit** de toutes ses aventures à Gepetto. Il lui raconte tout ce qui lui est arrivé.

réciter *verbe*

Réciter sa leçon, c'est la dire à voix haute après l'avoir apprise.
Une **récitation**, c'est un petit texte, une poésie, qu'on doit réciter.

réclamer *verbe*

Les sœurs de la Belle **réclamaient** toujours de nouvelles robes. Elles en demandaient toujours plus.

récolter *verbe*

Quand les fruits, les légumes, les céréales sont mûrs, les agriculteurs les **récoltent**. Ils les cueillent ou les ramassent et ils vendent leurs **récoltes**.

recommander *verbe*

Les Nains **ont** bien **recommandé** à Blanche-Neige de n'ouvrir la porte à personne. Ils le lui ont conseillé, en insistant beaucoup.

recommencer *verbe*

Le jeune homme a raté la cible la première fois. Il **recommence**, il tire une nouvelle fois.

r

récompenser *verbe*

Pinocchio a été sage. La Fée a préparé une petite fête pour le **récompenser**. C'est sa **récompense**.

réconcilier *verbe*

Les enfants se sont battus, ils se sont fâchés. Mais après, ils **se sont réconciliés**. Ils n'étaient plus fâchés.

reconnaître *verbe*

Vous êtes la mère d'Aladin. Je vous ai déjà vue.

Le Sultan **reconnaît** la mère d'Aladin. Il sait qui elle est.

Les sœurs de Cendrillon **reconnaissent** qu'elles ont été méchantes. C'est vrai et elles le disent.

Cendrillon va-t-elle leur pardonner ? Regarde page 346.

recopier *verbe*

C'est copier ce qui est écrit.

un record *nom masculin*

Robin réussit à toucher une flèche en plein vol ! C'est un **record** ! Personne n'a réussi à faire mieux. ▶ Regarde page 240.

recourbé *adjectif*

L'aigle a un bec **recourbé**. Son bec n'est pas droit, il est crochu.

recouvrir *verbe*

L'hiver, la neige **recouvre** la campagne. Elle est dessus, elle couvre entièrement la campagne.

la récréation *nom féminin*

À l'école, on joue dans la cour pendant la **récréation**, quand on n'est pas en classe.

se recroqueviller *verbe*

Petit Jean **se recroqueville** derrière un rocher pour qu'on ne le voie pas. Il se fait tout petit.

un rectangle *nom masculin*

les formes et les figures, page 215.

recueillir *verbe*

Père Loup et Mère Louve **ont recueilli** Mowgli. Ils l'ont accueilli chez eux parce qu'il n'avait nulle part où aller.

reculer *verbe*

Le loup a peur du feu. Il **recule**, il va en arrière.

Marcher **à reculons**, c'est marcher en arrière.

récupérer *verbe*

Le Magicien veut **récupérer** la lampe. Il veut la reprendre à Aladin.

redouter *verbe*

Tous les animaux **redoutent** Shere Khan. Ils le craignent, ils en ont peur. C'est un animal **redoutable**.

redresser *verbe*

Le tableau penche. Le Petit Cochon le **redresse**, il le remet droit.

réduire *verbe*

C'est diminuer. Des billets à tarif **réduit** coûtent moins cher que les billets normaux. Il y a une **réduction**.

réel *adjectif*

Robin des Bois est un personnage **réel**. Il a vraiment existé, dans la **réalité**.

refaire *verbe*

C'est faire encore une fois.

refermer *verbe*

Gretel **referme** la porte du four sur la Sorcière.

réfléchir *verbe*

> Comment faire pour reprendre Mowgli aux singes ?

> Asseyons-nous et réfléchissons.

Réfléchir, c'est penser dans sa tête à ce qu'on va faire ou dire.

un **reflet** *nom masculin*

Boucle d'or regarde son **reflet** dans l'eau. C'est son image.
Un **reflet**, c'est aussi comme une petite lumière qui bouge sur quelque chose qui brille.

un **refrain** *nom masculin*

chanson

un **réfrigérateur** *nom masculin*

C'est un appareil pour garder les aliments au froid. On dit aussi Frigidaire.

refroidir *verbe*

La soupe est trop chaude. Il faut attendre qu'elle **refroidisse**, qu'elle soit un peu plus froide. *Que vont faire les Ours en attendant ? Pour le savoir, regarde page 384.*

se **réfugier** *verbe*

> Vous voici à l'abri !

Les Petits Cochons **se sont réfugiés** dans la maison de briques de leur frère. Ils se sont mis à l'abri.

refuser *verbe*

Voulez-vous être ma femme ?

Non, la Bête, je ne veux pas.

La Belle **refuse**, elle dit non.

régaler *verbe*

Le gâteau de Blanche-Neige est réussi. Les Nains **se régalent**. Ils le trouvent très bon. C'est un **régal** !

regarder *verbe*

Mère Louve **regarde** tout ce que fait Mowgli. Elle le suit du **regard**. Elle le suit des yeux et elle voit tout.

un **régime** *nom masculin*

Certaines personnes ne peuvent pas manger de tout. Elles doivent faire un **régime**. Elles doivent faire attention à ce qu'elles mangent.

une **région** *nom féminin*

C'est une partie du monde ou d'un pays.

une **règle** *nom féminin*

Mais vous allez dans tous les sens ! Il n'y a pas de **règle** du jeu ?

Les **règles** disent ce qu'on doit faire et ce qu'on ne doit pas faire.
Le **règlement**, c'est l'ensemble des règles.
Une **règle**, c'est aussi un instrument pour tirer des traits droits.

régler *verbe*

Régler une montre, c'est la mettre à l'heure.

régner *verbe*

Le Roi de la mer **règne** sur le monde des sirènes et des poissons. Il dirige le royaume de la mer.

regretter *verbe*

La Belle **regrette** la maison de son père, elle voudrait bien y être encore.
Les sœurs de Cendrillon **regrettent** d'avoir été méchantes, elles demandent pardon.

r

régulier *adjectif*

Les Nains mangent à des heures **régulières**. Ils mangent toujours à la même heure.

une **reine** *nom féminin*

C'est une femme qui dirige un royaume, ou bien c'est la femme du roi.

> *Quels mots, page 411, se prononcent de la même façon ?*

rejoindre *verbe*

Robin veut **rejoindre** Marianne. Il veut la retrouver et être près d'elle.

réjouir *verbe*

Le père d'Hansel et Gretel **se réjouit** de revoir ses enfants. Il est tout content, tout heureux.

relâcher *verbe*

Relâchez-le ! Laissez-le partir !

relever *verbe*

Allez, debout ! Relève-toi !

le **relief** *nom masculin*

Tous les objets que l'on touche sont **en relief**. Les images que l'on voit à la télévision ne sont pas **en relief**.

> Le **relief** de la Terre, ce sont les montagnes, les vallées, les plaines, les collines.

relier *verbe*

Un pont **relie** les deux côtés de la rivière. Il passe d'un côté à l'autre.

la **religion** *nom féminin*

Avoir une **religion**, c'est croire en Dieu ou en plusieurs dieux et suivre ce que Dieu ou les dieux disent aux hommes. Les chrétiens, les musulmans, les juifs n'ont pas la même **religion**.

> Les églises, les temples, les mosquées et les synagogues sont des bâtiments **religieux**, consacrés à la religion.

relire *verbe*
C'est lire encore une fois.

se remarier *verbe*
C'est se marier une nouvelle fois.

remarquer *verbe*
Les Ours **ont** tout de suite **remarqué** que quelqu'un était entré dans leur maison. Ils l'ont tout de suite vu. Petit Ours en a fait la **remarque**. Sais-tu ce qu'il a dit ? *Regarde page 147.*

rembourser *verbe*
C'est rendre l'argent qu'on doit.

un remède *nom masculin*
C'est un médicament.

remercier *verbe*
C'est dire merci.

remettre *verbe*

Je vais **remettre** ce livre là où je l'ai pris.

remonter *verbe*

Aurore joue avec un ours qu'il faut **remonter** pour qu'il se mette à marcher.

le remords *nom masculin*
Le père d'Hansel et Gretel avait des **remords** de les avoir laissés dans la forêt. Il le regrettait et il était très triste.

une remorque *nom féminin*

Pinocchio regarde un camion qui tire une **remorque**.

r

un **rempart** *nom masculin*

Le château du baron de Nottingham était entouré de **remparts**. Ce sont des murs très hauts.

remplacer *verbe*

> Donnez-moi vos vieilles lampes ! Voici des neuves pour les **remplacer** !

Le Magicien veut donner des lampes neuves à la place des vieilles.
Quand le maître d'école est absent, un autre le **remplace**, il fait la classe à sa place. C'est un **remplaçant**.

remplir *verbe*

Les sacs du Baron étaient **remplis** de pièces d'or. Ils en étaient pleins.
▶ Regarde page 428.

remuer *verbe*

Le Chien **remue** sa queue. Elle bouge.

un **renard** *nom masculin*

C'est un animal sauvage avec un museau pointu et une grosse queue touffue. La femelle est la **renarde** et le petit le **renardeau**. Quand il crie, le renard **glapit**.

rencontrer *verbe*

En chemin, l'Âne **a rencontré** le Chien. Ils se sont trouvés, il se sont vus, ils se sont parlé. Un peu plus loin, ils vont faire une nouvelle **rencontre**. Ils vont **rencontrer** le Chat.

un **rendez-vous** *nom masculin*

> J'ai **rendez-vous** avec Robin.

> Où et quand dois-tu le rencontrer ?

rendre *verbe*

Vous m'avez pris ma bourse ! **Rendez**-la-moi ! C'est à moi !

Le voyageur veut récupérer sa bourse.

➤ **Rendre**, c'est aussi vomir.

➤ **Se rendre** quelque part, c'est y aller.

➤ **Se rendre**, c'est aussi arrêter de combattre, parce qu'on a perdu.

Arrêtez ! Je **me rends** ! Vous avez gagné !

les rênes *nom féminin*

Ce sont de longues bandes de cuir pour guider un cheval.

➤ Trouve les deux mots, l'un sur cette page et l'autre page 408, qui se prononcent de la même façon.

du renfort *nom masculin*

Appelez du **renfort** ! On a besoin de monde pour nous aider !

renifler *verbe*

C'est respirer très fort par le nez.

un renne *nom masculin*

Les **rennes** vivent dans les régions froides. Ils ont des **bois** sur la tête.

r

411

ren...

renoncer *verbe*

Tu ne pourras jamais épouser la Princesse !

Si, j'y arriverai ! Je ne **renoncerai** pas !

renseigner *verbe*

Comment s'appelle ce château ? Qui l'habite ? Pourquoi est-il si triste ?

Le Prince **se renseigne** sur le château. Il veut des réponses à toutes ses questions. Il veut des **renseignements** sur le château.

rentrer *verbe*

Le matin, les Nains partent travailler à la mine. Le soir, ils **rentrent**, ils reviennent à la maison.

✦ **Rentrer** en classe, c'est reprendre l'école après les vacances, à la **rentrée** des classes.

renverser *verbe*

Alice **a renversé** le banc. Le banc est tombé. Et tous les animaux sont tombés **à la renverse**.

renvoyer *verbe*

Tu n'es qu'un mauvais âne de cirque ! Je te **renvoie** Tu peux partir !

412

un repaire *nom masculin*

C'est l'endroit où les bêtes sauvages se mettent à l'abri.

réparer *verbe*

Les pieds de Pinocchio sont brûlés et cassés. Que va faire Gepetto pour les **réparer** ? Quelle **réparation** va-t-il faire ? *Pour le savoir, regarde page 111.*

un repas *nom masculin*

Les enfants prennent quatre **repas** dans la journée : le **petit déjeuner** le matin, le **déjeuner** à midi, le **goûter** à quatre heures et le **dîner** le soir.

repasser *verbe*

Blanche-Neige **repasse** le linge avec un **fer à repasser**.

repérer *verbe*

Le vautour **a repéré** Mowgli au milieu des singes, il l'a vu, il l'a remarqué.

Savoir **se repérer**, c'est savoir où on est et où on va. Tous les chemins étaient pareils, Boucle d'or ne pouvait pas **se repérer** dans la forêt.

répéter *verbe*

Je suis fatigué.

Je suis fatigué.

Je suis fatigué.

Le Chien et le Chat **répètent** ce que dit l'Âne. Ils disent la même chose.

Répéter un spectacle, c'est le jouer plusieurs fois pour l'apprendre, avant la représentation.

r

répondre *verbe*

Chaque jour, la méchante Reine posait la même question à son miroir : « Miroir magique, qui est la plus belle ? » Et le miroir lui **répondait** :

Blanche-Neige est la plus belle.

Cette **réponse** mettait la méchante Reine très en colère.

★ **Répondre** au téléphone, c'est décrocher et parler quand le téléphone sonne, quand quelqu'un appelle.

un **reportage** *nom masculin*

À la télévision, on voit des **reportages** sur les animaux. Ce sont des films, des documents sur les animaux.

se **reposer** *verbe*

L'Âne était fatigué. Il avait besoin de **repos**. Sur quoi s'est-il assis pour **se reposer** ? *Pour le savoir, regarde page 55.*

repousser *verbe*

Robin et ses amis **repoussent** les soldats. Ils les font reculer.

reprendre *verbe*

Miam ! C'est bon, je vais en **reprendre**. Je vais en prendre encore.

★ **Reprendre**, c'est aussi recommencer. À la fin des vacances, l'école **reprend**.

une **représentation** *nom féminin*

Les spectateurs entrent vite dans le Théâtre des Marionnettes, car la **représentation** va commencer, le spectacle va commencer.

représenter *verbe*

Pinocchio a fait un dessin. Sais-tu ce qu'il **représente**, ce qu'il montre ? *Pour le savoir, regarde page 151.*

un **reproche** *nom masculin*

> Tu ne vas pas à l'école, tu mens, tu n'es pas un bon garçon.

Gepetto fait des **reproches** à Pinocchio. Un **reproche**, c'est le contraire d'un compliment.

un **reptile** *nom masculin*

Les serpents, les crocodiles, les lézards, les tortues sont des **reptiles**. Ce sont des animaux qui se déplacent en rampant ou sur quatre petites pattes très courtes. Les **reptiles** ont le corps couvert d'écailles.

une **république** *nom féminin*

C'est un pays dirigé par un président que les habitants ont élu, choisi pour un certain temps. La France est une **république**.

un **requin** *nom masculin*

C'est un très gros poisson de la mer qui peut être très dangereux.

> C'est un monstre ! Regarde ses dents, Pinocchio ! Il va t'avaler !

un **rescapé**, une **rescapée** *nom*

Tous les marins sont morts dans le naufrage. Le Prince est le seul **rescapé**. La Petite Sirène l'a sauvé.

une **réserve** *nom féminin*

La maman du Petit Chaperon rouge a toujours des **réserves** de confiture. Elle en a plusieurs pots d'avance. Une **réserve naturelle**, c'est un endroit où on protège les animaux et les plantes.

réserver *verbe*

Réserver une place dans le train, c'est la payer à l'avance pour être sûr d'être assis.

r

415

res...

un **réservoir** *nom masculin*

Dans le **réservoir** d'essence de la voiture, on met de l'essence pour pouvoir rouler longtemps.

une **résidence** *nom féminin*

C'est une maison ou un groupe de maisons où l'on habite.

résister *verbe*

Les singes veulent attraper Mowgli. Mais Mowgli se défend, il se débat, il **résiste**, il ne se laisse pas faire. Un papier **résistant** ne se déchire pas facilement.

une **résolution** *nom féminin*

Pinocchio prenait toujours de bonnes **résolutions**, il promettait d'être sage et d'aller à l'école. Il le décidait.

résonner *verbe*

Dans les couloirs des caves du château, la voix de Marianne **résonnait**. C'était comme si elle rebondissait sur les murs, cela faisait de l'**écho**.

résoudre *verbe*

Résoudre un problème, une énigme, c'est trouver la solution.

respecter *verbe*

Respecter les règles d'un jeu, c'est les suivre, c'est jouer comme le disent les règles du jeu. **Respecter** la nature, c'est ne pas l'abîmer, c'est y faire attention. Aladin **respectait** le Sultan. Il avait de l'estime, du **respect** pour lui.

respirer *verbe*

Elle n'est pas morte ! Je sens son souffle !

La Belle au bois dormant **respire** ! Le Prince sent sa **respiration**. Quand on respire, on **inspire** pour faire entrer l'air dans les poumons et on **expire** pour souffler.

responsable *adjectif*

Les loups ont adopté Mowgli. Ils sont **responsables** de lui. Ils font attention à Mowgli et ils s'en occupent.

ressembler *verbe*

Le Prince **ressemble** à la statue de marbre. Ils sont presque pareils.

ressentir *verbe*

C'est sentir, dans son corps ou dans son cœur. Quand on a mal, on **ressent** la douleur.

un ressort *nom masculin*

Les enfants jouent avec des **ressorts**.

un restaurant *nom masculin*

C'est un endroit où on va manger, en payant son repas.

rester *verbe*

Oh, non ! Reste ! Ne pars pas !

Je dois partir !

Mais Mowgli doit quitter la jungle pour rejoindre les hommes. Il ne peut pas **rester**.

➤ Les Nains n'ont pas mangé tout le gâteau. Il en **reste**, il y en a encore.

➤ Tabaqui, le chacal, mange toujours les **restes** des repas des autres animaux. Il mange ce qu'ils ont laissé.

le résultat *nom masculin*

Les animaux ont tellement mangé qu'ils sont malades ! Voilà le **résultat** !
▶ Regarde page 259.

➤ À l'école, avoir de bons **résultats**, c'est avoir de bonnes notes.

r

res...

résumer *verbe*

Je ne peux pas te raconter tout ce qui m'est arrivé.

Alors, **résume**, dis-moi le plus important.

en **retard**

Arriver **en retard**, c'est arriver après l'heure prévue.

retenir *verbe*

Mowgli allait tomber, mais Baloo l'**a retenu**. Il l'a rattrapé.

➤★ Retenir, c'est aussi se souvenir. Quand il va à l'école, Pinocchio **retient** bien ses leçons.

retentir *verbe*

Les cloches **retentissent**. Elles sonnent fort.

retirer *verbe*

Le soir, les Nains **retirent** leurs bottes. Ils les enlèvent, ils les ôtent.

le **retour** *nom masculin*

Prends ce chemin pour rentrer chez toi.

Petit Ours montre le chemin du **retour** à Boucle d'or.

r

retourner *verbe*

> Nous sommes allés dans la forêt. Robin n'y était pas !

> Je suis sûr qu'il y est. Vous y **retournerez** demain !

Retourner quelque part, c'est y aller encore une fois.

Partir sans **se retourner**, c'est partir sans regarder derrière soi.

rétrécir *verbe*

C'est devenir plus petit, moins large.

retrousser *verbe*

Les Nains **retroussent** leurs manches pour se mettre au travail.

Un nez **retroussé** est un peu relevé au bout.

retrouver *verbe*

> Ma fille a disparu. Tu as 40 jours pour la **retrouver** !

La princesse Badroulboudour a disparu. Aladin doit la chercher et la trouver.

Aladin a réussi. Lui et la princesse Badroulboudour sont à nouveau ensemble. Ils **se sont retrouvés**.

> Oh, Aladin ! Comme je suis contente de te revoir !

un **rétroviseur** *nom masculin*

C'est un petit miroir pour voir ce qui se passe derrière. Il y a des **rétroviseurs** sur les voitures et les motos.

reu...

réunir _verbe_

Les loups **se réunissent** le soir au clair de lune. Ils sont là tous ensemble, tous **réunis**. ▶ Regarde page 290.

réussir _verbe_

Robin **réussit** toujours à atteindre sa cible. Il y arrive toujours. Il n'a que des succès, que des **réussites**.

une **revanche** _nom féminin_

Si on perd une partie, on peut en jouer une autre pour prendre sa **revanche**, pour essayer de gagner cette fois.

un **réveil** _nom masculin_

C'est une sorte de petite horloge qui peut sonner à l'heure qu'on veut pour se réveiller.

revenir _verbe_

À quelle heure les Nains **reviennent**-ils de la mine ? À quelle heure rentrent-ils ? _Pour le savoir, regarde page 246._

rêver _verbe_

Oh ! Quel **rêve** merveilleux je viens de faire !

Alice **a rêvé** toutes les aventures qui lui sont arrivées ! C'était un **rêve**. Elle a vu le Lapin Blanc, le Chapelier, la Duchesse, pendant qu'elle dormait.

réveiller _verbe_

Le Prince va **réveiller** la Belle au bois dormant en lui donnant un baiser.

La Belle au bois dormant ouvre les yeux. Elle ne dort plus. Elle est **réveillée**.

un **réverbère** *nom masculin*

C'est un grand lampadaire pour éclairer les rues.

ne **révérence** *nom féminin*

Cendrillon fait une **révérence** au Prince avant de partir très vite.

revoir *verbe*

Le Prince espère **revoir** la belle inconnue du bal. Il veut la rencontrer, la voir de nouveau.

au **revoir**

On dit **au revoir** quand on quitte quelqu'un.

un **revolver** *nom masculin*

C'est une arme à feu. On prononce le *r* de la fin du mot.

le **rez-de-chaussée** *nom masculin*

La salle de bal était au **rez-de-chaussée** du château. Elle était en bas, elle n'était pas à l'étage.

un **rhinocéros** *nom masculin*

C'est un gros animal d'Afrique ou d'Asie avec une ou deux cornes sur le nez. Quand il crie, le **rhinocéros barrit**, comme l'éléphant.

la **rhubarbe** *nom féminin*

C'est une plante dont on mange les grosses tiges, en confiture, en compote, ou sur une tarte.

un **rhume** *nom masculin*

ATCHOUM!

Gepetto a attrapé un **rhume**. Il est **enrhumé**. Il éternue, ses yeux pleurent et son nez coule.

r

ricaner *verbe*

Les sœurs de Cendrillon **ricanent** quand elle essaie la pantoufle. Elles rient en se moquant. ▶ Regarde page 315.

riche *adjectif*

Grâce au Génie, Aladin est devenu très **riche**. Il a beaucoup d'argent. Et le Sultan est très impressionné par sa **richesse**, sa fortune.

un **ricochet** *nom masculin*

Mowgli joue à faire des **ricochets** dans l'eau avec des pierres plates.

une **ride** *nom féminin*

Les vieilles personnes sont souvent **ridées**. Elles ont des **rides** sur le visage. Ce sont des lignes creuses sur la peau.

un **rideau** *nom masculin*

Il y a des **rideaux** violets aux fenêtres de la maison des Ours. ▶ Regarde page 332.

ridicule *adjectif*

Une limace avec une lanterne sur la tête ? C'est **ridicule** ! On a envie d'en rire !

rincer *verbe*

C'est passer à l'eau.

rire *verbe*

Les animaux **rient**. Ils sont contents. Et on entend leurs **rires** de loin.

risquer *verbe*

Robin **risquait** sa vie pour sauver Marianne. Il courait de graves dangers. Mais les **risques** et les dangers ne lui faisaient pas peur.

le rivage *nom masculin*

C'est le bord de la mer, la plage, la côte.

la rive *nom féminin*

C'est chacun des deux côtés d'une rivière ou d'un fleuve.

une rivière *nom féminin*

Hansel et Gretel sont au bord d'une **rivière**. C'est un cours d'eau qui se jette dans un fleuve. *Comment vont-ils faire pour traverser la rivière ? Pour le savoir, regarde page 486.*

le riz *nom masculin*

C'est une céréale qui pousse dans l'eau des **rizières**. On mange ses grains.

une robe *nom féminin*

C'est un vêtement de fille. La sœur de Cendrillon a une **robe** pour chaque jour.
▶ Regarde page 274.

un robinet *nom masculin*

Quand on ouvre le **robinet**, l'eau coule. Quand on ferme le **robinet**, l'eau ne coule plus.

un robot *nom masculin*

C'est une machine qui fait plein de choses à notre place.

robuste *adjectif*

Robin est un jeune homme **robuste**. Il est fort et en pleine santé.

la roche *nom féminin*

Dans la mine, les Nains creusent la **roche**. C'est la matière dure des montagnes, du sol, de la pierre.

un rocher *nom masculin*

Les sirènes se cachent derrière les **rochers**. Ce sont de très gros blocs de roche dure.

r

rod...

rôder *verbe*

Attention ! Le Loup **rôde** dans les bois !
Il va à gauche, à droite, un peu
n'importe où, prêt à faire un mauvais
coup !

un **roi** *nom masculin*

Le Prince devient **roi**. C'est lui qui va
diriger le **royaume**. La Belle au bois
dormant sera la **reine**.
Le palais **royal**, c'est le
palais du roi.

un **rôle** *nom masculin*

Au théâtre et au cinéma, les comédiens
jouent des **rôles**, des personnages.

un **roman** *nom masculin*

C'est un livre qui raconte une grande
histoire inventée.

rompre *verbe*

C'est casser, briser.

les **ronces** *nom féminin*

Ce sont des plantes sauvages avec
beaucoup d'épines. Les mûres poussent
sur des **ronces**.

rond *adjectif*

La roue est **ronde**. Elle fait un cercle.
Le ballon est **rond**, il fait une boule,
une sphère. ▶ Regarde les formes et
les figures, page 215.

la **ronde** *nom féminin*

Les enfants font la **ronde**.
Ils se tiennent tous par la main.

une **rondelle** _nom féminin_

C'est une tranche ronde. On coupe le saucisson en **rondelles**.

ronfler _verbe_

Tous les gardes du château dormaient et **ronflaient**. Ils faisaient du bruit en respirant.

ronger _verbe_

C'est manger en grattant, en coupant du bout des dents. Les lapins, les castors, les souris sont des **rongeurs**.

ronronner _verbe_

 chat

rose _adjectif_

Les cochons ont la peau **rose**. C'est une couleur entre le blanc et le rouge.

une **rose** _nom féminin_

Vous volez mes **roses** !

Le père de la Belle cueille une **rose** pour sa fille. C'est une fleur qui pousse sur un petit arbre, le **rosier**. Il y en a de différentes couleurs : des roses, des rouges, des blanches, des jaunes.

un **roseau** _nom masculin_

Les **roseaux** poussent au bord des étangs et des marais avec de longues tiges droites.

la **rosée** _nom féminin_

Le matin, l'herbe et les plantes sont couvertes de **rosée**. Ce sont des petites gouttes d'eau.

un **rossignol** _nom masculin_

C'est un petit oiseau qui chante joliment.

rôtir _verbe_

C'est cuire au four ou dans une cocotte.

r

425

rou...

une roue *nom féminin*

Les carrosses, les voitures, les vélos roulent grâce à leurs **roues** toutes rondes.

rouge *adjectif*

Le coquelicot est **rouge**. C'est la couleur du sang.

➤✦≼Au soleil couchant, le ciel **rougit**, il devient rouge.

un rouge-gorge *nom masculin*

C'est un petit oiseau avec des plumes rouges sur la gorge et le ventre.

la rouille *nom féminin*

Si on laisse du fer sous la pluie, il se couvre de plaques brunes ou rouges. C'est de la **rouille**.

un rouleau *nom masculin*

Robin roule sa lettre sur elle-même. Il en fait un **rouleau**.

➤✦≼Les **rouleaux**, ce sont aussi les très grosses vagues qui roulent sur elles-mêmes quand la mer est forte.

rouler *verbe*

La fête est finie. On **roule** le tapis.

➤✦≼Les voitures **roulent** grâce à leurs roues. La balle **roule** par terre. Elle avance en tournant sur elle-même.

une route *nom féminin*

Les voitures roulent sur des **routes** pour aller d'un endroit à l'autre.

roux *adjectif*

Un garçon **roux** ou une fille **rousse** ont les cheveux un peu rouges.

royal *adjectif*

≡➤➤➤➤ roi

un royaume *nom masculin*

C'est un pays dirigé par un **roi** ou une **reine**.

un **ruban** *nom masculin*

Boucle d'or a un **ruban** bleu dans les cheveux. C'est une petite bande de tissu.

un **rubis** *nom masculin*

C'est une pierre précieuse de couleur rouge. ▶ Regarde page 359.

une **ruche** *nom féminin*

Les abeilles sortent de la **ruche**.

une **rue** *nom féminin*

Dans les villes, il y a des **rues** pour aller d'un endroit à l'autre. Les voitures roulent sur la **chaussée** et les piétons marchent sur les **trottoirs**.
➤⭐≪Une **ruelle**, c'est une toute petite rue.

le **rugby** *nom masculin*

C'est un sport qui se joue à deux équipes avec un ballon ovale.

une **ruine** *nom féminin*

La ville est en **ruine**. Toutes les maisons sont abandonnées et abîmées, presque démolies.
➤⭐≪Regarde aussi **ruiner**.

ruiner *verbe*

Le père de la Belle a perdu sa fortune. Il est **ruiné**. C'est la **ruine**.

un **ruisseau** *nom masculin*

C'est un petit cours d'eau, beaucoup plus petit qu'une rivière.

une **ruse** *nom féminin*

Le Loup s'est fait passer pour le Petit Chaperon rouge. C'était une **ruse** pour que la grand-mère ouvre sa porte. Le Loup est **rusé**.

r

S s

le **sable** *nom masculin*

Ce sont de tout petits grains de pierre, de roche. Les plages sont souvent couvertes de **sable**.

un **sabot** *nom masculin*

Hansel et Gretel portent des **sabots** marron. Ce sont des chaussures de bois pour marcher dans la campagne.
➤⭐Le **sabot**, c'est aussi la matière dure des pieds du cheval ou de l'âne.

un **sac** *nom masculin*

Il y a toutes sortes de **sacs** pour mettre toutes sortes de choses. Il y en a en cuir, en plastique, en papier, en tissu.

Le Baron mettait son or dans des **sacs** de toile.
➤⭐Un **sachet**, c'est un petit sac en papier. Une **sacoche**, c'est un grand sac, en cuir. Un **sac à dos** se porte sur le dos.

un **sacrifice** *nom masculin*

La mère d'Aladin a fait beaucoup de **sacrifices** pour élever son fils. Elle s'est privée de beaucoup de choses. Elle s'est **sacrifiée**.

sage *adjectif*

Je pars. Soyez **sages** ! Restez tranquilles et ne faites pas de bêtises !

saigner *verbe*

Tu **saignes**, Bagheera ! Ton sang coule !

sain *adjectif*

Ce qui est **sain** est bon pour la santé. *Quel mot, page 436, se prononce de la même façon ?* Sortir **sain et sauf** d'un accident, c'est en sortir vivant et en bonne santé.

saisir *verbe*

C'est prendre, attraper.

une **saison** *nom féminin*

Il y a quatre **saisons** dans une année : le **printemps**, l'**été**, l'**automne** et l'**hiver**. ▶ Regarde page 472.

la **salade** *nom féminin*

Cendrillon cueille une **salade** pour la manger en vinaigrette. On sert la salade dans un **saladier**. *Dans quoi sert-on la soupe ? Pour le savoir, regarde page 452.* Une **salade**, c'est aussi des légumes froids servis avec une sauce. Une **salade de fruits**, c'est un mélange de fruits coupés.

sal...

le **salaire** *nom masculin*

C'est l'argent que l'on gagne par son travail. En général, on touche son **salaire** à la fin de chaque mois.

sale *adjectif*

Quand ils rentrent de la mine, les Nains ont leurs vêtements tout **sales**, pleins de poussière, de taches, de **saletés**. Alors, ils enlèvent leurs bottes pour ne pas **salir** la maison.

Quel mot, sur cette page, se prononce de la même façon ?

saler *verbe*

C'est mettre du sel.

Cette soupe est trop **salée**, il y a trop de sel.

▶ Regarde aussi <u>les goûts</u>, page 231.

la **salive** *nom féminin*

C'est le liquide qu'on a dans la bouche.

une **salle** *nom féminin*

C'est une grande pièce qui peut accueillir beaucoup de personnes, comme les **salles** de cinéma ou les **salles** de classe.

Dans un appartement, la **salle à manger**, c'est la pièce où l'on prend ses repas ; la **salle de bains**, c'est la pièce où on fait sa toilette, où on prend des bains.

un **salon** *nom masculin*

Aladin a un immense **salon** dans son palais, pour recevoir beaucoup d'invités. C'est une grande pièce.

saluer *verbe*

À la fin du spectacle, les marionnettes **saluent** le public.

le **samedi** *nom masculin*

 jour

une **sandale** *nom féminin*

C'est une chaussure légère, pour l'été.

un **sandwich** *nom masculin*

Pour faire un **sandwich** au jambon, on prend deux morceaux de pain et on met du jambon entre les deux.

le **sang** *nom masculin*

Si on se coupe, on saigne et le **sang** coule. C'est le liquide rouge qui circule dans nos veines.

On ne prononce pas le **g** à la fin du mot.

un **sanglier** *nom masculin*

C'est une sorte de porc sauvage qui a le corps couvert de poils raides, noirs ou bruns. Quand il crie, le **sanglier** grogne. Sa femelle est la **laie** et son petit le **marcassin**.

Les **sangliers** vont abîmer nos récoltes !

Il y avait beaucoup de **sangliers** autour du village. Et les paysans ne les aimaient pas beaucoup.

sangloter *verbe*

Ne pleure pas comme ça !

Bouh ! ouh ! ouh !

Mowgli **sanglote** parce qu'il doit quitter la jungle. Il pleure très fort, à gros **sanglots**.

la **santé** *nom féminin*

Quand on est en bonne **santé**, on n'est pas malade.

un **saphir** *nom masculin*

C'est une pierre précieuse de couleur bleue. ▶ Regarde page 359.

un **sapin** *nom masculin*

C'est un arbre aux feuilles toujours vertes, les **aiguilles**.

S

une **sardine** nom féminin

C'est un petit poisson de mer. On en fait des conserves.

un **satellite** nom masculin

La Lune tourne autour de la Terre. C'est un **satellite** naturel de la Terre. Aujourd'hui, on envoie dans l'espace des **satellites** artificiels. Grâce à eux, on peut recevoir des émissions de télévision et communiquer partout dans le monde.

le **satin** nom masculin

C'est un tissu tout doux et brillant.

satisfait adjectif

Voilà les trésors que vous avez demandés. Êtes-vous **satisfait** ? Êtes-vous content ?

une **sauce** nom féminin

Pour faire une **sauce** vinaigrette, on mélange l'huile et le vinaigre. Les **sauces** donnent du goût aux aliments.

une **saucisse** nom féminin

C'est une sorte de charcuterie longue et ronde qu'on mange chaude.

un **saucisson** nom masculin

C'est une sorte de charcuterie longue et ronde qu'on mange froide.

un **saule** nom masculin

C'est un arbre qui pousse près de l'eau ou dans les endroits humides.

un **saumon** nom masculin

C'est un poisson à chair rose.

sauter verbe

Mowgli **saute** de l'arbre. Il fait un **saut** dans le vide. Jouer à **saute-mouton**, c'est s'amuser à sauter par-dessus le dos d'un camarade.

ne **sauterelle** *nom féminin*

C'est un insecte vert
qui avance
en sautant.

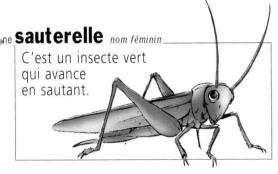

sauvage *adjectif*

Les animaux **sauvages** vivent en liberté
dans la nature. Les fleurs **sauvages** ne
sont pas cultivées, elles poussent un
peu partout.
Une personne **sauvage**
n'aime pas trop la compagnie des
autres. Elle préfère rester seule.

sauver *verbe*

La Petite Sirène **a sauvé** le Prince. Il ne
s'est pas noyé. Il est sain et sauf.
Se sauver, c'est partir
très vite, c'est s'enfuir.

la **savane** *nom féminin*

C'est une plaine immense des pays
chauds avec des herbes hautes et
quelques arbres par-ci par-là.
Les lions, les zèbres, les girafes vivent
dans la **savane**.

savant *adjectif*

Une personne très **savante** sait
beaucoup de choses.

savoir *verbe*

Avant, je **savais** compter et calculer. J'avais appris à le faire et je pouvais le faire.

Maintenant, tu ne **sais** même pas où tu es ! Tu ne peux pas le dire !

S

Attention, le verbe **savoir** change très souvent de forme.

Autrefois	Hier	Aujourd'hui	Demain	Il faut que
je savais	j'ai su	je sais	je saurai	je sache
tu savais	tu as su	tu sais	tu sauras	tu saches
il, elle savait	il, elle a su	il, elle sait	il, elle saura	il, elle sache
nous savions	nous avons su	nous savons	nous saurons	nous sachions
vous saviez	vous avez su	vous savez	vous saurez	vous sachiez
ils, elles savaient	ils, elles ont su	ils, elles savent	ils, elles sauront	ils, elles sachent

un **savon** *nom masculin*

Petit Ours se lave avec du **savon**. Il se **savonne** pour être bien propre.
▶ Regarde page 317.

la **scène** *nom féminin*

Pinocchio monte sur la **scène** pour rejoindre Arlequin. C'est l'endroit où les acteurs jouent.
Une **scène**, c'est aussi un passage d'un film, d'une pièce de théâtre où il se passe quelque chose.

un **sceptre** *nom masculin*

Les rois et les reines portent une couronne sur la tête et ils tiennent un **sceptre** à la main, comme signe de leur puissance. C'est une sorte de bâton décoré. ▶ Regarde page 424.

une **scie** *nom féminin*

Le Petit Cochon a une **scie** pour couper sa planche, pour la **scier**. La **scie** a des petites dents très pointues.

la **science** *nom féminin*

Les mathématiques, la physique, la chimie, la médecine sont des **sciences**.

la **science-fiction** *nom féminin*

Les histoires de **science-fiction** imaginent ce qui se passera dans le futur.

scintiller *verbe*

Les étoiles **scintillent** dans le ciel. Elles brillent avec plein de petites lumières.

scolaire *adjectif*

Un livre **scolaire**, c'est un livre pour l'école.

le **score** *nom masculin*

C'est le nombre de points gagnés par un joueur, une équipe. *Regarde page 330 le score des enfants.*

sculpter *verbe*

Le **sculpteur** taille le bloc de marbre pour faire la statue du Prince. Il le **sculpte**, il fait de la **sculpture**.

une **séance** *nom féminin*

C'est le temps que dure un film au cinéma, une pièce au théâtre, une leçon ou n'importe quelle activité.

un **seau** *nom masculin*

Gretel porte deux **seaux** d'eau à la Sorcière.

sec *adjectif*

Le linge sera vite **sec** et les chaussettes vite **sèches**. Tout va **sécher** bien vite. Cela ne sera plus mouillé.

une **seconde** *nom féminin*

Il y a soixante **secondes** dans une minute. ▶ Regarde le temps, page 472.

secouer *verbe*

Gretel **secoue** son tablier pour faire tomber les perles.

au **secours**

Aladin est enfermé dans le souterrain. Il crie **au secours** ! Il veut qu'on vienne l'aider, le **secourir**, le sauver.

S

une **secousse** *nom féminin*

C'est un mouvement brusque, qui secoue.

Le serviteur a buté sur la souche. Et la **secousse** a fait sortir le morceau de pomme empoisonnée de la gorge de Blanche-Neige. *Que va-t-il se passer ? Regarde page 451.*

un **secret** *nom masculin*

Je vais te dire un **secret**. Mais ne le répète à personne.

Aladin confie son **secret** à sa mère : il aime la princesse Badroulboudour.
━━━✦═─La méchante Reine a une chambre **secrète**. Personne n'a le droit d'y entrer. *Qu'est-ce-qu'elle peut bien y faire ? Pour le savoir, regarde page 369.*

un **secrétaire**, une **secrétaire** *nom*

C'est une personne employée pour s'occuper du courrier, des dossiers, des rendez-vous.

la **sécurité** *nom féminin*

Les trois Petits Cochons sont en **sécurité** dans la maison de briques. Ils sont à l'abri du danger, à l'abri du Loup.

le **seigle** *nom masculin*

C'est une céréale. On en fait du pain de couleur brune.

un **seigneur** *nom masculin*

Autrefois, les **seigneurs** possédaient de grands domaines et ils vivaient dans des châteaux.

le **sein** *nom masculin*

Les femmes ont deux **seins** pour nourrir leurs bébés. C'est leur poitrine.
═▓═══Pour les animaux, on dit les **mamelles**.

un **séjour** *nom masculin*

En vérité, le **séjour** d'Alice au Pays des Merveilles n'a duré que quelques heures. Elle n'est restée que quelques heures au Pays des Merveilles.

le **sel** *nom masculin*

Il y avait trop de **sel** dans la soupe de Maman Ours. Boucle d'or l'a trouvée trop **salée**. Le **sel** donne du goût aux aliments. On le sert dans une **salière**.
═▓═══════*Cherche sur la page d'à côté le mot qui se prononce de la même façon.*

une **selle** *nom féminin*

Le père de la Belle met la **selle** sur le dos de son cheval. Il pourra s'asseoir dessus.

━━━━☆≈Les vélos, les motos ont aussi une **selle** pour s'asseoir.

une **semaine** *nom féminin*

Il y a sept jours dans une **semaine**.
Connais-tu leurs noms ? Pour le savoir, regarde page 274.

━━━━☆≈Une émission **hebdomadaire** passe toutes les semaines.

faire **semblant**

Quand la Belle est partie, ses sœurs **ont fait semblant** de pleurer. Elles n'ont pas pleuré pour de vrai.

la **semelle** *nom féminin*

C'est le dessous de la chaussure.

semer *verbe*

C'est mettre des graines dans la terre pour faire pousser des plantes, des légumes, des fleurs.

━━━━☆≈Hansel, lui, **a semé** des cailloux pour retrouver son chemin. Il les a laissés tomber derrière lui.

la **semoule** *nom féminin*

La **semoule** est plus épaisse que la farine. Les grains sont plus gros.

un **sens** *nom masculin*

Abracadabra !

Qu'est-ce que ça veut dire ?

Mais « Abracadabra » est une formule magique, ça ne veut rien dire, ça n'a pas de **sens**. Le **sens** d'un mot, c'est ce que ce mot veut dire, c'est ce qu'il signifie.

━━━━☆≈Le **sens**, c'est aussi la direction. Les drapeaux flottent toujours dans le **sens** du vent.

━━━━☆≈Nous avons cinq **sens** pour sentir et reconnaître ce qu'il y a autour de nous : la **vue**, l'**odorat**, le **goût**, l'**audition** (ou l'**ouïe**) et le **toucher**.

une **sensation** *nom féminin*

C'est ce que l'on ressent dans son corps. ▶ Regarde page suivante.

S

les sensations

C'est ce que l'on ressent dans son corps.

les sentiments

C'est ce que l'on ressent dans son cœur.

Je suis jalouse !

Je la déteste ! Je la hais !

J'ai pitié !

Nous sommes tristes !

Je t'aime !

Nous sommes gais !

S

sensible *adjectif*

Le Chasseur était un homme **sensible**.
Il a été ému, touché par Blanche-Neige.

un **sentier** *nom masculin*

C'est un petit chemin dans la campagne ou dans la montagne.

un **sentiment** *nom masculin*

C'est ce que l'on ressent, ce que l'on éprouve, dans son cœur. ▶ Regarde la page d'avant.

une **sentinelle** *nom féminin*

C'est un soldat armé qui surveille un endroit pour alerter, en cas de danger.

sentir *verbe*

Le Chien **sent** la soupe, il respire son odeur. La soupe **sent** très bon. Elle a une bonne odeur.
━━━━▶☆⇐Quand Pinocchio s'est brûlé les pieds sur le réchaud, il n'a rien **senti**, parce qu'il est un pantin en bois. Nous, si on touche quelque chose de chaud, on **sent** que c'est chaud.

séparer *verbe*

On ne pouvait pas **séparer** Pinocchio et Lumignon. Ils étaient toujours ensemble. Ils étaient **inséparables** !
━━━━▶☆⇐**Se séparer**, c'est se quitter, c'est partir chacun de son côté.

septembre

 mois

une **série** *nom féminin*

La maman de Boucle d'or a toute une **série** de casseroles. Elle en a plusieurs.
━━━━▶☆⇐À la télévision, une **série**, c'est plusieurs films qui racontent les aventures des mêmes personnages.

sérieux *adjectif*

Blanche-Neige est une jeune fille **sérieuse** : elle a promis de s'occuper de la maison des Nains et elle le fait.
━━━━▶☆⇐Un livre **sérieux** parle de choses importantes. Ce n'est pas un livre pour s'amuser.

un **serment** *nom masculin*

Tu retrouveras ma fille ?

Je vous en fais le **serment**. Je vous le jure !

Un **serment**, c'est encore plus fort qu'une promesse.

un **serpent** *nom masculin*

Mowgli est tombé au milieu des **serpents**. Ils rampent tout autour de lui !

serrer *verbe*

La vieille femme tire très fort sur les lacets pour **serrer** la robe de Blanche-Neige. *Que va-t-il se passer ?* *Pour le savoir, regarde page 195.*

Pour le savoir, regarde page 195.

une **serre** *nom féminin*

Le jardinier fait pousser des fleurs dans une **serre**. Comme ça, elles sont à l'abri du froid et elles ont la chaleur du soleil à travers les vitres.

une **serrure** *nom féminin*

Cette jolie clé d'or doit entrer dans la **serrure** de la porte.

S

une **servante** nom féminin

La princesse Badroulboudour avait plusieurs **servantes** pour s'occuper d'elle et de sa maison. L'une d'elles, croyant bien faire, donna la lampe d'Aladin en échange d'une lampe neuve.

un **serveur**, une **serveuse** nom

Au café ou au restaurant, les **serveurs** et les **serveuses** apportent les boissons et les repas aux clients.

un **service** nom masculin

Le Génie de la lampe était au **service** d'Aladin. Il faisait tout ce qu'Aladin lui demandait.

★ Rendre **service** à un ami, c'est faire quelque chose pour lui, pour l'aider.

★ Un **service**, c'est aussi une série de plats, d'assiettes, de tasses qui vont ensemble. ▶ Regarde le **service** à thé du Chapelier, page 476.

une **serviette** nom féminin

C'est un tissu pour s'essuyer. À table, on a des **serviettes** de table et dans la salle de bains, on a des **serviettes** de toilette.

servir verbe

Au dîner, c'est Maman Ours qui **sert** la soupe à Petit Ours. Elle lui met de la soupe dans son bol. Petit Ours ne **se sert** pas tout seul.

★ Servir, c'est aussi être utile.

À quoi peut bien **servir** cette machine ? C'est pour quoi faire ?

C'est une tondeuse, qui **sert** à tondre l'herbe. Le Petit Cochon va **s'en servir** pour tondre sa pelouse. Il va l'utiliser, la faire marcher.

un **serviteur** nom masculin

Le Prince avait plusieurs **serviteurs** pour s'occuper de lui. Ce sont eux qui vont porter le cercueil de Blanche-Neige.

seul *adjectif*

Boucle d'or est partie toute **seule** dans le bois. Il n'y avait personne avec elle.

sévère *adjectif*

Le maître d'école de Pinocchio était **sévère** avec ses élèves. Il leur demandait beaucoup de travail. Sinon, attention à la punition !

un shampooing *nom masculin*

C'est un produit pour se laver les cheveux.

un short *nom masculin*

Pour jouer au ballon, les enfants ont mis leur **short** bleu.

un siècle *nom masculin*

C'est cent ans. ▶ Regarde aussi le temps, page 472.

un siège *nom masculin*

La chaise, le tabouret, le fauteuil, le banc sont des **sièges**. Ce sont des meubles pour s'asseoir.

une sieste *nom féminin*

Faire la **sieste**, c'est dormir un peu dans l'après-midi.

siffler *verbe*

Le gendarme **siffle** avec son **sifflet**. Cela fait un bruit aigu.
Les Nains, eux, savent **siffler** sans sifflet, juste en soufflant entre leurs lèvres.

un signal *nom masculin*

1, 2, 3... Criez !

Au **signal**, les animaux se mettent à hurler. *Que va-t-il arriver ? Regarde page 144.*

S

un **signe** *nom masculin*

Les sœurs de la Petite Sirène lui font de grands **signes** pour lui dire de revenir. Elles font de grands gestes qui veulent dire « Reviens ! ».

➤—Un **signe**, c'est aussi un dessin ou une lettre qui veut dire quelque chose : le signe + est le **signe** de l'addition.

signer *verbe*

C'est mettre son nom, sa **signature** à la fin d'une lettre.

signifier *verbe*

Dans un dictionnaire, on trouve ce que les mots **signifient**, on trouve leur sens, leur **signification**, ce qu'ils veulent dire.

le **silence** *nom masculin*

Quel **silence** dans le château de la Belle au bois dormant ! Il n'y avait aucun bruit. Tout était **silencieux** ! Mais de temps en temps, on entendait un ronflement. *Qui était-ce ? Regarde page 425.*

une **silhouette** *nom féminin*

Robin aperçoit une **silhouette** derrière la fenêtre du château. C'est sans doute une jeune fille, mais est-ce que c'est Marianne ? Il ne voit qu'une forme.

➤—Avoir une belle **silhouette**, c'est avoir un corps qui a une jolie forme.

simple *adjectif*

Qu'est-ce qui est **simple** ?
– Une addition comme 1 + 1 : c'est facile, ce n'est pas compliqué, pas difficile.
– La maison des Ours : il n'y a pas beaucoup de choses et ce n'est pas très décoré.
– Cendrillon : elle n'est ni prétentieuse, ni compliquée. Elle vit **simplement** et elle aime la **simplicité**.

sincère *adjectif*

La Belle est toujours **sincère** avec la Bête. Elle lui parle franchement, elle lui dit ce qu'elle pense.

un **singe** *nom masculin*

Il y avait beaucoup de **singes** dans la jungle. Ceux-là ressemblent à de grands **ouistitis**. Les **chimpanzés** et les énormes **gorilles** sont aussi des singes. La femelle du singe est une **guenon**.

sinistre *adjectif*

La nuit, le château du Baron était **sinistre**. Il était triste à faire peur.

une **sirène** *nom féminin*

On raconte que les **sirènes** sont des jeunes filles avec une queue de poisson à la place des jambes, et qu'elles chantent pour attirer les marins. Mais les **sirènes** n'existent que dans les histoires.

Une **sirène**, c'est aussi un signal d'alarme, qui fait du bruit pour avertir d'un danger.

un **sirop** *nom masculin*

C'est une boisson épaisse et sucrée qu'on mélange avec de l'eau. Il y en a à la fraise, à la menthe, à la grenadine.

Un **sirop**, c'est aussi un médicament que l'on boit.

On ne prononce pas le *p*.

un **site** *nom masculin*

C'est un endroit où il y a quelque chose de spécial. Paris est un **site** touristique : beaucoup de touristes viennent visiter Paris. Avec un ordinateur, on peut aller sur des **sites** de jeux sur Internet. Ce sont des endroits pour jouer.

S

une **situation** *nom féminin*

> Je te trouverai une **situation**. Tu auras un travail.

situer *verbe*

La maison des Ours est **située** dans une jolie clairière, au milieu des bois. C'est là où elle est.

⭐ L'histoire de Robin **se situe** au Moyen Âge. C'est à cette époque que Robin a vécu.

le **ski** *nom masculin*

L'hiver, les enfants font du **ski**, ils glissent sur la neige. Que c'est agréable de **skier** !

un **slip** *nom masculin*

C'est une culotte.

la **société** *nom féminin*

Mowgli n'avait pas l'habitude de vivre en **société**, au milieu des autres hommes.

une **sœur** *nom féminin*

Hansel a une **sœur**, Gretel. Ils sont frère et **sœur**, ils ont les mêmes parents.

la **soie** *nom féminin*

C'est un tissu brillant et doux qui coûte cher.

la **soif** *nom féminin*

Dans le désert, Aladin avait très **soif**, il avait envie de boire.

soigner *verbe*

Pinocchio a été malade. C'est la Fée qui l'**a soigné** pour qu'il guérisse.

le **soin** *nom masculin*

Cendrillon s'occupe des affaires de ses sœurs, elle en prend **soin**. Et comme elle est **soigneuse**, les robes sont toujours propres et bien rangées.

le **soir** *nom masculin*

C'est la dernière partie du jour, quand le soleil s'est couché et que la nuit arrive.

la **soirée** *nom féminin*

C'est le temps que l'on passe le soir avant d'aller dormir. La Belle passait ses **soirées** à lire.

le **sol** *nom masculin*

Cendrillon frotte le **sol** pour qu'il brille. Elle frotte par terre.

⟐⟐⟐← Le **sol**, c'est aussi la surface de la terre. Quand ils atterrissent, les avions se posent sur le sol.

un **soldat** *nom masculin*

C'est un militaire, un homme qui fait partie d'une armée.

solder *verbe*

À la fin de l'été, les commerçants **soldent** les affaires d'été. Ils les vendent moins cher, en **solde**.

une **sole** *nom féminin*

C'est un poisson de mer tout plat.

le **soleil** *nom masculin*

C'est l'astre, dans le ciel, qui nous apporte la lumière et la chaleur.

⟐⟐⟐← On met de la crème **solaire** pour se protéger des rayons du **soleil**, pour ne pas attraper de **coups de soleil**.

le **solfège** *nom masculin*

La Belle connaissait bien le **solfège**, elle savait lire et écrire les notes de musique.

solide *adjectif*

Avec ces briques, ma maison sera plus **solide** qu'avec de la paille ou du bois.

Ce qui est **solide** ne se casse pas facilement. Ce n'est pas fragile.

⟐⟐⟐← L'air est un gaz, l'eau est liquide, la terre, le papier, le bois, les objets sont **solides** : on les touche et ils ont une forme.

solitaire *adjectif*

À la fin de sa vie, Akela était devenu un loup **solitaire**. Il vivait seul, dans la **solitude**.

une **solution** *nom féminin*

La **solution** d'un problème, c'est la réponse à ce problème.

S

sombre *adjectif*

Il faisait **sombre**, il faisait noir dans le souterrain. Aladin ne voyait presque rien. Il n'y avait pas assez de lumière, tout était obscur.

➤ Une couleur **sombre**, c'est une couleur foncée, qui n'est pas claire.

un **somme** *nom masculin*

Faire un **somme**, c'est dormir un petit peu.

une **somme** *nom féminin*

Une grosse **somme** d'argent, c'est beaucoup d'argent. Une petite **somme** d'argent, c'est un peu d'argent.

➤ La **somme** de deux nombres, c'est le total de ces deux nombres.

le **sommeil** *nom masculin*

Oh ! Ce que j'ai **sommeil** ! J'ai envie de dormir !

le **sommet** *nom masculin*

Le Prince voit le cercueil de Blanche-Neige au **sommet** de la montagne. Il est tout en haut de la montagne.

somnambule *adjectif*

Les personnes **somnambules** peuvent se lever et marcher en dormant.

somnoler *verbe*

C'est dormir à moitié.

somptueux *adjectif*

Toutes les robes de la princesse Badroulboudour étaient **somptueuses**. Elles étaient faites dans des tissus très beaux et très chers.

le **son** *nom masculin*

C'est ce qu'on entend. Tous les bruits, toutes les notes de musique, tous les mots que l'on dit sont des **sons**.

sonner *verbe*

À quelle heure le réveil des Nains **sonne**-t-il le matin ? À quelle heure entend-on sa **sonnerie** ? *Pour le savoir, regarde page 246.*

═════════▷☆≼─On **sonne** à la porte en appuyant sur le bouton de la **sonnette**.

un **sorcier**, une **sorcière** *nom*

C'est une personne qui peut faire des choses extraordinaires. Dans certains pays, on croit aux **sorciers**.

═════════▷☆≼─Dans les contes, les **sorcières** sont souvent très laides et très méchantes et on dit qu'elles se déplacent sur un balai !

Dans ce livre, il y a trois **sorcières**.

La méchante Reine qui se transforme en **sorcière** pour tuer Blanche-Neige.

La **Sorcière** que rencontrent Hansel et Gretel, qui mange les petits enfants.

La **Sorcière** de la mer qui fabrique des potions magiques.

un **sort** *nom masculin*

Elle mourra en se piquant le doigt avec un fuseau !

La méchante Fée jette un **sort** à la petite Princesse. *Que va faire la jeune Fée pour arranger ça ? Regarde page 379.*

═════════▷☆≼─Tirer un nom, un numéro **au sort**, c'est le tirer au hasard.

une **sorte** *nom féminin*

Les bottes, les tennis, les baskets sont différentes **sortes** de chaussures.

sortir *verbe*

Attends ! Je vais te montrer le chemin.

Boucle d'or est **sortie** par la fenêtre. Petit Ours, lui, **sort** de la maison par la porte. Ils sont tous les deux dehors.

S

SOS...

un **sosie** *nom masculin*

> Si ce n'est pas ma Fée, c'est son **sosie** !

Pinocchio rencontre une femme qui ressemble tout à fait à la Fée aux cheveux bleus. C'est son **sosie**.

sot *adjectif*

> Pourquoi vouloir des jambes ? Tu es **sotte** ! Tu es bête, stupide !

La Sorcière trouve que la Petite Sirène fait une **sottise**, une bêtise.

un **sou** *nom masculin*

Les parents d'Hansel et Gretel n'avaient plus un **sou**, ils n'avaient plus d'argent du tout.

une **souche** *nom féminin*

C'est ce qui reste au bas d'un arbre qu'on a coupé.

un **souci** *nom masculin*

Les Nains se font du **souci** pour Blanche-Neige. Ils s'inquiètent pour elle.

une **soucoupe** *nom féminin*

C'est une petite assiette sur laquelle on pose une tasse.

souffler *verbe*

Le Loup **souffle** si fort que la maison de paille va s'écrouler.
Quand le vent se met à **souffler**, les feuilles des arbres bougent ou s'envolent. Quand il n'y a pas un **souffle** de vent, il n'y a pas de vent du tout.

souffrir *verbe*

Tu veux des pieds ?
Tu les auras ! Mais tu **souffriras**
beaucoup. À chaque pas,
tu auras très mal.

souhaiter *verbe*

Dis-moi
ce que tu **souhaites**.
Dis-moi ce que tu veux, ce que
tu désires. Je réaliserai tous
tes **souhaits**.

soulager *verbe*

Les médicaments **soulagent** la douleur.
Ils calment la douleur.

soulever *verbe*

Blanche-Neige est vivante ! Elle **soulève**
le couvercle du cercueil. Elle le lève.

un **soulier** *nom masculin*

Les sœurs de Cendrillon avaient de jolis
souliers. Ce sont des chaussures.

souligner *verbe*

Souligner un mot, c'est tirer un trait
dessous.

soupçonner *verbe*

La princesse Badroulboudour a disparu
et le Sultan **soupçonne** Aladin. Il pense
que c'est Aladin le responsable.

S

la **soupe** *nom féminin*

Maman Ours sert la **soupe** avec une **louche**. La soupe est dans la **soupière**.

souper *verbe*

C'est dîner.

soupirer *verbe*

La Sorcière est morte ! Ouf ! Maintenant on est tranquilles !

Gretel **soupire**. Elle souffle un grand coup. Elle pousse un grand **soupir** parce qu'elle est soulagée.

souple *adjectif*

Quand on est **souple**, on peut faire plein de mouvements avec son corps sans avoir mal. On n'est pas raide, on a de la **souplesse**.

une **source** *nom féminin*

Venez boire ! L'eau sort toute fraîche de la **source** !

Toutes les rivières ont une **source**. C'est l'endroit où l'eau sort de la terre.

un **sourcil** *nom masculin*

On a deux **sourcils** au-dessus de nos yeux, ce sont deux lignes de poils.
▶ Regarde Mowgli qui fronce ses **sourcils** page 220.

sourd *adjectif*

Une personne **sourde** n'entend pas. On dit aussi **malentendant**.

sourire *verbe*

Alice a rencontré un Chat qui était sûrement toujours content puisqu'il **souriait** tout le temps ! Et quand le Chat disparut, il ne resta que son **sourire**.

une **souris** *nom féminin*

C'est un petit animal rongeur qui ressemble à un rat.

Je suis trop vieux pour courir après les **souris** !

un **sous-marin** *nom masculin*

C'est un bateau qui avance sous l'eau.

le **sous-sol** *nom masculin*

Les caves, les parkings sont au **sous-sol**. C'est en dessous du rez-de-chaussée.

un **sous-vêtement** *nom masculin*

Les culottes, les bas, les collants sont des **sous-vêtements**. On les porte sous les autres vêtements.

soutenir *verbe*

Robin et Petit Jean **soutiennent** Will. Ils le tiennent pour qu'il ne tombe pas.

un **souterrain** *nom masculin*

C'est un passage sous la terre, creusé dans le sol. Dans les villes, il y a souvent des passages **souterrains** pour traverser les grands carrefours.

S

453

se **souvenir** *verbe*

Je **me souviens** de tout ce qui m'est arrivé au Pays des Merveilles. Je peux tout te dire.

Alice va raconter son rêve à sa sœur. Elle a tout gardé dans sa mémoire. Elle se rappelle tout. Elle n'a rien oublié.
Avoir de bons **souvenirs**, c'est se rappeler des choses agréables.

un **souverain**, une **souveraine** *nom*

Les rois, les reines, les empereurs, les impératrices sont des **souverains**. Ils sont les chefs des royaumes et des empires.

spécial *adjectif*

La grand-mère de Jour et d'Aurore est une femme un peu **spéciale**. Elle n'est pas comme les autres. *Regarde page 334 pour savoir pourquoi.*
Le shampooing est un produit **spécial** pour laver les cheveux. C'est un produit fait pour ça.

une **spécialité** *nom féminin*

La maman du Petit Chaperon rouge sait très bien faire les galettes, c'est sa **spécialité**.

un **spectacle** *nom masculin*

Quel beau **spectacle** ! Que c'est beau à voir !

Un **spectacle**, c'est aussi ce qu'on va voir pour son plaisir. Le théâtre, les marionnettes, le cirque, le cinéma sont des **spectacles**.
Les **spectateurs** et les **spectatrices**, ce sont les personnes qui regardent un spectacle. *Comment appelle-t-on ceux qui regardent la télévision ? Pour le savoir, cherche page 470.*

une **sphère** *nom féminin*

les formes, page 215.

une **spirale** *nom féminin*

Un escalier en colimaçon a la forme d'une **spirale**. ▶ Regarde aussi les formes, page 215.

splendide *adjectif*

Le château du Prince est **splendide**. Il est magnifique, il est très beau, c'est une **splendeur**.

le **sport** *nom masculin*

Dans la jungle, Mowgli était bien obligé de faire du **sport**. Il faisait plein d'exercices physiques.

La gymnastique, le football, le basket, le tennis, le tir à l'arc, la natation sont des **sports**. Ceux qui en font sont des **sportifs** et des **sportives**.

un **square** *nom masculin*

Dans les villes, il y a des **squares** pour jouer ou se reposer sur des bancs. Ce sont des jardins publics.

un **squelette** *nom masculin*

Certains prisonniers du Baron étaient morts depuis longtemps ! Il ne restait que leurs **squelettes**, que leurs os.

stable *adjectif*

Avant de monter sur une échelle, il faut voir si elle est bien **stable**, si elle tient bien en équilibre.

un **stade** *nom masculin*

C'est un grand terrain pour faire du sport.

un **stage** *nom masculin*

Faire un **stage** de tennis, c'est faire du tennis plusieurs jours de suite, pour apprendre, avec des moniteurs.

un **stand** *nom masculin*

À la fête du village, il y a plusieurs **stands**. À chaque **stand**, on peut faire un jeu différent ou acheter des choses différentes.

une **star** *nom féminin*

C'est un chanteur, un sportif, un acteur, un danseur que tout le monde connaît et adore. C'est une vedette.

une **station** *nom féminin*

Les trains, les bus, les métros s'arrêtent à plusieurs **stations** pour que les voyageurs montent ou descendent.

S

le **stationnement** *nom masculin*

Le **stationnement** est souvent interdit devant les écoles. Les voitures n'ont pas le droit de **stationner**, de s'arrêter. On ne peut pas les garer là.

une **station-service** *nom féminin*

C'est un endroit pour prendre de l'essence sur la route ou l'autoroute.

une **statue** *nom féminin*

Devenez deux **statues** !

Les deux sœurs de la Belle vont être bien punies. La Fée va les transformer en **statues** de pierre. Normalement, ce sont les sculpteurs qui font des **statues**. Ce sont des sculptures.

stop

Stop ! Je ne joue plus !

Pinocchio ne veut plus jouer. Il dit **stop** ! pour arrêter le jeu.

un **store** *nom masculin*

C'est une sorte de rideau pour protéger du soleil.

un **stratagème** *nom masculin*

C'est une ruse.

strict *adjectif*

Les sirènes n'avaient pas le droit de monter à la surface de la mer avant 15 ans et cette règle était **stricte**. Elles étaient obligées d'obéir.

un **studio** *nom masculin*

C'est un appartement d'une seule pièce. C'est aussi l'endroit où on fait des films, des émissions de télévision ou de radio.

stupéfait *adjectif*

Être **stupéfait**, c'est être très étonné.

stupide *adjectif*

Coupons-lui la tête, on discutera après !

C'est **stupide** ! C'est idiot, c'est bête !

Alice trouve que la Reine dit des **stupidités**, des idioties, des bêtises.

un **stylo** *nom masculin*

Pour écrire à l'encre, il y a des **stylos** à plume, à bille ou des **stylos-feutres**.

succéder *verbe*

Mon fils me **succédera**. Il sera roi après moi, il prendra ma place.

le **succès** *nom masculin*

Cendrillon a eu beaucoup de **succès** au bal. Tout le monde la regardait et l'admirait.

Un **succès**, c'est aussi une réussite, une victoire. C'est le contraire d'un échec.

succulent *adjectif*

Un repas **succulent** est délicieux.

sucer *verbe*

Les enfants **sucent** d'énormes **sucettes**.

le **sucre** *nom masculin*

Le Chapelier met un morceau de **sucre** dans son thé. Il l'a pris dans le **sucrier**. Le **sucre** a un goût très doux, agréable. On en fait des bonbons, des **sucreries**.
▶ Regarde aussi <u>les goûts</u>, page 231.

457

sud...

le **sud** *nom masculin*

≡≡➤━━━➤ nord

la **sueur** *nom féminin*

Aladin a beaucoup marché sous le soleil. Il est **en sueur**. Il **sue**, il transpire beaucoup.

suffire *verbe*

La méchante Reine met un tout petit peu de poison dans la pomme.
Ça **suffit**, c'est assez pour empoisonner Blanche-Neige. C'est **suffisant**.

la **suite** *nom féminin*

Les Nains demandent à Blanche-Neige la **suite** de son histoire. Ils veulent savoir ce qui s'est passé après.
━━━➤☆◄━Une **suite** d'images, ce sont des images qui se suivent.

suivre *verbe*

Qui **suit** qui ? Qui **suit** quoi ?
– Aladin **suit** le Magicien. Il marche derrière lui.
– Le mardi **suit** le lundi. Il vient après, c'est le jour **suivant**.
– Dans une bande dessinée, les images **se suivent**, elles viennent à la suite.

un **sujet** *nom masculin*

Le **sujet** d'une histoire, d'un film, c'est ce que l'histoire, le film racontent.

un **sultan** *nom masculin*

C'est comme un roi dans certains pays musulmans. Badroulboudour est la fille d'un **sultan**.

superbe *adjectif*

Ce qui est **superbe** est très beau, c'est magnifique !

supérieur *adjectif*

La lèvre **supérieure**, c'est la lèvre du haut. La lèvre **inférieure**, c'est la lèvre du bas.

un **supermarché** *nom masculin*

Dans un **supermarché**, on vend toutes sortes de choses. On se sert soi-même dans les rayons et on paie à la caisse.

superposé *adjectif*

Hansel et Gretel avaient des lits **superposés**. Ils dormaient l'un au-dessus de l'autre.

supplémentaire *adjectif*

Au moment des vacances, il y a des trains **supplémentaires**. Ce sont des trains en plus, en **supplément**.

supplier *verbe*

Je veux épouser la Princesse. Va voir le Sultan ! Je t'en **supplie**, je t'en prie !

Aladin insiste tellement que sa mère va accepter d'aller voir le Sultan.

supporter *verbe*

La méchante Reine ne **supporte** pas que Blanche-Neige soit plus jolie qu'elle. Elle ne l'accepte pas et ça la met en colère.

Il y a des gens qui ne **supportent** pas le chocolat. Ils sont malades dès qu'ils en mangent.

un **supporter** *nom masculin*

C'est une personne qui encourage et soutient un sportif ou une équipe de sportifs.

On prononce le *r* à la fin du mot.

supposer *verbe*

J'ai vu la mère, et je **suppose** que le fils est bien pauvre !

Ce n'est qu'une **supposition** ! Il faut vérifier !

supprimer *verbe*

Qu'on leur coupe la ... !

La Reine de Cœur dit toujours la même chose. Quel mot a-t-on **supprimé**, enlevé dans sa phrase ?

Réponse : tête.

S

459

sur...

sûr *adjectif*

Je vais cacher mes pièces d'or dans un endroit **sûr** !

Pinocchio va mettre ses pièces à l'abri, en **sûreté**.

➤⭐ Être **sûr** de quelque chose, c'est aussi en être certain.

Je suis **sûr** que j'épouserai la Princesse ! Je le ferai ! J'en suis certain !

Moi, je n'en suis pas si **sûre** ! J'en doute, je ne le crois pas.

le **surf** *nom masculin*

Pour faire du **surf**, il faut se tenir debout sur une planche qui glisse sur l'eau ou sur la neige.

la **surface** *nom féminin*

Quand l'eau bout, il y a des bulles qui éclatent à la **surface**, au-dessus.

surgelé *adjectif*

Les aliments **surgelés** sont conservés à une température très basse, très froide.

un **surnom** *nom masculin*

C'est un nom que l'on donne à quelqu'un, en plus de son vrai nom. Le Petit Chaperon rouge est un **surnom**, mais personne ne connaît le vrai nom de cette petite fille.

surprendre *verbe*

Surprendre un voleur en train de voler, c'est le voir en train de voler.

➤⭐ Être **surpris**, c'est aussi être étonné, avoir une **surprise**.

Oh ! Une petite fille sur mon lit !

Les Ours sont bien **surpris** de trouver Boucle d'or. Ils ne s'y attendaient pas du tout.

une **surprise** *nom féminin*

Papa ! Nous avons une **surprise** pour toi !

Qu'est-ce que c'est ?

La **surprise**, ce sont les perles et les diamants qu'Hansel et Gretel ont rapportés de chez la Sorcière.

sursauter *verbe*

Ouah !

Le Loir a eu peur, il **a sursauté**, il a sauté sur place.

surveiller *verbe*

Mère Louve **surveille** Mowgli et ses petits loups. Elle regarde ce qu'ils font. Elle fait attention à eux.

un **survêtement** *nom masculin*

C'est une veste et un pantalon pour faire du sport ou de la marche.

un **survivant**, une **survivante** *nom*

Le Prince est le seul **survivant** du naufrage. Il est le seul à être encore en vie après la catastrophe. Les autres sont morts.

survoler *verbe*

Aladin et la Princesse **survolent** le désert. Ils volent au-dessus.

S

461

susceptible *adjectif*

Une personne **susceptible** se vexe facilement.

un **suspect**, une **suspecte** *nom*

Qui a empoisonné Blanche-Neige ?
La méchante Reine est le **suspect** n° 1, c'est elle que l'on soupçonne en premier.

suspendre *verbe*

Les singes **se suspendent** aux branches. Ils s'accrochent, se pendent aux branches.

le **suspense** *nom masculin*

Hansel et Gretel arriveront-ils à échapper à la Sorcière ?
Quel **suspense** ! On attend la suite de l'histoire avec impatience.

une **syllabe** *nom féminin*

C'est chaque partie d'un mot qu'on prononce d'un coup, en une fois. Il y a deux **syllabes** dans le mot « pa-pa ».

sympathique *adjectif*

La jeune fille aux cheveux bleus était très **sympathique**. Pinocchio la trouvait gentille et il avait envie d'aller vers elle.

une **synagogue** *nom féminin*

C'est le bâtiment où les juifs se réunissent pour prier.

un **système** *nom masculin*

Robin prenait de l'argent aux riches voyageurs pour le donner aux pauvres. C'était son **système**, sa méthode pour aider les pauvres.
Un **système**, c'est aussi un ensemble de choses qui fonctionnent ensemble. Une serrure et une clé, cela fait un **système** de fermeture.

Tt

le **tabac** *nom masculin*

C'est une plante qui pousse dans les pays chauds. On fait sécher ses feuilles pour les fumer.

Gepetto gardait son **tabac** dans une **tabatière** et il en remplissait sa pipe. D'autres fument le **tabac** en cigare ou en cigarette. Mais c'est dangereux pour la santé.

une **table** *nom féminin*

Il y a trois **tables** : une grande pour Papa Ours, une moyenne avec une nappe dessus pour Maman Ours, une petite pour Petit Ours.

tab...

un **tableau** *nom masculin*

À l'école, le maître de Pinocchio écrivait chaque matin la date au **tableau** et chaque soir il l'effaçait.

➤✦═Un **tableau**, c'est aussi une peinture.

Le Petit Cochon a accroché des **tableaux** au mur.

une **tablette** *nom féminin*

Une **tablette** de chocolat, c'est une petite plaque de chocolat.

➤✦═Une **tablette**, c'est aussi une petite étagère.

un **tablier** *nom masculin*

On met un **tablier** pour ne pas salir ses vêtements.

un **tabouret** *nom masculin*

La Duchesse est assise sur un **tabouret** à trois pieds. C'est un siège.

une **tache** *nom féminin*

Le Chapelier a fait une grosse **tache** sur la nappe en renversant du thé. Cela fait une grosse marque. La nappe est toute **tachée**. Il va falloir la **détacher**.

➤✦═Le léopard a des **taches** jaunes et noires. C'est une marque naturelle sur son poil.

➤✦═Avoir des **taches de rousseur**, c'est avoir des petites marques brunes sur la peau.

le **taffetas** *nom masculin*

C'est un tissu de soie épaisse et brillante qui fait du bruit quand on bouge.

une **taie** *nom féminin*

On met les oreillers dans des **taies**.

la **taille** *nom féminin*

Voilà ! Tu mesures comme moi ! Es-tu contente de ta **taille**, maintenant ?

Oh, non ! J'aimerais être plus grande ! Huit centimètres, c'est vraiment une petite **taille** !

Alice change tout le temps de **taille**. Une fois elle est grande, une fois elle est petite. Elle ne mesure jamais pareil. ➡️⭐←Regarde aussi le corps, page 125.

tailler *verbe*

Le jardinier **taille** la haie. Il la coupe pour lui donner une jolie forme.
▶ Regarde page 241.
➡️⭐←On **taille** les crayons avec un **taille-crayon**.

un **tailleur** *nom masculin*

Le père d'Aladin était **tailleur**, il coupait et cousait des vêtements d'homme.

se **taire** *verbe*

Chut ! Taisez-vous !

Les enfants doivent **se taire**, ils ne doivent plus parler pour que leur grand-mère ne les entende pas.

le **talent** *nom masculin*

La Belle peint avec beaucoup de **talent**. Elle peint bien. Elle est douée pour la peinture.

le **talon** *nom masculin*

Mowgli a mal au pied. Il a une épine dans le **talon**.
➡️⭐←Les chaussures aussi ont des **talons**, plats ou hauts.

465

tam...

un **tambour** *nom masculin*

Les soldats jouent du **tambour**. Ils tapent dessus avec leurs baguettes.

un **tambourin** *nom masculin*

Les danseuses s'accompagnent de leurs tambourins.

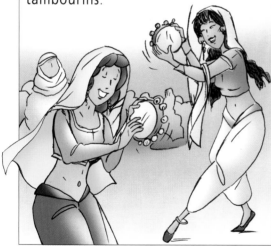

un **tampon** *nom masculin*

C'est une petite plaque de caoutchouc pour imprimer des lettres, des chiffres, des dessins avec de l'encre. À la poste, on **tamponne** les lettres avec le **tampon** du jour.

un **tam-tam** *nom masculin*

C'est une sorte de tambour. On tape dessus avec ses mains.

une **tanière** *nom féminin*

C'est un endroit caché, où les bêtes sauvages se mettent à l'abri. Sais-tu où est la **tanière** des loups ? *Regarde page 90.*

une **tante** *nom féminin*

oncle

Quel mot, page 474, se prononce de la même façon ?

taper *verbe*

J'en ai assez !

La Reine de Cœur s'énerve et **tape** du pied. Elle donne des coups de pied par terre.

se tapir *verbe*

C'est se faire tout petit pour se cacher.

un tapis *nom masculin*

Au pays d'Aladin, il paraît qu'on peut se déplacer en **tapis volant** ! Normalement, on met les **tapis** sur le sol pour que ce soit doux sous les pieds. ➤⭐← Une **moquette**, c'est une sorte de tapis fixé au sol sur toute la surface.

une tapisserie *nom féminin*

La Belle fait de la **tapisserie**. Elle suit le dessin du **canevas**, avec une aiguille et de la laine.

taquiner *verbe*

Ma chatte à moi, elle attrape les souris ! Elle adore ça !

Arrête ! Ne me parle plus de ta chatte !

Alice **taquine** la Souris. Elle lui dit des choses qui l'énervent, mais sans méchanceté.

tarabiscoté *adjectif*

La maison de la Sorcière est toute **tarabiscotée**. Elle est biscornue. Tout part dans tous les sens. ▶ Regarde page 63.

tard

 tôt

tarder *verbe*

Blanche-Neige s'inquiète quand les Nains **tardent** à rentrer, quand ils mettent trop de temps à rentrer.

le tarif *nom masculin*

C'est le prix à payer pour une chambre à l'hôtel, un billet dans le train, une place au cinéma.

une **tarte** *nom féminin*

Mais je n'ai pas volé une seule **tarte** ! Elles sont toutes là !

Il a raison ! Regarde les **tartes** sur la table ! Il y en a aux pommes, aux cerises, aux prunes et au citron.
➤ Une **tartelette**, c'est une petite tarte.

une **tartine** *nom féminin*

C'est une tranche de pain avec du beurre, de la confiture dessus.

un **tas** *nom masculin*

Le Petit Cochon ramasse toutes les feuilles mortes. Il en fait un grand **tas**.

une **tasse** *nom féminin*

Le Chapelier boit sa **tasse** de thé. Il la tient par son **anse**.

tasser *verbe*

Tasser des affaires dans un sac, c'est appuyer dessus pour en faire entrer le plus possible.

tâter *verbe*

Ça alors ! Je ne suis plus en bois !

Pinocchio **tâte** ses joues, il les touche avec ses doigts pour voir comment c'est.
Que lui est-il arrivé ? Regarde page 509.

à **tâtons**

Pinocchio ne voit rien dans le ventre du Requin. Alors il avance **à tâtons** en touchant tout ce qu'il rencontre.

ne **taupe** *nom féminin*

C'est un petit animal presque aveugle, qui creuse des galeries sous la terre.

un **taureau** *nom masculin*

C'est le mâle de la vache.

un **taxi** *nom masculin*

C'est une voiture avec un chauffeur que l'on paie pour aller d'un endroit à un autre.

la **technique** *nom féminin*

Ce sont tous les moyens que l'on emploie pour fabriquer des objets, des appareils, des machines.

un **tee-shirt** *nom masculin*

C'est un maillot de coton tout simple.
➞ On écrit aussi **T-shirt**.

teindre *verbe*

Teindre un tissu en rouge, c'est lui donner la couleur rouge, en le plongeant dans de la **teinture** rouge.

le **teint** *nom masculin*

C'est la couleur de la peau du visage.

une **télécommande** *nom féminin*

Grâce à la **télécommande**, on peut faire marcher la télévision sans bouger de son fauteuil.

téléguidé *adjectif*

Au Pays des Jouets, il y a peut-être des voitures **téléguidées**. Ce sont des petites voitures qu'on peut conduire grâce à une télécommande.

le **téléphone** *nom masculin*

Grâce au **téléphone**, on peut parler à quelqu'un qui est loin, on peut lui **téléphoner**.

un **télescope** *nom masculin*

Au pays d'Aladin, il y avait un astronome qui observait les étoiles avec son **télescope**.

la **télévision** *nom féminin*

Grâce à la **télévision**, on peut voir des films, des émissions sur un petit écran, chez soi. Ceux qui regardent la télévision sont des **téléspectateurs** et des **téléspectatrices**.
On dit aussi la **télé**.

un **témoin** *nom masculin*

Est-ce que quelqu'un l'a vu voler la tarte ? Y a-t-il des témoins ?

Mais il n'y avait personne pour **témoigner**, pour dire ce qu'il avait vu ou entendu.

la **tempe** *nom féminin*

Cendrillon a mal à la tête, elle se frotte les **tempes**.

la **température** *nom féminin*

Quand il fait chaud, la **température** est élevée. Quand il fait froid, la **température** est basse.
Avoir de la **température**, c'est avoir de la fièvre.

une **tempête** *nom féminin*

Ce jour-là, il y avait une terrible **tempête**. Le vent soufflait fort, les orages éclataient dans le ciel et les vagues étaient si hautes que le bateau du Prince a coulé. ▶ Regarde page 179.

un **temple** *nom masculin*

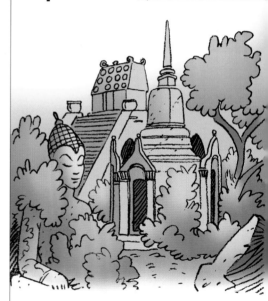

Il y avait un **temple** dans la ville abandonnée. Dans de nombreuses religions dans le monde, on a construit des **temples** pour les dieux.
Le **temple**, c'est aussi le nom du bâtiment où les protestants vont prier.

le **temps** *nom masculin*

Comme ce serait bien de voyager dans le **temps** ! On irait dans le passé ou bien dans l'avenir !

—————☆≈ Le **temps**, c'est aussi la couleur du ciel, la température de l'air.

▶ Regarde page suivante.

ne **tendance** *nom féminin*

Pinocchio avait **tendance** à mentir. Il mentait facilement.

tendre *adjectif*

Mère Louve est très **tendre** avec Mowgli. Elle est gentille, pleine d'affection pour lui. Elle l'élève avec **tendresse**, **tendrement**.

—————☆≈ La mie, c'est la partie **tendre** du pain. Ce n'est pas dur.

tendre *verbe*

Robin et ses amis **tendent** une corde en travers de la route. Ils tirent dessus. Si la corde est bien **tendue**, les voitures seront obligées de s'arrêter.

—————☆≈ **Tendre** les bras en avant, c'est les tenir bien droits, bien raides en avant.

tenir *verbe*

Le Petit Cochon **tient** le marteau d'une main et le clou de l'autre pour fixer la gouttière.

—————☆≈ Après, il tire sur la gouttière pour voir si elle va **tenir**, si elle est bien fixée.

le **tennis** *nom masculin*

Au **tennis**, il faut lancer et rattraper une balle avec une raquette.

—————☆≈ On appelle aussi **tennis** des chaussures plates en toile.

≡☰═══ On dit *le* tennis pour le sport, et *une* tennis pour la chaussure.

t

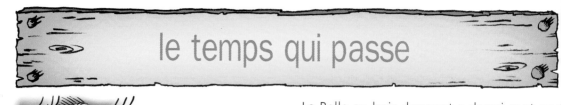

le temps qui passe

La Belle au bois dormant a dormi cent **ans**
C'est long cent **ans**
C'est beaucoup de **saisons**

l'été

l'automne

l'hiver

le printemps

Cela fait aussi beaucoup de **mois**, de **semaines**, de **jours**,
d'**heures**, de **minutes** et de **secondes**.

Pour compter le temps :

il y a 60 **secondes** dans une **minute**
il y a 60 **minutes** dans une **heure**
il y a 24 **heures** dans un **jour**

il y a 7 **jours** dans une **semaine**
il y a 12 **mois** dans une **année**
il y a 100 **ans** dans un **siècle**
il y a 1 000 **ans** dans un **millénaire**

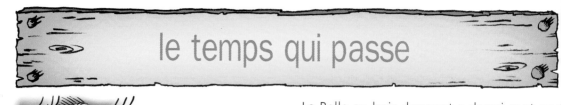

472

le temps qu'il fait

Chaque jour, le Prince regarde son baromètre pour voir le temps qu'il va faire.

Il fait beau, le soleil brille, il fait chaud.

Il fait mauvais, il y a du vent, il fait froid.

Il pleut, la pluie tombe à grosses gouttes.

Il neige, la neige tombe à gros flocons.

Il y a un orage et une tempête.

Après la pluie, le beau temps !
Quel bel arc-en-ciel !

473

une **tente** *nom féminin*

Robin et ses amis vont dormir sous des **tentes**.

Quel mot, page 466, se prononce de la même façon ?

tenter *verbe*

Cette pomme a vraiment l'air très bonne !

Blanche-Neige est **tentée** par la pomme. Elle en a envie.

une **tenture** *nom féminin*

C'est un grand rideau très épais.

une **tenue** *nom féminin*

Pour jouer au ballon, les enfants mettaient leurs **tenues** de sport : short, maillot, tennis.

terminer *verbe*

C'est finir.

le **terminus** *nom masculin*

C'est le dernier arrêt du bus, du train ou du métro. On ne peut pas aller plus loin.

terne *adjectif*

Ce qui est **terne** ne brille pas. Ça n'a pas d'éclat.

un **terrain** *nom masculin*

Le Sultan a donné à Aladin un **terrain** pour qu'il y construise son palais et ses jardins. La terre y était très bonne.

une **terrasse** *nom féminin*

Quand il faisait beau, la Belle dînait sur la **terrasse**, dehors.

la **terre** *nom féminin*

C'est notre planète, avec ses océans, ses continents. Le globe **terrestre** représente la **Terre**. ▶ Regarde page 229.

━━━✦≔La **terre**, c'est aussi la matière du sol. Les plantes, les arbres, les herbes poussent avec leurs racines dans la terre.

━━━✦≔S'asseoir **par terre**, c'est s'asseoir sur le sol, sur le plancher.

la **terreur** *nom féminin*

C'est une très grande peur.

terrible *adjectif*

La Bête avait une voix **terrible** qui faisait très peur.

━━━✦≔Quand il était petit, Aladin était un enfant **terrible**. Il ne faisait que des bêtises, il était insupportable.

un **terrier** *nom masculin*

Le Lapin Blanc sort de son **terrier**. C'est là qu'il vit, dans la terre.

terrifiant *adjectif*

Une histoire **terrifiante**, c'est une histoire qui fait très peur.

un **territoire** *nom masculin*

Mowgli connaissait bien le **territoire** des loups. Il savait jusqu'où il pouvait aller en restant sur les terres des loups.

━━━✦≔Chaque pays a son **territoire** avec des frontières tout autour.

terroriser *verbe*

Quand il criait, Mangefeu **terrorisait** les marionnettes. Il leur faisait très peur.

un **têtard** *nom masculin*

Dans la mare, il y a des **têtards**. Quand ils grandiront, les **têtards** deviendront des grenouilles.

la **tête** *nom féminin*

La mare était si profonde qu'on ne voyait plus que la **tête** d'Alice.

tet...

téter *verbe*

Les bébés loups **tètent** les mamelles de leur mère. Ils boivent son lait.

têtu *adjectif*

Aladin était **têtu**, entêté. Quand il avait une idée dans la tête, il n'était pas près d'en changer !

un **texte** *nom masculin*

La sœur d'Alice lisait un livre sans images. Il n'y avait que du **texte**, que des mots écrits.

le **thé** *nom masculin*

Ce sont les feuilles séchées d'un petit arbre, le **théier**. On en fait une boisson, dans une **théière**.

Le Chapelier a un beau service à **thé**.

le **théâtre** *nom masculin*

Au **théâtre**, on va voir les comédiens jouer sur la scène. Les rideaux s'ouvrent. Les spectateurs sont assis, le spectacle va commencer !

un **thermomètre** *nom masculin*

Un **thermomètre** sert à mesurer la température.

un **thon** *nom masculin*

C'est un gros poisson de mer.

Pinocchio, Gepetto et le Thon se sont enfuis du ventre du Requin.

un ticket *nom masculin*

Pour prendre le bus ou le métro, il faut un **ticket**. C'est un petit carton qui prouve qu'on a payé. C'est un billet.

tiède *adjectif*

L'eau **tiède** n'est ni froide ni chaude.

une tige *nom féminin*

Les fleurs poussent au bout de leurs **tiges**. Les **tiges** des roses ont des épines.

un tigre *nom masculin*

C'est un grand animal sauvage d'Asie. Quand il crie, le tigre **feule**. Sa femelle est la **tigresse**. Shere Khan est un tigre.

tigré *adjectif*

Un chat **tigré** a le poil rayé de bandes sombres comme le tigre.

un tilleul *nom masculin*

C'est un arbre. Ses feuilles sentent très bon et on peut les faire sécher pour en faire de la tisane.

une timbale *nom féminin*

C'est un gobelet en métal.

un timbre *nom masculin*

Pour envoyer une lettre par la poste, il faut coller un **timbre** sur l'enveloppe. Cela prouve qu'on a payé.

timide *adjectif*

Heu... Excusez-moi, monsieur !

Alice parle d'une voix **timide**. Elle ose à peine parler.

un tintamarre *nom masculin*

Quel **tintamarre** sur la place du marché ! Les marchands crient, les voitures klaxonnent ! Quel bruit !

tinter *verbe*

C'est faire un bruit léger, comme une clochette que l'on secoue.

le **tir** *nom masculin*

Robin est le plus fort au **tir** à l'arc.
▶ Regarde page 240.

un **tire-bouchon** *nom masculin*

Les Petits Cochons ont la queue en **tire-bouchon**. Elle tourne sur elle-même comme la tige du **tire-bouchon** pour déboucher les bouteilles.

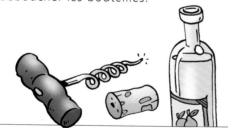

une **tirelire** *nom féminin*

On met ses économies dans une **tirelire**.

tirer *verbe*

Arrête de me **tirer** les cheveux ! Tu me fais mal !

Tirer, c'est aussi lancer. Robin **tire** des flèches avec son arc.

un **tiroir** *nom masculin*

Cendrillon range le linge dans les **tiroirs** de la commode. ▶ Regarde page 114.

une **tisane** *nom féminin*

C'est une boisson chaude faite avec des plantes. Le tilleul est une **tisane**.

un **tissu** *nom masculin*

Le Magicien choisit les **tissus** pour l'habit d'Aladin. Il y en a de toutes les sortes : en coton, en laine, en soie, en satin.

un **titre** *nom masculin*

C'est le nom d'un livre, d'un film, d'un journal.

un toboggan *nom masculin*

Que c'est drôle de glisser sur le toboggan !

une tomate *nom féminin*

Cendrillon cueille des **tomates** bien mûres. Elle ne sait pas encore si elle les mangera crues ou cuites.

une toile *nom féminin*

C'est une sorte de tissu simple et solide.

la toilette *nom féminin*

Faire sa **toilette**, c'est se laver.

une tombe *nom féminin*

Dans les cimetières, les morts sont enterrés dans des **tombes**. Ce sont de grands trous dans la terre.
➤ Un **tombeau**, c'est un monument sur une tombe.

le toit *nom masculin*

Hansel et Gretel goûtent un morceau du **toit**. Normalement, les **toits** des maisons ne sont pas en gâteau ! Ils sont en chaume pour les chaumières, en tuiles, en zinc ou en béton pour les maisons modernes.

tomber *verbe*

C'est faire une chute.

Le Magicien est **tombé** par terre. Il a bu le vin empoisonné et il est mort.

ton...

tondre *verbe*

Le Petit Cochon a une **tondeuse** pour **tondre** son gazon, pour le couper très court. ▶ Regarde page 442.

une **tonne** *nom féminin*

➤ <u>les mesures</u>, page 309.

un **tonneau** *nom masculin*

Le Baron a du très bon vin dans les **tonneaux** de sa cave.

une **tonnelle** *nom féminin*

La Belle se repose sous une **tonnelle**. C'est un petit abri couvert de feuillage.

le **tonnerre** *nom masculin*

C'est l'énorme bruit de la foudre pendant l'orage. ▶ Regarde page 335.

une **torche** *nom féminin*

C'est un flambeau. Autrefois, on s'éclairait avec des **torches** enflammées. ➤ Aujourd'hui, on a des **torches** électriques. Ce sont de grosses lampes électriques.

un **torchon** *nom masculin*

C'est un tissu pour essuyer la vaisselle.

tordre *verbe*

Blanche-Neige et le Nain **tordent** le linge avant de le mettre à sécher. ➤ **Tordre**, c'est aussi plier, déformer. Une clé **tordue** n'est plus droite.

un **torrent** *nom masculin*

C'est un cours d'eau qui descend très vite de la montagne.

le **torse** *nom masculin*

Mowgli est toujours **torse** nu. Il n'a ni maillot, ni chemise.

le **tort** *nom masculin*

Avoir **tort**, c'est se tromper, c'est le contraire d'avoir raison.

tortiller *verbe*

C'est tordre dans tous les sens.

ne **tortue** *nom féminin*

Les **tortues** ont le corps couvert d'une carapace très dure. Alice a rencontré une tortue pas comme les autres. C'est la Simili-Tortue. ▶ Regarde page 86.

tôt

Cendrillon se levait toujours **tôt** le matin, avant ses sœurs. Et elle se couchait toujours **tard**, après ses sœurs.

le **total** *nom masculin*

J'ai 3 billes.

Moi, j'en ai 2.

Cela fait un **total** de 5 billes. Cela fait 5 billes en tout.

une **touche** *nom féminin*

Sur le clavier d'un piano, il y a des **touches** noires et des **touches** blanches. On appuie dessus pour jouer. Sur un clavier d'ordinateur, il y a des **touches** avec des lettres. On appuie dessus pour écrire.

toucher *verbe*

La Fée **touche** le front de Pinocchio pour savoir s'il a de la fièvre. Elle met la main sur son front.

Deux maisons qui **se touchent** sont juste à côté l'une de l'autre.

Être **touché**, c'est être ému, attendri.

481

une **toupie** *nom féminin*

Regarde la **toupie**. C'est fou comme elle tourne vite !

une **tour** *nom féminin*

Une vieille femme filait la laine en haut de la **tour** du château.

⭐ Une **tour**, c'est aussi un immeuble moderne tout en hauteur, avec beaucoup d'étages.

un **tour** *nom masculin*

La toupie fait des **tours** sur elle-même. Elle tourne

⭐ Faire un **tour**, c'est aussi faire une petite promenade.

⭐ Aurore et Jour font de la balançoire chacun leur **tour**. Une fois c'est Aurore, une fois c'est Jour.

⭐ Regarde aussi **magie**.

un **tourbillon** *nom masculin*

La Petite Sirène doit traverser des **tourbillons** pour aller chez la Sorcière. Regarde comme l'eau tourne ! Elle **tourbillonne**.

un **touriste**, une **touriste** *nom*

C'est une personne qui voyage pour son plaisir, pour visiter ou pour se reposer. Elle fait du **tourisme**.

un **tournant** *nom masculin*

Quand la route tourne, cela fait des **tournants**, des virages.

tourner *verbe*

La toupie **tourne** sur elle-même, elle fait des tours.

⭐ Tourner, c'est aussi changer de position ou de direction.

un **tournesol** *nom masculin*

C'est une grosse fleur jaune qui se tourne toujours du côté du soleil.

un tournevis *nom masculin*

Le Petit Cochon a un **tournevis** pour visser. ▶ Regarde page 504.

tousser *verbe*

Quand on a mal à la gorge, on **tousse** sans le faire exprès parce que quelque chose gêne au fond de la gorge. Le sirop calme la **toux**.

le trac *nom masculin*

Les comédiens ont souvent le **trac** avant de jouer. Ils ont un peu peur.

une trace *nom féminin*

C'est une marque laissée par quelque chose.

tracer *verbe*

Alice **trace** la ligne de départ de la course. Elle fait un trait.

un tracteur *nom masculin*

Le paysan laboure son champ avec un **tracteur**. ▶ Regarde page 278.

une tradition *nom masculin*

Le Roi avait invité toutes les fées au baptême de la Princesse. C'était la **tradition**. C'était ce qu'on faisait toujours à cette occasion dans son pays.

traduire *verbe*

Mowgli a appris toutes les langues de la jungle. Il peut **traduire** les mots d'une langue dans l'autre.

trahir *verbe*

 traître

un train *nom masculin*

Le **train** roule sur des rails. Il est tiré par une locomotive.

un traîneau *nom masculin*

Les chiens tirent le **traîneau** sur la neige.

traîner *verbe*

Le petit Jour **traîne** la poupée de sa sœur. Il la tire derrière lui.

⭐—Les sœurs de Cendrillon laissaient toujours leurs affaires **traîner**. Il y en avait un peu partout dans la maison.

traire *verbe*

C'est prendre le lait d'une vache, d'une chèvre, en tirant sur leurs **pis**, leurs mamelles.

un **trait** *nom masculin*

Avec une règle et un crayon, on peut tirer, tracer des **traits** bien droits.

traiter *verbe*

Mangefeu était sévère mais il **traitait** bien les marionnettes. Il ne leur faisait pas de mal.

un **traître** *nom masculin*

Tu as fait semblant d'être notre ami et tu as dit où nous nous cachions aux soldats du Baron. Tu nous **as trahis** ! Tu es un **traître** !

le **trajet** *nom masculin*

C'est le chemin, la route pour aller d'un endroit à un autre.

un **trampoline** *nom masculin*

Au Pays des Jouets, il y avait même un **trampoline** pour sauter !

un **tramway** *nom masculin*

C'est une sorte de bus qui roule sur des rails, dans les rues de certaines villes.

ne **tranche** *nom féminin*

On coupe le saucisson, le jambon, le pain en **tranches** plus ou moins fines.

tranquille *adjectif*

Papa Ours aime bien qu'on le laisse **tranquille** le soir. Il ne veut pas qu'on le dérange. Il aime la **tranquillité**.

transformer *verbe*

Une méchante fée m'avait **transformé** en Bête. Elle m'avait changé en Bête.

Grâce à l'amour de la Belle, la Bête est redevenue un beau Prince.
Dans les contes, il y a beaucoup de **transformations**. *Sais-tu en quoi la marraine de Cendrillon a transformé la citrouille, les lézards et le gros rat ? Cherche pages 88, 109 et 281.*

transmettre *verbe*

Transmettre un message, c'est le donner.

transparent *adjectif*

Le cercueil de Blanche-Neige est en verre **transparent**. On voit à travers. L'eau de la rivière aussi est **transparente** quand elle est claire.

transpirer *verbe*

Quand on a chaud, on **transpire** beaucoup. Notre peau se couvre de **transpiration**, de sueur et on est tout mouillé. On sue.

transporter *verbe*

Regarde comment le Magicien a fait pour **transporter** le palais d'Aladin dans un pays lointain ! Quel drôle de **moyen de transport** ! Normalement, ce sont les camions qui **transportent** des marchandises, et les trains, les bus, les avions qui **transportent** des passagers, des voyageurs.

un **trapèze** *nom masculin*

Au cirque, les acrobates font du **trapèze** tout là-haut sur une barre en bois accrochée par des cordes. Ce sont des **trapézistes**. ▶ Regarde page 106.

une **trappe** *nom féminin*

> Regarde !
> C'est un piège ! Si tu marches dessus, la **trappe** s'ouvre et tu tombes au fond du trou !

travailler *verbe*

Les Nains **travaillent** à la mine. Ils sont mineurs. C'est leur **travail**. C'est ce qu'ils font pour gagner leur vie.
⬤━━━✦≪Alice était une bonne élève. Elle **travaillait** bien à l'école.

traverser *verbe*

C'est un canard qui fait **traverser** la rivière à Hansel et Gretel. Il les fait passer de l'autre côté.

trébucher *verbe*

Un des serviteurs du Prince qui portaient le cercueil **a trébuché** sur une souche. Il a buté dessus et il a perdu l'équilibre.
▶ Regarde page 436.

le **trèfle** *nom masculin*

C'est une petite plante qui pousse dans l'herbe avec trois feuilles. On dit que si on trouve un **trèfle** à quatre feuilles, cela porte bonheur.
⬤━━━✦≪Sur un jeu de cartes, le **trèfle** est noir. ▶ Regarde page 88.

trembler *verbe*

Quand on a très peur ou quand on a très froid, on **tremble**. On a les mains, le corps qui bougent sans arrêt, sans qu'on puisse l'empêcher.

tremper *verbe*

Le Nain **trempe** sa tartine dans son café au lait.
⬤━━━✦≪Être **trempé**, c'est être tout mouillé. Mowgli est sorti **trempé** de la rivière.

un **tremplin** *nom masculin*

Mowgli s'est fabriqué un **tremplin**. Cela lui donne de l'élan pour sauter plus haut.

un **trésor** *nom masculin*

Quarante esclaves portent tous les **trésors** d'Aladin au Sultan. Quelle fortune !

une **tresse** *nom féminin*

C'est une natte.

un **triangle** *nom masculin*

les formes et les figures, page 215.

une **tribu** *nom féminin*

C'est un groupe de familles avec un chef. C'est un petit peuple.

un **tribunal** *nom masculin*

C'est l'endroit où on juge les accusés, dans un procès.

tricher *verbe*

Mais tu regardes ! Tu **triches** ! Tu es un **tricheur** !

Pinocchio **triche**, il ne suit pas la règle du jeu.

487

tricoter *verbe*

C'est faire un pull, un gilet, un **tricot**, avec de la laine et des aiguilles à **tricoter**.

trier *verbe*

Aladin **trie** toutes ses pierres précieuses. Il met les rouges avec les rouges, les bleues avec les bleues et ainsi de suite.

une **tringle** *nom féminin*

C'est une barre de bois ou de métal pour accrocher les rideaux.

un **triomphe** *nom masculin*

C'est une très grande victoire.

triste *adjectif*

Le père de la Belle est très **triste**. Il a de la peine, il est malheureux. Sa **tristesse** se voit sur son visage. *Regarde page 19 pour savoir pourquoi.*

un **trognon** *nom masculin*

Ne jette pas ce **trognon** ! Tu aura peut-être très faim tout à l'heure.

Normalement, le **trognon** d'une poire ou d'une pomme, c'est la partie du fruit qu'on ne mange pas, là où il y a les graines.

une **trompe** *nom féminin*

Mowgli est assis sur la **trompe** de l'éléphant.

se **tromper** *verbe*

C'est faire une erreur, une faute.

ne **trompette** *nom féminin*

Qui joue de la **trompette**, cet instrument de musique dans lequel on souffle ? C'est le Chien, bien sûr !

un **tronc** *nom masculin*

Les branches partent du **tronc** de l'arbre. C'est sa partie la plus épaisse.

un **trône** *nom masculin*

C'est le fauteuil, le siège d'un roi, d'une reine ou d'un empereur.
▶ Regarde page 424.

trotter *verbe*

C'est marcher à petits pas.

le **trottoir** *nom masculin*

Dans les rues, les piétons marchent sur les **trottoirs**, de chaque côté de la rue. Les voitures, elles, roulent sur la **chaussée**, au milieu de la rue.

un **trou** *nom masculin*

Gretel a fait un **trou** à son tablier. Son tablier est **troué**.

trouble *adjectif*

L'eau des marais est **trouble**. On ne voit pas bien à travers.

une **troupe** *nom féminin*

Une **troupe** d'acteurs, c'est un groupe d'acteurs qui travaillent et jouent ensemble. Une **troupe** de soldats, c'est un groupe de soldats.

un **troupeau** *nom masculin*

Quand il était au village, Mowgli gardait les **troupeaux**.

une **trousse** *nom féminin*

On met ses crayons et sa gomme dans une **trousse** pour aller à l'école.

trouver *verbe*

Père Loup **a trouvé** Mowgli par hasard. Il l'a découvert, il l'a vu.
➤—La méchante Reine **trouve** que Blanche-Neige doit mourir. Elle le pense.

un **truc** *nom masculin*

Au cirque, le magicien a fait sortir un lapin de son chapeau. Il doit y avoir un **truc** ! C'est **truqué** !

une **truite** *nom féminin*

C'est un poisson des rivières et des lacs.

un **tube** *nom masculin*

La Sorcière verse du poison dans un **tube**.
➤—Le dentifrice, la peinture, la mayonnaise sont souvent dans des **tubes** fermés par un bouchon.

tuer *verbe*

Je ne peux plus chasser ! Mon maître veut me **tuer** ! Il veut me faire mourir !

une **tuile** *nom féminin*

Le Petit Cochon a construit un toit de **tuiles** sur sa maison de briques.
▶ Regarde page 167.

une **tulipe** *nom féminin*

Cendrillon arrange les **tulipes** dans le vase.

un **tunnel** *nom masculin*

Pinocchio et son père avancent dans une sorte de **tunnel**. C'est le fond de la gorge du Requin ! Un vrai **tunnel**, c'est un passage creusé dans la montagne ou sous la terre.

une **turquoise** *nom féminin*

C'est une pierre de couleur bleu-vert. On en fait des bijoux.

tutoyer *verbe*

Au Pays des Merveilles, tout le monde dit **tu** à Alice. Tout le monde la **tutoie**. Mais Alice dit **vous** à la Reine. Elle la **vouvoie**.

un **tuyau** *nom masculin*

C'est un très long tube. Dans les maisons, l'eau passe par des **tuyaux** pour arriver au robinet.

un **type** *nom masculin*

Le Lapin Blanc était vraiment bizarre. Alice n'avait jamais rencontré de lapin de ce **type**, de cette sorte, de ce genre.

un **tyran** *nom masculin*

C'est une personne cruelle qui oblige tout le monde à faire ce qu'elle veut. La Reine de Cœur veut faire couper la tête à tous ceux qui ne sont pas d'accord avec elle. C'est un vrai **tyran** !

Uu

uni *adjectif*

Le mercredi, la sœur de Cendrillon met une robe rouge **unie**. Elle est d'une seule couleur, le rouge.

Les Nains sont très **unis**. Ils s'entendent bien.

un **uniforme** *nom masculin*

Les gendarmes portent des **uniformes**. Ils ont tous les mêmes vêtements.

unique *adjectif*

Petit Ours est un enfant **unique**. Il n'a ni frère ni sœur. C'est le seul enfant de Papa Ours et de Maman Ours.

l' **univers** *nom masculin*

C'est tout ce qui existe, la Terre, les étoiles, le Soleil, toutes les planètes.

urgent *adjectif*

Où cours-tu si vite ?

Je vais chez la Reine de Cœur. C'est **urgent**, ça ne peut pas attendre !

À l'hôpital, on soigne les blessés qui ne peuvent pas attendre au service des **urgences**.

user *verbe*

Hansel et Gretel avaient des vêtements tout **usés**, tout abîmés parce qu'ils avaient beaucoup servi.
➤ Un tissu **inusable** ne s'use pas vite ou presque pas.

une **usine** *nom féminin*

Dans une **usine** automobile, on fabrique des voitures. Dans une **usine** de vêtements, on fabrique des vêtements.

utile *adjectif*

Une baguette magique, c'est bien **utile** pour transformer les citrouilles en carrosse ! Et ça peut servir à beaucoup d'autres choses encore !
➤ Une chose **inutile** ne sert à rien.

utiliser *verbe*

Autrefois, pour s'éclairer, on **utilisait** des bougies. On se servait de bougies.

un **ustensile** *nom masculin*

« Quelle drôle de cuisinière ! » se dit Alice en voyant tous les **ustensiles** de cuisine voler à travers la pièce. Les **ustensiles** de cuisine, ce sont les poêles, les casseroles, les marmites, les fouets, tous les objets qui servent à faire la cuisine.

u

Vv

les **vacances** *nom féminin*

Chaque année, quand l'école était finie, Alice et sa sœur partaient en **vacances**. Elles n'avaient plus de travail à faire. Elles pouvaient jouer et se reposer.

vacciner *verbe*

Pour ne pas attraper certaines maladies, on se fait **vacciner**. Il y a des **vaccins** pour presque toutes les maladies des enfants.

le **vacarme** *nom masculin*

Le Chien aboie, le Chat miaule, l'Âne brait, le Coq chante. Quel **vacarme** ! Quel bruit !

une **vache** *nom féminin*

La fermière trait la **vache**. C'est un animal qui donne du lait et de la viande. Quand elle crie, la vache **meugle**. Le mâle est le **taureau**, et leur petit le **veau**.

494

vague *adjectif*

Ils sont là !
Quelque part
dans les bois !

Quelque part ?
C'est trop **vague** !

Robin veut que Petit Jean soit plus précis, qu'il lui dise exactement où sont les soldats et combien ils sont.

une **vague** *nom féminin*

Alors une énorme **vague** retourna la petite barque. Et Gepetto tomba dans l'eau. *Qui va le sauver ? Pour le savoir, regarde page 128.*

le **vainqueur** *nom masculin*

➤ victoire

un **vaisseau** *nom masculin*

C'est un très grand bateau.
➤ On peut voyager dans l'espace dans un **vaisseau spatial**.

la **vaisselle** *nom féminin*

Ce sont les plats, les assiettes, les tasses, les bols, les soucoupes, et tout ce qui sert pour manger et boire.

un **valet** *nom masculin*

Autrefois, les **valets** étaient au service de leurs maîtres.
➤ Le **valet**, c'est aussi le nom d'une carte à jouer. *Quel valet est accusé d'avoir volé les tartes ? Regarde page 21.*

la **valeur** *nom féminin*

Les pierres précieuses d'Aladin ont beaucoup de **valeur**. Elles **valent** beaucoup d'argent.

une **valise** *nom féminin*

Quand on part en voyage, on met ses affaires dans des **valises**.

une **vallée** *nom féminin*

Les Nains habitent dans la **vallée**, en bas des montagnes.

v

la **vanille** *nom féminin*

C'est le fruit d'une plante des pays chauds. La **vanille** a un goût délicieux. On s'en sert pour parfumer les glaces et les crèmes.

vaniteux *adjectif*

« Je suis la plus belle, la plus intelligente, la plus puissante ! » La méchante Reine est bien **vaniteuse**. Elle croit qu'elle a toutes les qualités ! Elle se vante sans arrêt.

vanter *verbe*

Les singes savent tout faire !

Non ! Ils **se vantent**. Ils exagèrent pour que tu les admires.

la **vapeur** *nom féminin*

Quand on fait bouillir de l'eau, il y a de la **vapeur** au-dessus de la casserole. C'est l'eau qui **s'évapore**, qui se transforme en petit nuage.

varié *adjectif*

Baloo a montré à Mowgli comment avoir une alimentation **variée**, avec toutes sortes d'aliments différents.

la **vase** *nom féminin*

Au fond des marais, il y a de la **vase**. C'est une sorte de boue, de terre très molle. C'est pour cela que l'eau est souvent trouble.

un **vase** *nom masculin*

On met les bouquets de fleurs dans un **vase** rempli d'eau.

vaste *adjectif*

La jungle est **vaste**. Elle est très grande.

un **vautour** *nom masculin*

C'est un oiseau qui se nourrit de cadavres.

un **veau** *nom masculin*

C'est le petit de la vache et du taureau.

une **vedette** *nom féminin*

Quand il était un âne, Pinocchio était la **vedette** du cirque. C'était lui qu'on applaudissait le plus.

un **véhicule** *nom masculin*

Le vélo, la voiture, le train, le carrosse sont des **véhicules**. On peut transporter des personnes ou des choses avec.

ne **veillée** *nom féminin*

Blanche-Neige et les Nains aimaient se raconter des histoires, le soir à la **veillée**, avant d'aller dormir.

Veiller tard, c'est se coucher tard le soir.

ne **veine** *nom féminin*

Le sang circule dans nos **veines**, à l'intérieur de notre corps.

un **vélo** *nom masculin*

Quel beau vélo !

Tu as vu le **guidon** ?

Un vélo a deux roues et deux pédales. On dit aussi une **bicyclette**. Celui qui fait du vélo est un **cycliste**.

le **velours** *nom masculin*

C'est un tissu très doux avec de tout petits poils ras.

les **vendanges** *nom féminin*

Faire les **vendanges**, c'est cueillir le raisin sur la vigne, quand il est mûr.

vendre *verbe*

Voulez-vous me **vendre** vos briques ? Je vous les achèterai un bon prix.

Dans les boutiques, les **vendeurs** et les **vendeuses** vendent les marchandises aux clients. Ils font de la **vente**.

le **vendredi** *nom masculin*

⟹ jour

vénéneux *adjectif*

Un champignon **vénéneux**, une plante **vénéneuse** peuvent empoisonner. Il ne faut pas les manger.

⟹ Regarde aussi **venin**.

V

venger *verbe*

Robin veut **venger** Marianne. Il veut faire du mal à ceux qui lui ont fait du mal. Et sa **vengeance** sera terrible ! Il va attaquer le Baron.

le **venin** *nom masculin*

Certains animaux ont du **venin**. Quand ils mordent ou quand ils piquent, cela peut être très dangereux car ce **venin** est du poison. La vipère et le cobra sont des serpents **venimeux**.

Regarde aussi **vénéneux**.

le **vent** *nom masculin*

Quand il y a beaucoup de **vent**, les feuilles des arbres bougent, les branches penchent, les drapeaux flottent et les chapeaux s'envolent !

venir *verbe*

Viens avec moi au château de mon père. Allons-y ensemble.

Les voilà qui **viennent**. Ils arrivent.

Attention, le verbe **venir** change très souvent de forme.

Autrefois	Hier	Aujourd'hui	Demain	Il faut que
je venais	je suis venu(e)	je viens	je viendrai	je vienne
tu venais	tu es venu(e)	tu viens	tu viendras	tu viennes
il, elle venait	il, elle est venu(e)	il, elle vient	il, elle viendra	il, elle vienne
nous venions	nous sommes venu(e)s	nous venons	nous viendrons	nous venions
vous veniez	vous êtes venu(e)s	vous venez	vous viendrez	vous veniez
ils, elles venaient	ils, elles sont venu(e)s	ils, elles viennent	ils, elles viendront	ils, elles viennent

le **ventre** *nom masculin*

Le Loup a un bien gros **ventre** ! C'est normal ! Il a dévoré le Petit Chaperon rouge et sa grand-mère !

un **ver** *nom masculin*

C'est un petit animal sans pattes, au corps tout mou qui vit dans la terre. Et comme les **vers** adorent la salade et les fruits, on en trouve aussi quelquefois dedans !

un **verger** *nom masculin*

Derrière la maison de Boucle d'or, il y a un **verger**. C'est un jardin avec des arbres fruitiers. *Comment appelle-t-on le jardin où on fait pousser des légumes ? Cherche page 375.*

le **verglas** *nom masculin*

S'il a plu et s'il se met à faire très froid, il peut y avoir du **verglas** sur la route. C'est une très fine couche de glace. On peut glisser dessus.

vérifier *verbe*

Blanche-Neige compte les Nains pour **vérifier** s'ils sont tous là. Elle veut en être sûre. *Vérifie toi-même page 296.*

véritable *adjectif*

Un **véritable** ami, c'est un vrai ami.

la **vérité** *nom féminin*

> Arrête de mentir et dis-moi la **vérité** ! Dis-moi ce qui s'est vraiment passé.

un **verre** *nom masculin*

Qu'y a-t-il dans le **verre** du Magicien ? Que va-t-il boire ? *Pour le savoir, regarde page 500.* On sert à boire dans des **verres**. Et sais-tu en quoi ils sont ? Ils sont le plus souvent en **verre**. C'est une matière fragile. On en fait aussi des vitres, des bouteilles, des lunettes.

V

un **verrou** *nom masculin*

C'est une sorte de serrure pour bien fermer, pour **verrouiller** une porte.

verser *verbe*

La princesse Badroulboudour **verse** le vin empoisonné dans le verre du Magicien.

vert *adjectif*

Robin porte un habit **vert**. La couleur **verte**, c'est la couleur de l'herbe.
Verdir, c'est devenir vert.

une **vertèbre** *nom féminin*

C'est chacun des os de la colonne **vertébrale** au milieu du dos.

vertical *adjectif*

Une tour est **verticale**. Elle est debout et droite.

le **vertige** *nom masculin*

C'est trop haut ! J'ai le **vertige** ! J'ai peur de tomber !

une **veste** *nom féminin*

C'est un vêtement qu'on met pour sortir et qui couvre le haut du corps.

un **vestiaire** *nom masculin*

À la piscine, il y a des **vestiaires** pour se changer et laisser ses vêtements.

un **vêtement** *nom masculin*

Les robes, les pantalons, les chaussures, les manteaux sont des **vêtements**. On les met pour s'habiller.

un **vétérinaire** *nom masculin*

C'est un médecin, un docteur qui soigne les animaux.

vêtu *adjectif*

Être bien ou mal **vêtu**, c'est être bien ou mal habillé.

veuf *adjectif*

Le Roi de la mer était **veuf**, sa femme était morte. La grand-mère de Jour et Aurore était **veuve**, son mari était mort.

vexer *verbe*

Je mesure 8 centimètres !

C'est bien trop petit !

En disant cela, Alice fait de la peine à la Chenille et la Chenille est **vexée**. Le père de la Belle au bois dormant aussi **a vexé** la vieille Fée en oubliant de l'inviter. *Qu'a-t-elle fait pour se venger ? Regarde page 449.*

la **viande** *nom féminin*

C'est la chair des animaux que l'on mange.
━━━━━✦◁━Les animaux qui se nourrissent de viande sont **carnivores**.
Comment s'appellent les animaux qui ne mangent que de l'herbe ? Pour le savoir, regarde page 244.

ne **victime** *nom féminin*

La **victime** d'un accident, c'est la personne qui a eu cet accident. La **victime** d'un vol, c'est la personne qu'on a volée.

la **victoire** *nom féminin*

Robin gagne toujours. Il ne remporte que des **victoires**. C'est toujours lui le **vainqueur**, le gagnant. Tous les autres sont **vaincus**, ils ont perdu.

vide *adjectif*

Le Magicien a bu tout son vin. Son verre est **vide**. Celui de la Princesse est plein. Elle n'a rien bu. ▶ Regarde page 365.

vider *verbe*

Vider ses poches, c'est enlever tout ce qu'il y a dedans.

la **vie** *nom féminin*

Je veux passer ma **vie** entière avec toi ! Nous allons vivre et vieillir ensemble, jusqu'à ce que la mort nous sépare.

un **vieillard** *nom masculin*

C'est une très vieille personne.

la **vieillesse** *nom féminin*

C'est la période de la vie où on est vieux.

V

vie...

vieillir *verbe*

C'est devenir plus vieux.

vieux *adjectif*

Hansel est plus âgé que sa sœur, il est plus **vieux**.

Dans la bibliothèque du château, il y avait beaucoup de **vieux** livres. Ils étaient là depuis longtemps.

La méchante Reine s'est déguisée en **vieille** femme. Elle avait l'air d'avoir 100 ans !

vif *adjectif*

Qu'est-ce qui est **vif** ?
– L'air de la montagne, le matin. Il est **vif**, il pique un peu.
– Les couleurs éclatantes, ce sont des couleurs **vives**.
– Et Pinocchio, quand il accepte d'aller à l'école. C'est un enfant très **vif**, il comprend vite, il a l'esprit **vif**.

la **vigne** *nom féminin*

Le raisin pousse dans les **vignes**.

vilain *adjectif*

Les sœurs de Cendrillon lui disent tout le temps qu'elle est **vilaine** à regarder, qu'elle n'est pas jolie, pas belle.

Aladin était **vilain** quand il était petit. Il n'était pas sage.

une **villa** *nom féminin*

C'est une jolie maison avec un jardin.

un **village** *nom masculin*

Un **village** est plus petit qu'une ville, il y a beaucoup moins de maisons.

une **ville** *nom féminin*

Pinocchio habite dans une **ville**. Il y a beaucoup de maisons, beaucoup de rues et de places.

le **vin** *nom masculin*

C'est une boisson faite à partir du raisin. Il y a de l'alcool dans le **vin** et cela tourne la tête.

le **vinaigre** *nom masculin*

On met du **vinaigre** dans la salade. Cela donne un goût piquant et acide.

La **vinaigrette**, c'est une sauce avec de l'huile et du vinaigre.

violent *adjectif*

Le Magicien est un homme **violent**. Il est brutal, il frappe très fort quand il est en colère. Quelle **violence** !

violet *adjectif*

Le Sultan porte un turban **violet** sur la tête. C'est la couleur des **violettes**, ces petites fleurs qui sentent très bon et qu'on trouve dans les bois.

un **violon** *nom masculin*

Qui joue du **violon**, cet instrument de musique à cordes que l'on frotte avec l'archet ? C'est le Chat bien sûr !
★═══Un **violoniste** joue du violon. *Comment s'appelle celui qui joue du piano ? Regarde page 358.*

une **vipère** *nom féminin*

C'est un serpent dangereux, venimeux.

un **virage** *nom masculin*

La route fait des **virages**. Elle tourne, il y a beaucoup de tournants.

une **vis** *nom féminin*

 visser

le **visage** *nom masculin*

Qui est-ce ?

Approche la lampe pour qu'on voie son **visage** !

viser *verbe*

Robin **a visé** les fesses du Baron pour envoyer sa flèche dans cette direction. *A-t-il bien visé ? Regarde page 206.*

visible *adjectif*

Ce qui est **visible**, on le voit.

visiter *verbe*

Aladin est fier de faire **visiter** son magnifique palais au Sultan. Il lui montre toutes les pièces. Et le Sultan est très impressionné par sa **visite**.
★═══Rendre **visite** à un ami, c'est aller le voir chez lui.

503

vis...

visser *verbe*

Le Petit Cochon prend ses **vis** et son **tournevis** pour **visser** sa serrure sur la porte. Il va la **visser** à fond pour qu'elle tienne bien.

➡️⭐— Pour **dévisser**, on tourne le tournevis dans l'autre sens.

une **vitamine** *nom féminin*

Dans les fruits et les légumes frais, il y a beaucoup de **vitamines** et c'est bon pour la santé.

vite

Le Lapin Blanc court plus **vite** qu'Alice. Il est plus rapide. Il va arriver au terrier avant elle !

la **vitesse** *nom féminin*

C'est le temps qu'on met pour aller quelque part ou pour faire quelque chose.

---

une **vitre** *nom féminin*

Oh ! Les **vitres** sont en sucre !

Normalement, les **vitres** des fenêtres sont en verre transparent. C'est le **vitrier** qui les fabrique et les pose.

une **vitrine** *nom féminin*

C'est la grande vitre d'un magasin derrière laquelle on voit les objets à vendre.

vivant *adjectif*

Elle est **vivante** ! Elle n'est pas morte !

➡️⭐— Regarde aussi **vivre**.

504

vivre *verbe*

Les animaux, les plantes, les êtres humains **vivent**. Ils naissent, grandissent, vieillissent et meurent. Ils sont **vivants**.

★ Une histoire **vécue** raconte des choses qui se sont vraiment passées.

le **vocabulaire** *nom masculin*

Alice était très forte en **vocabulaire**. Elle connaissait beaucoup de mots.

un **vœu** *nom masculin*

Fais un **vœu** et je l'exaucerai !

Je voudrais tant aller au bal !

La Fée a le pouvoir d'**exaucer** tous les **vœux** de Cendrillon. Tout ce que Cendrillon souhaite, tout ce qu'elle désire va se réaliser.

voguer *verbe*

Le bateau du Prince **voguait** sur l'eau. Il avançait sur l'eau.

une **voie** *nom féminin*

Les rues, les routes, les autoroutes sont des **voies** de communication. La **voie ferrée**, ce sont les rails sur lesquels les trains roulent.

★ *Quel mot, page 506, se prononce de la même façon ?*

un **voile** *nom masculin*

Pour son mariage, Cendrillon porte un **voile** sur la tête.

une **voile** *nom féminin*

Avec le vent, les **voiles** se gonflent et les **voiliers** filent sur l'eau.

★ Faire de la **voile**, c'est faire du voilier, du bateau à voiles.

V

505

voir *verbe*

Comme vous avez de grands yeux, grand-mère !

C'est pour mieux te **voir**, mon enfant !

Attention, le verbe **voir** change très souvent de forme.

Autrefois	Hier	Aujourd'hui	Demain	Il faut que
je voyais	j'ai vu	je vois	je verrai	je voie
tu voyais	tu as vu	tu vois	tu verras	tu voies
il, elle voyait	il, elle a vu	il, elle voit	il, elle verra	il, elle voie
nous voyions	nous avons vu	nous voyons	nous verrons	nous voyions
vous voyiez	vous avez vu	vous voyez	vous verrez	vous voyiez
ils, elles voyaient	ils, elles ont vu	ils, elles voient	ils, elles verront	ils, elles voient

un **voisin**, une **voisine** *nom*

C'est une personne qui habite à côté. ➤★⤜Un **voisin** de table, c'est celui qui est assis à côté.

une **voiture** *nom féminin*

Lumignon conduit une **voiture** à pédales. Il tient le **volant** dans ses mains.

la **voix** *nom féminin*

Grâce à notre **voix**, nous pouvons parler, chanter et crier très fort.
Quel mot, page 505, se prononce de la même façon ?

le **vol** *nom masculin*

➤ voler

une **volaille** *nom féminin*

C'est un oiseau de la basse-cour. La poule, le poulet, la dinde sont des **volailles**.

le **volant** *nom masculin*

 ➤ voiture

un **volcan** *nom masculin*

Le Magicien a traversé des pays où il y avait des **volcans**. Il les a vus en activité, la **lave** coulait, brûlante. Elle venait du centre de la terre.

voler *verbe*

Les oiseaux **volent** dans le ciel grâce à leurs ailes. Regarde ce beau **vol** de mouettes au-dessus de la mer.

voler *verbe*

C'est prendre ce qui appartient aux autres sans payer et sans demander. Le Valet de Cœur est accusé d'avoir **volé** la tarte. Il est accusé de **vol**. Un **voleur**, une **voleuse**, c'est une personne qui **vole**, qui commet des **vols**.

un **volet** *nom masculin*

Le soir, Papa Ours ferme les **volets**.

le **volley** *nom masculin*

Au **volley**, il faut envoyer et rattraper un ballon léger au-dessus d'un filet. C'est un mot plus court que le mot exact, **volley-ball**.

un **volontaire**, une **volontaire** *nom*

Dans la maison des Nains, il y avait toujours un **volontaire** pour essuyer la vaisselle ! Il y avait toujours un Nain pour proposer de le faire !

la **volonté** *nom féminin*

La Petite Sirène a beaucoup de **volonté**. Elle veut des jambes et elle va tout faire et tout supporter pour y arriver.

V

vol...

un **volume** *nom masculin*

Le Baron avait tellement de sacs d'or que cela prenait presque tout le **volume** de la pièce ! Cela prenait presque tout l'espace.

Un **volume**, c'est aussi un livre. Il y a des romans en plusieurs **volumes**. Il faut plusieurs livres pour avoir l'histoire complète.

vomir *verbe*

Quand on a mal au cœur, on a envie de **vomir**, on a envie de rendre les aliments qu'on a mangés.

voter *verbe*

Qui sera le chef ?

On va vote[r]

Chacun va donner son avis par son **vote**.

vouloir *verbe*

J'aimerais bien aller au bal avec vous !

Quoi ! Elle **veut** aller au bal ! Mais moi je ne **veux** pas !

Ses sœurs sont bien méchantes, mais Cendrillon ne leur **en veut** pas. Elle n'est pas fâchée, elle va leur pardonner.

Attention, le verbe **vouloir** change très souvent de forme.

Autrefois	Hier	Aujourd'hui	Demain
je voulais	j'ai voulu	je veux	je voudrai
tu voulais	tu as voulu	tu veux	tu voudras
il, elle voulait	il, elle a voulu	il, elle veut	il, elle voudra
nous voulions	nous avons voulu	nous voulons	nous voudrons
vous vouliez	vous avez voulu	vous voulez	vous voudrez
ils, elles voulaient	ils, elles ont voulu	ils, elles veulent	ils, elles voudront

ne **voûte** *nom féminin*

Tout le monde admirait la **voûte** du palais du Roi de la mer.
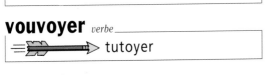—Les caves sont souvent **voûtées**, elles ont un plafond arrondi.

vouvoyer *verbe*

⟹ tutoyer

voyager *verbe*

Le Magicien **a voyagé** dans de nombreux pays. Il est allé dans tous ces pays. Il a fait beaucoup de **voyages**. C'est un grand **voyageur**.

vrai *adjectif*

Qu'est-ce qui est **vrai** ?
– 2 et 2 font 4. C'est **vrai**, c'est juste, ce n'est pas faux.
– L'histoire de Robin est **vraie**. Robin a **vraiment** existé. Ce n'est pas une histoire inventée.
– Et Pinocchio, à la fin de l'histoire, il devient un **vrai** petit garçon, en chair et en os !

Ça y est !
Je suis un **vrai** petit garçon !

la **vue** *nom féminin*

Le Roi de Cœur a une mauvaise **vue**. Il voit mal. C'est pour cela qu'il porte des lunettes. ▶ Regarde page 291.

Ww Xx

Yy Zz

Ww

un wagon *nom masculin*

La locomotive tire les **wagons** du train.

 On parle plutôt de **voitures** pour les voyageurs et de **wagons** pour les marchandises.

le week-end *nom masculin*

C'est le samedi et le dimanche, les derniers jours de la semaine. Normalement, on ne travaille pas ces jours-là.

Xx

un xylophone *nom masculin*

Ce que c'est amusant de jouer sur un **xylophone**. On tape dessus et cela fait des notes !

Yy

un **yaourt** *nom masculin*
On peut fabriquer soi-même les **yaourts**, avec du bon lait.

les **yeux** *nom masculin*
 œil

un **yo-yo** *nom masculin*
Pinocchio et Lumignon jouent au **yo-yo**.

Zz

un **zèbre** *nom masculin*
C'est un animal d'Afrique qui ressemble au cheval et qui court très vite.

zéro
Si on a **zéro** point, on n'a pas de point du tout. Regarde aussi <u>les nombres</u>, page 328.

un **zigzag** *nom masculin*
L'éclair fait des **zigzags** dans le ciel.
▶ Regarde <u>les formes</u>, page 215.

le **ZOO** *nom masculin*
C'est un parc où on peut voir des animaux du monde entier.

w
x
y
z

BIBLIOGRAPHIE

Les contes et les récits dont nous nous sommes inspirés librement ont souvent plusieurs versions. Nous donnons ci-après les références des éditions qui ont servi de base à notre travail.

ANDERSEN (Hans Christian), *Contes*, édition et traduction de Régis Boyer, Gallimard, coll. « Folio Classique », Paris, 1994.

CARROLL (Lewis), *Alice au Pays des Merveilles*, traduit par Jacques Papy, Gallimard, coll. « Folio Junior Édition Spéciale », 1987.

CELLI (Rose), *Boucle d'or et les trois ours*, Flammarion, coll. « Albums du Père Castor », Paris, 1956.

COLLODI (Carlo), *Pinocchio*, traduit par Mme de Gencé, Nathan, coll. « Pleine Lune », Paris, 1995.

DUMAS (Alexandre), *Robin des Bois, le prince des voleurs*, Éditions J'ai lu, coll. « Les Classiques », Paris, 1996.

DUMAS (Alexandre), *Robin des Bois, le proscrit*, Éditions J'ai lu, coll. « Les Classiques », Paris, 1996.

GRIMM (Jacob et Wilhelm), *Le Roi Grenouille et autres contes*, Gründ et Librairie générale française, coll. « Livre de Poche Jeunesse », Paris, 1979.

Histoire d'Aladin ou la lampe merveilleuse, traduit par Antoine Galland, Gallimard, coll. « Folio Junior », Paris, 1979.

KIPLING (Rudyard), *Le Livre de la jungle*, traduit par Louis Fabulet et Robert d'Humières, Mercure de France et Gallimard, coll. « Folio Junior », Paris, 1995.

LEPRINCE DE BEAUMONT (Mme), *La Belle et la Bête*, Gallimard, coll. « Folio Cadet Bleu », Paris, 1989.

PAUL-FRANÇOIS, *Trois Petits Cochons*, Flammarion, coll. « Albums du Père Castor », Paris, 1958.

PERRAULT (Charles), *Contes*, Hachette, coll. « Livre de Poche Jeunesse », Paris, 1989.

ISBN : 2-215-060-80-8
© Édition Fleurus, 1998
Loi n°49-956 du 16 juillet 1949 sur
les publications destinées à la jeunesse
Dépôt légal à la date de parution.